AU NOM DE MES ENFANTS

SOHEIR KHASHOGGI

AU NOM
DE MES ENFANTS

*Traduit de l'américain
par Michel Ganstel*

belfond
12, avenue d'Italie
75013 Paris

Titre original :
MOSAIC
publié par Bantam Books, Londres

Tous les personnages de ce roman sont fictifs
et toute ressemblance avec des personnes réelles,
vivantes ou mortes, serait pure coïncidence.

Si vous souhaitez recevoir notre catalogue
et être tenu au courant de nos publications,
vous pouvez consulter notre site internet :
www.belfond.fr
ou envoyer vos nom et adresse, en citant ce livre,
aux Éditions Belfond,
12, avenue d'Italie, 75013 Paris.
Et, pour le Canada,
à Interforum Canada Inc.,
1055, bd René-Lévesque-Est,
Bureau 1100,
Montréal, Québec, H2L 4S5.

ISBN 2-7144-4068-1

Je dédie ce livre à ma très chère amie Michèle Heiden-berger, morte le 11 septembre 2001. Son affection, son amitié, l'admiration mutuelle que nous éprouvions resteront à jamais gravées dans mon cœur.

S. K.

Prologue

Partis, les jumeaux. Disparus. Envolés.
Volés.

En dépit du silence qui régnait dans la maison, des vête-ments qui manquaient dans les penderies de ses enfants, Dina ne réussissait pas à prendre conscience de la situation, à en accepter la réalité. En dépit même de la lettre de son mari, elle refusait d'y croire. Lui faisait-il une mauvaise plaisanterie ? Voulait-il la punir ? Mais de quoi, grands dieux ?

Dans la cuisine, elle regarda la vaste table comme si cela pouvait suffire à effacer le cauchemar. Comme si Suzanne et Ali assis à leurs places attendaient avec impatience les bonnes choses qu'elle leur avait préparées.

1

Il faisait à New York une radieuse journée de printemps, capable de suggérer que la ville pourrait enfin échapper à l'emprise de la tragédie de septembre 2001.

Réveillée tôt, encore engourdie par l'amour de la nuit précédente, Dina se pencha sur son mari endormi. Karim ne lui avait pas manifesté autant de passion depuis long-temps. Elle y avait réagi avec fougue et, un long moment, tout était redevenu entre eux comme aux premiers temps de leur mariage, lorsque leur amour était neuf et leur désir mutuel insatiable. « Je t'aime, Dina, lui avait-il répété. Il faut que tu saches que je t'aime, quoi qu'il arrive. »

Qu'il est beau, pensa-t-elle en lui effleurant la joue d'une caresse. La douce lumière du matin jouait sur sa peau basanée, ses cheveux noirs légèrement bouclés striés de fils d'argent, ses lèvres généreuses toujours prêtes à rire, ses cils de star, son nez patricien, plus romain qu'arabe. Quand elle le lui avait dit, il avait bien ri. « Pour toi, je serai romain ou grec, ou tout ce qui te fera plaisir. » Il n'avait pas dû le penser sérieusement, ou du moins il l'avait oublié car, au fil du temps, il était devenu de plus en plus arabe. De plus en plus intolérant et ancré dans ses traditions. De plus en plus tout ce qu'elle n'était pas.

Elle enfila son peignoir et alla préparer le café préféré de Karim, qu'elle lui apporta au lit, geste à présent rare. Il ouvrit sur elle un regard si chargé de désir qu'elle abandonna presque l'idée d'aller travailler – presque, seulement. Car la journée était trop importante pour Mosaïc, son affaire de décoration florale créée et développée au prix de tant d'efforts et de temps. Elle devait, entre autres, réaliser une grosse commande pour le dernier restaurant français à la mode et rencontrer le directeur d'un nouvel hôtel de luxe. Le succès de Mosaïc, reconnu dans les colonnes du *New York Magazine* et dans la rubrique « People » du *New York Post*, n'était pas venu à coups de journées de congé. Surtout quand d'autres, et ils étaient nombreux, n'attendaient que l'occasion de se ruer dans le créneau que Dina s'était donné tant de mal à ménager pour Mosaïc, celui de la décoration florale à Manhattan.

Elle s'attarda quand même à boire le café avec son mari puis se blottit dans ses bras, le temps de quelques instants de tendresse. Elle s'y sentait si bien qu'elle dut se forcer à s'en dégager. Après une douche rapide et un léger maquillage, elle endossa un des tailleurs griffés dont elle faisait ses uniformes. Dans l'ambiance ultracompétitive de New York, soigner son apparence ne relevait pas de la vanité personnelle mais d'un sens des affaires bien compris. Même au bout de vingt ans de mariage et de trois maternités, Dina avait su conserver une silhouette irréprochable. Son opulente chevelure châtaine que ne ternissait aucune trace de gris mettait en valeur l'ovale parfait de son visage où brillaient des yeux noisette. Grâce à son hérédité, et à quelques visites à un dermatologue renommé, son teint restait clair, sa peau préservée des stigmates du temps.

Lorsqu'elle descendit, Fatma, la nurse des enfants, s'affairait à la cuisine. Cousine de Karim, célibataire, elle était plus rigoureuse dans ses habitudes qu'un horaire des chemins de fer. Selon les coutumes en usage dans la famille Ahmad, le petit déjeuner aurait déjà dû être servi aux jumeaux de huit ans, Suzanne et Ali. Dina n'étant pas descendue suffisamment tôt, Fatma s'en était chargée, dans un concert de récriminations.

— C'est toi qui es censée nous faire déjeuner, maman ! protesta Suzanne. Pourquoi tu dormais encore ?

Sosie presque parfait de sa sœur, dont ne le différenciaient que ses cheveux plus bouclés et plus courts, Ali renchérit à grands cris. Résignée à la culpabilisation dont la famille entière l'accablait parce qu'elle s'efforçait, sans toujours y parvenir, d'être trois personnes en une seule – épouse, mère et femme d'affaires –, Dina soupira :

— D'accord, d'accord ! Puisque j'ai raté le petit déjeuner, je me rattraperai au déjeuner. Fatma ira vous chercher à l'école et vous emmènera me retrouver au parc. Nous mangerons des hot-dogs et nous visiterons le zoo. Ça vous plairait ?

Les jumeaux manifestant bruyamment leur approbation, Dina remercia le ciel que les enfants soient prompts à oublier et à pardonner. Si seulement tout était aussi simple avec les adultes !

Dina répéta à Fatma de passer prendre les enfants à la sortie de l'école et de les conduire au parc. La vieille fille acquiesça en maugréant. Depuis quinze ans, Dina n'avait pas encore découvert le moyen de vivre avec elle en bonne intelligence. Elle savait que Fatma ne l'aimait pas et, de son côté, ne pouvait s'empêcher de la trouver antipathique. Pourtant, en dépit de ses défauts, les amies de Dina qui devaient constamment engager de nouvelles nurses l'enviaient d'avoir gardé la sienne aussi longtemps.

Lorsque Dina arriva à la boutique, Eileen – son assistante – était au bord de la crise de nerfs. Le restaurateur français voulait que les décorations florales comportent en majorité des orchidées, et il n'y en avait aucune dans les livraisons du matin. Il faudrait donc passer un coup de téléphone indigné au fournisseur, qui se défendrait en prétendant que la commande était mal rédigée, et continuer par une série d'appels implorants à des concurrents moins bien placés ou avec lesquels Dina n'avait pas l'habitude de travailler, dans l'espoir d'un miracle qui lui permettrait d'honorer la commande.

La matinée lui apporta un autre problème. L'éditeur d'un grand magazine de décoration désirait que Dina réalise le surtout d'une table de fête à l'ancienne devant figurer sur la couverture d'un prochain numéro. Une merveilleuse publicité de plus pour Mosaïc – hélas ! le travail devait être livré le surlendemain.

Dina fut tentée de décommander son déjeuner avec les enfants. L'idée de les décevoir deux fois dans la même journée l'en empêcha cependant. Son rendez-vous avec le propriétaire de l'hôtel n'était prévu que dans l'après-midi et la perspective de passer une heure au grand air, de mettre de côté le stress permanent de devoir se vendre, fit pencher la balance de manière décisive.

Arrivée en avance, elle s'assit sur un banc près de l'endroit prévu et attendit, les yeux clos, le visage offert au soleil d'avril. Le temps était d'une douceur exceptionnelle, elle l'apprécia d'autant plus que l'hiver avait été rude. Quand elle rouvrit les yeux, elle vit s'approcher l'épaisse silhouette de Fatma, en longue tunique et la tête couverte d'un foulard, entre ses deux angelots bouclés qui s'élancèrent en l'apercevant. Dina courut à leur rencontre, les serra contre elle. Ils grandissaient vite, si vite, pensa-t-elle avec regret, sachant qu'elle passait chaque jour trop de temps loin d'eux.

Comme promis, elle passa outre à sa règle de ne manger au déjeuner que des choses saines pour leur acheter des hot-dogs et des sodas, qu'ils engloutirent avec enthousiasme. Fatma refusa ces nourritures impures et mastiqua méthodiquement, sans plaisir apparent, le sandwich de *pita* dont elle s'était munie.

— C'est super, maman ! On peut recommencer demain ? supplia Suzanne. On peut, dis ?

Une fois de plus, Dina eut une bouffée de remords. Ses enfants, qu'elle aimait plus que sa propre vie, exigeaient si

14

peu d'elle, juste une miette de son temps ! Elle caressa les boucles brunes de sa fille, qui la dévisageait de ses grands yeux noirs, aussi profonds et brillants que ceux de Maha, sa grand-mère paternelle. Dina se félicitait que la ressemblance s'en tînt là, car sa belle-mère, qui ne l'avait jamais réellement admise dans la famille, ne lui inspirait aucune affection.

— Pas demain, ma chérie, mais très bientôt, je te le promets.

Au bout d'un moment, Fatma se leva et se prépara à reconduire les enfants à l'école.

— Embrassez votre mère, leur dit-elle.

Dina se retint de manifester son étonnement, Fatma n'ayant jamais conseillé aux enfants de prodiguer des marques d'affection à leur mère. Après tout, se dit-elle, le beau temps a peut-être fini par lui adoucir le caractère. Ils ne se firent pas prier pour couvrir Dina de gros baisers sonores qu'elle leur rendit en riant. Elle aurait tant voulu prolonger cet instant, passer l'après-midi avec eux au soleil. Mais elle avait encore trop de travail pour se le permettre. Avec un soupir de regret, elle les suivit des yeux jusqu'à ce qu'ils aient disparu, avant de reprendre le chemin de la boutique.

Son entretien avec le directeur du nouvel hôtel de luxe se déroula le mieux du monde. Déjà convaincu du talent de Dina, dont il avait vu plusieurs réalisations, il lui proposa de rédiger un contrat de fournitures régulières pour décorer l'établissement, les premières livraisons étant prévues pour le début du mois suivant.

Elle l'avait à peine raccompagné quand Eileen lui signala un appel téléphonique pour elle.

— Je n'ai vraiment pas le temps...

— C'est votre mère.

— Bon, je vais la prendre dans mon bureau.

Depuis que son père était traité pour un cancer du côlon, Dina restait à l'affût de ses nouvelles.

— Quelque chose ne va pas ? demanda-t-elle avec inquiétude.

— Non, ma chérie, tout va bien. Je veux juste te remercier du gentil cadeau que Karim et toi avez envoyé ce matin.

— Un… cadeau ?

— Mais oui, ma chérie, les fruits séchés. Karim les a trouvés dans une épicerie libanaise de Brooklyn. Il m'a dit qu'il savait combien ton père aimait les abricots et les figues, et il espérait qu'ils lui feraient retrouver son appétit.

— Ah oui, c'est vrai.

Dina ignorait que Karim s'était déplacé jusqu'à Brooklyn pour faire ce cadeau à son père. Pourquoi ne lui en avait-il pas parlé ? Joseph Hilmi supportait mal ses dernières séances de chimiothérapie, qui lui donnaient des nausées et lui coupaient l'appétit. C'était en effet très gentil de la part de Karim de s'être donné cette peine, d'autant plus qu'il avait beaucoup de travail lui aussi depuis quelques semaines.

Lorsqu'elle raccrocha, Eileen apparut sur le pas de la porte pour lui signaler un nouveau coup de téléphone. Dina lui fit signe de répondre à sa place et appela le bureau de Karim. Il décrocha lui-même à la première sonnerie, ce qui était inhabituel car il laissait le plus souvent sa secrétaire filtrer les appels.

— Dina ? Quelle surprise !

De fait, elle l'appelait rarement au bureau, alors qu'au début de leur mariage, ils se téléphonaient au moins une fois par jour.

— Je voulais te remercier d'avoir envoyé les fruits à mon père.

— C'est la moindre des choses, Dina, tu sais combien j'aime ton père. Sa maladie me fait beaucoup de peine et j'ai pensé que ces quelques douceurs lui redonneraient peut-être un peu d'appétit.

— Merci, c'est très gentil de ta part. Et puis…

— Oui ?

— Pourrais-tu te libérer un peu plus tôt ce soir ? J'ai une journée folle, mais je peux me débrouiller pour expédier le maximum de travail et laisser Eileen terminer. En rentrant, j'achèterai le dessert et nous passerons une bonne soirée ensemble, dit-elle en pensant qu'elle devait saisir l'occasion de prolonger leurs moments d'intimité de la nuit et de la matinée.

— Eh bien, c'est-à-dire...

— Quoi ? Tu dois encore travailler tard ?

— Non, Dina, je ne compte pas travailler très tard ce soir.

— Tant mieux. Je me suis trop occupée de mes affaires ces derniers mois, je sais. C'est pourquoi je tiens dorénavant à consacrer davantage de temps à toi et aux enfants.

Un silence suivit, si long que Dina crut que la communication avait été coupée.

— Karim ?

— Oui, Dina, je suis toujours en ligne.

— Bon. Alors, à tout à l'heure.

— Au revoir, Dina.

Fidèle à sa promesse, elle s'évertua à accomplir l'essentiel du travail le plus urgent, laissa ses instructions pour le reste et, à la stupeur d'Eileen, quitta son bureau avec près d'une heure d'avance. Sur le chemin du retour, elle s'arrêta chez un traiteur pour y acheter des gâteaux selon les goûts de chacun, y compris Fatma, qui pourtant refusait presque toujours ce qu'elle lui apportait. La vieille fille était de plus en plus pénible à supporter, ces derniers temps. Mais avait-elle jamais été sociable ? Sûrement pas, en tout cas, depuis que Karim l'avait fait venir de sa Jordanie natale quinze ans auparavant, plus par sens de ses responsabilités envers une parente solitaire et défavorisée que pour aider Dina dans ses tâches de mère de famille et de maîtresse de maison.

A-t-elle encore le mal du pays, regrette-t-elle toujours son mode de vie traditionnel ? se demanda Dina en cherchant ses clefs dans son sac. Sa ménopause lui posait-elle des difficultés ? Sa maussaderie de plus en plus évidente aurait-elle un rapport avec les conséquences de la tragédie du 11 septembre ? Quelle que fût la raison de son comportement, sa présence dans la maison n'avait rien d'agréable.

Dina avait eu envie d'en parler à Karim mais, vu leurs autres points de désaccord, portant principalement sur leurs différences culturelles qui s'aggravaient au fil du temps, elle avait préféré ne pas provoquer de nouvelles frictions entre eux. Elle avait si longtemps enduré Fatma et ses humeurs qu'elle pouvait les subir encore un peu. Plus tard, peut-être, se déciderait-elle à aborder le sujet avec son mari.

Elle lança un appel en entrant. Pas de réponse. Elle recommença au pied de l'escalier – vaste pour New York, la maison comprenait trois niveaux plus un sous-sol. Personne ne semblait être encore rentré, mais cela n'avait rien d'exceptionnel. Fatma avait peut-être remmené les enfants au parc en sortant de l'école pour profiter du beau temps. Ils devraient en arriver d'une minute à l'autre, avant le crépuscule en tout cas. Car Fatma estimait que se trouver dans la rue une fois la nuit tombée était une preuve de folie furieuse.

Dina se sentit quand même troublée de ne pas trouver de mot expliquant cette absence. Fatma avait des défauts, sans doute, mais elle était scrupuleuse pour tout ce qui concernait les enfants. Ne sachant toujours pas écrire en anglais, elle faisait griffonner par un des jumeaux un message qu'elle plaçait en évidence sur la table de la cuisine. Après tout, il n'y avait aucune raison sérieuse de s'inquiéter. Si les jumeaux étaient trop excités par la perspective de retourner au parc, ils avaient dû entraîner Fatma sans prendre le temps d'écrire deux lignes.

Le ciel s'assombrissait. Par acquit de conscience, Dina vérifia le répondeur. Pas de message. Karim serait-il rentré de bonne heure, comme il le lui avait laissé entendre, et avait-il emmené tout le monde manger une glace en attendant le retour de Dina ? Peu probable. Elle avait averti son mari qu'elle souhaitait passer la soirée en famille et qu'elle achèterait des desserts.

Décidée à en avoir le cœur net, elle appela le bureau. C'est alors qu'elle éprouva un premier frisson de peur.

— M. Ahmad est indisponible, répondit une voix qui n'était pas celle de la secrétaire de Karim.

— Je suis sa femme. Savez-vous s'il est parti pour rentrer chez lui ?

— Il n'est pas au bureau, je ne peux rien vous dire de plus, déclara l'inconnue avec froideur.

— Passez-moi Helen, sa secrétaire.

— Helen est indisponible elle aussi.

— Que voulez-vous dire par « indisponible » ?

— Elle n'est pas ici, M. Ahmad non plus. Voulez-vous leur laisser un message ?

— Demandez-lui de m'appeler le plus vite possible. C'est très important.

Invraisemblable ! se dit-elle en raccrochant. Il devait quand même y avoir une explication logique, un problème inattendu, une réunion urgente exigeant la présence non seulement de Karim mais aussi de son assistante. Bon sang, et si les enfants avaient eu un accident en sortant de l'école ? Helen aurait-elle conduit Karim à l'hôpital ? Non, elle aurait sûrement été avertie elle aussi à la boutique. Du calme. Inutile de paniquer pour rien. Un peu de patience, tout s'éclaircira.

Un quart d'heure s'écoula. Toujours rien. Dina pensa appeler... qui ? Sa mère ? Non, elle n'avait pas le droit de l'inquiéter. Les voisins, le marchand de journaux du coin de la rue qui voyait tout ce qui se passait dans le quartier ?

Au comble de l'énervement, Dina monta dans la chambre pour se changer, enfila sur son chemisier un peignoir plus confortable que son tailleur, comme si ces gestes routiniers suffisaient à calmer ses craintes. C'est en se tournant vers le lit qu'elle vit la lettre posée sur l'oreiller. Dès les premiers mots, elle reconnut le style pompeux qu'adoptait Karim dans les grandes occasions.

Chère Dina,

Je désire t'informer que je n'ai atteint cette décision qu'au bout de longues réflexions. Elles m'ont amené à conclure que j'agis ainsi pour le mieux.

Tu n'ignores pas que nous avons souvent et longtemps discuté en détail de mes soucis concernant les influences auxquelles sont soumis Ali et Suzanne...

Mais de quoi parlait-il ? Dina sentit son cœur s'affoler, sa respiration se bloquer dans sa gorge. Elle dut se forcer à poursuivre sa lecture.

... et je suis particulièrement inquiet, comme tu le sais, pour Ali, pour qui je redoute l'influence déjà subie par son frère. Je ne suis pas moins soucieux de l'avenir de Suzanne...

Suivirent des séries de mots que Dina connaissait par cœur pour les avoir maintes fois entendus, sur les défauts et les tares de la société américaine. Elle ne tarda pas à voir où Karim voulait en venir :

C'est donc pour ces raisons, ainsi que pour leur permettre de renouer avec la culture héritée de leur père, que j'ai décidé d'emmener Ali et Suzanne avec moi en Jordanie, ma patrie qui est aussi la leur.

Cette fois, Dina ne put retenir un sanglot.
— Non ! cria-t-elle. Non, non !
Sa propre voix lui parut venir de très loin, elle sentit la pièce tanguer sous ses pieds. Au prix d'un grand effort, elle termina la lecture de la lettre. Les mots continuaient à

s'aligner, qu'elle lut à peine. Il était question d'argent, de fonds virés régulièrement au compte en banque, de promesses qu'elle ne manquerait de rien.

Les enfants seront heureux, n'aie aucune crainte à leur sujet. Tu sais que ma famille s'occupera d'eux avec amour, tout comme moi-même. J'ai trouvé du travail en Jordanie, une situation importante...

Du travail ? Une situation importante ? Depuis combien de temps Karim se préparait-il à lui enlever ses enfants ? Le même Karim qui lui susurrait qu'il l'aimait ? C'était inconcevable ! Aberrant !

Lorsque tu liras cette lettre, nous serons déjà en route. Je t'appellerai pour te prévenir de notre arrivée sans encombre, mais tu dois comprendre que tu ne me feras pas revenir sur ma décision. Je ne l'aurais peut-être pas prise il y a plusieurs années, mais la situation étant ce qu'elle est aujourd'hui, je suis persuadé que cela vaut mieux pour le bien de nos enfants. Quoi que tu puisses penser, je ne cherche pas à te faire de la peine...

Dina lâcha la lettre sur le lit en la fixant comme si elle venait d'un autre monde. Elle ne parvenait pas à y croire. Ce n'était pas vrai, pas possible ! D'un pas de somnambule, elle se rendit dans la chambre des enfants. Une partie de leurs vêtements avait disparu. Des livres, des jouets aussi. Il ne restait rien dans la chambre de Fatma. Elle était avec eux, bien entendu.

En Jordanie ! Si Karim voulait lui donner une leçon, elle était de mauvais goût. Quelques années plus tôt, elle avait lu dans un magazine un article sur les maris étrangers qui abandonnaient leurs épouses américaines et emmenaient leurs enfants en Allemagne, en Grèce, en Arabie Saoudite ou autres pays lointains. Jamais elle ne se serait imaginé que cela pourrait un jour la concerner. C'était impensable entre Karim et elle, quels que soient leurs problèmes et leurs désaccords...

Elle regagna sa chambre, reboutonna le chemisier qu'elle avait commencé à enlever, descendit à la cuisine et posa la lettre sur la table, à l'endroit où les enfants laissaient leurs messages. Tout lui paraissait plus irréel qu'un mauvais rêve – un rêve dont elle savait qu'elle ne se réveillerait pas. Elle devait réagir, faire quelque chose, appeler quelqu'un. Sa mère ? Non, dans l'état où était son père, la nouvelle risquait de le tuer. Mieux valait attendre, il se passerait peut-être quelque chose. Karim pouvait encore changer d'avis. Ne lui avait-il pas répété qu'il l'aimait ? En ce moment, ils se trouvaient sans doute dans un taxi sur le chemin de l'aéroport. Il suffirait d'un demi-tour... Non, ils n'y étaient déjà plus, elle le sentait. Elle l'entendait dans le silence pesant, anormal, qui enveloppait la maison comme un linceul.

— Je vous en prie, mon Dieu ! gémit-elle. Je vous en prie...

C'est alors qu'elle pensa à son fils aîné. Elle allait devoir le mettre au courant. Comment le prendrait-il ? Se sentirait-il responsable ? Il fallait à tout prix éviter cela, mais ce ne serait pas facile car Jordan, ainsi nommé en hommage à la patrie de son père, avait déclenché le processus ayant conduit Karim à prendre sa monstrueuse décision. Mais rien ne pressait. Jordy était dans son collège à trois cents kilomètres de là, il n'avait pas besoin d'apprendre tout de suite que sa famille avait éclaté et qu'il ne restait plus que sa mère et lui.

Alors, que faire dans l'immédiat ?

Dina passa rapidement en revue les gens à qui elle pouvait faire appel. Pas à ses relations de travail. Pas non plus aux couples que Karim et elle fréquentaient, de simples connaissances en réalité. Tout bien pesé, elle ne voyait que deux personnes au monde susceptibles de lui venir en aide dans cette situation de crise, la plus grave de sa vie.

Et Dina décrocha le téléphone.

2

— Pas possible, c'est le coup de foudre ! commenta Arnie Stern.

— Tu es sûr qu'ils ne sont pas mariés, ces deux-là ? s'enquit Tom Wu d'un air perplexe.

— En tout cas, ça fonctionne, conclut Emmeline LeBlanc, à la fois star et productrice du programme *Em-New York*. C'est vrai, non ? Dites-moi que ça fonctionne, répéta-t-elle pour se rassurer.

Arnie était le réalisateur, Tom le monteur. L'émission qu'ils étaient en train de visionner sur l'écran d'ordinateur de Tom avait été enregistrée dans l'après-midi. Parlant de la sécurité chez soi, sujet d'une actualité toujours brûlante à New York, les deux experts invités étaient Mary Ann Cangelosi, commissaire de police, et Morty Mortenson, cambrioleur de profession, officiellement à la retraite après nombre de brillantes réussites lui ayant valu trois longs séjours dans les meilleurs établissements de l'administration pénitentiaire. Pour une raison qu'Emmeline et ses collaborateurs avaient du mal à s'expliquer, Mary Ann et Morty s'étaient entendus comme larrons en foire dès la première seconde et se renvoyaient la balle avec l'aisance et la complicité de duettistes chevronnés.

Ayant comparé les mérites respectifs des serrures, des alarmes et des chiens de garde, ils abordaient maintenant ceux des armes à feu. Sur cette question, la position de

Mary Ann était simple . les armes à feu étaient illégales dans la plupart des cas et, de toute façon, plus dangereuses pour leurs possesseurs que pour les intrus éventuels, point de vue que Morty approuvait avec un large sourire : « J'avais toujours la frousse de tomber dessus dans une de mes... visites domiciliaires, dit-il en marquant une pause de parfait cabotin pour donner au public l'occasion de rire, ce qu'il fit docilement. Je n'ai jamais travaillé de ma vie avec une arme, parce que vous n'avez pas idée du nombre de cinglés qu'il y a en ce bas monde. Ils vous arracheraient votre pétard et vous tireraient dessus sans même vous demander votre avis ! Croyez-moi, pour vous protéger, prenez plutôt un chien. Le pire qu'il puisse vous faire, c'est de pisser sur le tapis. »

— Oui, opina Arnie, ça fonctionne au quart de tour.

Tom approuva d'un vigoureux hochement de tête. En fait, les deux hommes avaient le béguin pour leur patronne. La cinquantaine sonnée, trois fois marié, Arnie voyait en elle une jeune beauté exotique au bras de laquelle il serait fier de s'exhiber dans les cocktails du show-biz et les bars branchés de Manhattan. Une fois, après avoir bu, il l'avait décrite à un de ses collègues comme une « princesse massaï de Louisiane ». Il n'avait jamais vu de princesse massaï, il ignorait même s'il en existait, et n'était allé en Louisiane qu'une seule fois pour le Mardi gras de La Nouvelle-Orléans, mais il ne s'arrêtait pas à ce genre de détails.

Pour Tom, frais émoulu de l'université, Emmeline était simplement une femme excitante au plus haut point. Qu'elle ait une douzaine d'années de plus que lui et le dépasse d'une tête n'affectait en rien ses fantasmes. Par moments, il devait prendre sur lui pour ne pas lui toucher le bras ou la joue afin de se rendre compte si sa peau chocolat était aussi douce qu'elle le paraissait.

— Je voudrais juste inverser les plans où Mary Ann regarde directement la caméra 2, se borna à annoncer Tom.

— Rien d'autre ? s'enquit Emmeline.

— Pour moi, rien, déclara Arnie.

— Moi non plus, dit Emmeline. Sauf que j'ai l'impression de mener un club de rencontres plutôt qu'un show télévisé.

— Les bons invités nous facilitent le travail, commenta Arnie. D'accord, Thomas, tu peux y aller.

— Bon, dit Emmeline en se levant. Demain, il fera jour.

Le show du lendemain traitait de l'art et la manière d'attraper un taxi aux heures de pointe, sujet peu captivant en soi. Mais, comme tout ce que touchait Emmeline, elle réussirait à le rendre vivant et distrayant. C'est pourquoi *Em-New York* obtenait des parts d'audience flatteuses pour le câble, et en croissance constante, au point que l'agent d'Emmeline était déjà en pourparlers avec les grandes chaînes hertziennes.

Emmeline éprouvait la plaisante fatigue que procure une bonne journée de travail bien fait. Et même si elle ne décollait jamais du câble pour prendre pied dans l'Eldorado des stars médiatiques, cela valait mille fois mieux que de cuisiner à la chaîne des jambalayas à Grosse-Tête, paroisse de Pointe-Coupée, Louisiane.

— Il est encore tôt, fit observer Arnie. On arrose ça ?

Il était tôt, en effet. Il leur arrivait souvent à tous les trois de rester jongler avec les images jusqu'au petit matin.

Emmeline s'apprêtait à décliner poliment l'invitation afin de rentrer chez elle à une heure pour une fois décente – avant que Michael, son fils, et Sean, son bon ami, aient oublié jusqu'à son existence – quand Celia, son assistante, passa la tête par la porte.

— Téléphone, Emmeline. Dina Ahmad. Elle dit que c'est urgent.

Emmeline alla prendre la communication dans le cagibi qui lui tenait lieu de bureau.

— Salut, ma belle ! lança-t-elle d'un ton enjoué. Quoi de neuf ?

Sa bonne humeur fut de courte durée.

— Hein ? Pas si vite, recommence... Il a fait quoi ?... Bon, ne bouge pas, j'arrive. Oui, je l'appelle avant de partir.

Sur quoi elle décocha au téléphone un regard furibond.

— Le salaud ! gronda-t-elle. Le... le couillon !

Elle ne connaissait pas de pire insulte en dialecte créole et ne l'avait pas utilisée depuis des années. Cette fois, la conduite de Karim Ahmad la justifiait pleinement. Et elle regrettait même de ne pas trouver de terme plus infamant.

3

Sarah Gelman entendit bourdonner son portable sans y prêter attention. Au chevet d'une fillette de cinq ans atteinte d'une gonorrhée réfractaire aux antibiotiques, elle avait mieux à faire que répondre à un appel du bureau. D'autres s'interrogeaient sur la cause de cette pénible affection, Sarah ne s'intéressait qu'à la maladie et au moyen de la guérir.

Elle nota sur le dossier un changement de médication, espérant qu'il se montrerait enfin efficace. Mais elle savait que, quoi qu'elle fasse, les microbes reviendraient un an ou deux plus tard, encore plus résistants. Des millions de gens avalaient des antibiotiques chaque fois qu'ils éternuaient et la situation ne faisait qu'empirer depuis que les terroristes brandissaient la menace d'armes biologiques. Le problème était dû en grande partie à ses milliers de collègues qui gribouillaient des ordonnances à seule fin de se débarrasser de patients hypocondriaques. De ce fait, les laboratoires étaient lancés dans une bataille sans fin contre des micro-organismes exerçant leur droit imprescriptible de lutter pour la survie de leur espèce.

Après s'être assurée auprès de l'infirmière de garde que le changement de traitement serait effectué, elle consulta sa messagerie vocale et constata avec étonnement que l'appel provenait d'Emmeline. Elle savait pourtant que Sarah était de service ce jour-là à l'hôpital. Pourquoi diable l'appelait-elle ? Une urgence ? Non, plutôt une soirée impromptue entre filles. Dans ce cas, tant mieux, elle avait envie depuis longtemps de se changer les idées loin des collègues et des maris passés (Ari, le sien), présents (celui de Dina, Karim) et éventuellement futurs (le Sean d'Emmeline, bien qu'il paraisse de plus en plus improbable).

Quelle que soit la direction prise par les bavardages et les confidences, elle se promit de ne pas évoquer son divorce religieux. Le sujet ennuyait tout le monde sauf elle, personne ne comprenait de quoi il s'agissait au juste et ceux qui comprenaient ne voyaient pas pourquoi elle y attachait autant d'importance.

Ari et elle étaient divorcés depuis trois ans, plutôt à l'amiable sauf sur ce point. Si leur divorce était valide sur le plan légal, Ari s'obstinait à lui refuser un *get*, un divorce religieux. Pourquoi, Sarah l'ignorait. Peut-être parce qu'il savait qu'elle y attachait du prix. Sans se considérer comme une fervente pratiquante, elle tenait à sa foi hébraïque. C'est pourquoi elle voulait que le mariage soit dissous dans tous les sens du terme, elle désirait pouvoir prendre un nouveau départ avec la bénédiction non seulement de l'État de New York, mais aussi d'un rabbin. Si elle rencontrait quelqu'un et si leurs rapports devenaient sérieux... quoique ses chances dans ce domaine soient minces. Elle n'avait pour ainsi dire aucune vie sociale en dehors des soirées entre copines et, de temps à autre, un dîner avec un autre médecin, dîner qui se terminait presque invariablement par un appel d'urgence destiné à l'un ou l'autre, voire aux deux.

27

Elle alla dans la salle de repos des médecins, composa le numéro d'Emmeline. Du ton excédé d'une personne surmenée, son assistante lui apprit que Mme LeBlanc était sur une autre ligne. Sarah s'étant nommée en précisant qu'elle retournait l'appel d'Emmeline, l'attitude du cerbère changea du tout au tout.

— Ah ! c'est vous, docteur Gelman ? Elle vous attendait, je vous la passe immédiatement.

Cinq minutes plus tard, Sarah était en état de choc. À quoi rimait cette histoire ? Karim Ahmad avait-il complètement perdu la raison ? Elle téléphona aussitôt à Dina, qui décrocha au bout de plusieurs sonneries le temps de dire :

— Je te rappelle tout de suite, je suis en ligne avec la police.

— Ne me rappelle pas, j'arrive ! cria Sarah en espérant que son amie avait gardé le combiné à l'oreille assez longtemps pour l'entendre.

Elle enleva en hâte sa blouse blanche pour endosser la veste de son tailleur. Un instant, elle hésita : et si elle gardait sa tenue officielle ? Emmeline avait eu l'idée quelque peu absurde que s'ils n'avaient pas encore décollé, elles devraient peut-être se précipiter à l'aéroport. Sarah se vit faire irruption dans la tour de contrôle en criant : « Je suis médecin, arrêtez cet avion ! » Elle souffrait du problème de reconnaissance de celles qui ont une taille de jeune fille et ne dépassent pas un mètre soixante malgré des talons aiguilles. Pendant qu'elle manœuvrait pour sortir du parking de l'hôpital, Sarah décida que son rôle le plus utile dans cette crise serait de faire entendre la voix de la raison : accorder tout le soutien physique et moral nécessaire, conseiller, mais surtout apaiser. Une des premières leçons enseignées dans les écoles de médecine rappelle que, quoi que montre la télévision, les mesures héroïques doivent être l'exception plutôt que la règle. Les problèmes qui paraissent insurmontables le soir le sont souvent beaucoup moins le lendemain matin.

Elle vérifia que la pancarte « Médecin en appel d'urgence » était bien visible derrière son pare-brise. Dans le quartier de Dina, le stationnement était un enfer – ce qui, pensa-t-elle, ressemblait fort à la vie en général.

4

L'idée d'appeler la police était idiote, ou au moins naïve. Dina s'en rendit compte en essayant d'expliquer les faits à l'inspectrice Frances Malone. Non, il ne s'agissait ni de violences conjugales ni d'un péril imminent au domicile. C'était beaucoup plus simple : son mari avait enlevé ses enfants pour les emmener à l'étranger.

— Je voudrais être sûre de comprendre, madame Ahmad, articula-t-elle comme si elle s'adressait à une analphabète. Vous dites que les enfants sont avec leur père ?

— Oui.

— Et vous n'avez pas lieu de croire qu'ils se trouvent exposés à un danger quelconque ?

— Non, mais...

— Leur père est votre mari légitime, c'est bien cela ?

— Oui.

— Vous n'êtes pas divorcés ? Il n'existe donc aucun jugement statuant sur le droit de garde des parents ?

— Non.

— Il n'y a pas eu de la part de votre mari d'actes de violence, de menaces, rien de semblable ?

— Non. J'ai appelé la directrice de l'école, elle m'a dit qu'il était venu avec la nurse les chercher à la fin des classes, c'est tout. Maintenant, ils sont en route pour la Jordanie, c'est au Moyen-Or...

— Je sais où se trouve la Jordanie, madame Ahmad, l'interrompit l'inspectrice Malone d'un ton sec.

— Excusez-moi, mais vous ne paraissez pas comprendre, insista Dina avec un désespoir croissant. Il a pris mes enfants et il n'a pas l'intention de les ramener !

— Je comprends, madame Ahmad, répondit la policière d'un ton radouci. Nous avons déjà eu connaissance de quelques cas semblables au vôtre. Je voudrais pouvoir vous aider, croyez-moi, mais ce n'est pas de notre ressort. Votre mari n'a enfreint aucune loi, la police ne peut donc rien faire.

— Mais…

— Si je peux me permettre de vous donner un conseil, madame Ahmad, ce qu'il vous faut, c'est un bon avocat.

Un avocat ? se répéta Dina avec perplexité. Un avocat serait-il capable de lui rendre ses enfants ? Karim en connaissait un, mais mieux valait ne pas s'adresser à lui. Il fallait pourtant qu'elle fasse quelque chose si elle ne voulait pas devenir folle ! Ce devait être cela, l'enfer : attendre, ne rien savoir, avoir peur de tout.

Une fois encore, elle essaya de se raccrocher à l'idée qu'elle se réveillerait d'un mauvais rêve, que Karim bluffait, qu'il ne cherchait qu'à prendre sur elle Dieu sait quel avantage, que d'une minute à l'autre ils allaient revenir… Non. Impossible d'y croire sérieusement.

À nouveau, elle eut l'envie d'appeler sa mère et, une fois encore, parvint à y résister. Pas maintenant. Demain peut-être, s'il ne se passait rien d'ici là.

Elle se versa un verre d'eau, s'assit devant la lettre de Karim posée sur la table et la relut lentement, comme si les mots pouvaient lui suggérer une solution. Il ne voulait pas que les jumeaux soient victimes des préjugés qu'il subissait lui-même. Avait-elle oublié ce qu'ils avaient enduré après la tragédie du 11 septembre ? Avait-elle oublié qu'ils étaient rentrés en larmes à la maison, qu'ils ne voulaient plus porter un nom arabe parce que tous les Arabes étaient méchants ? Dans ces conditions, elle comprenait sûrement pourquoi il ne voulait pas qu'ils grandissent à New York.

Eh bien, non, Dina ne comprenait pas ! Son propre père était né au Liban. Bien qu'il ait émigré aux États-Unis à l'âge de seize ans, il avait apporté nombre de ses traditions, sans parler de sa cuisine, à son épouse américaine d'origine irlandaise. En dépit de leurs différences culturelles, ou plutôt grâce à elles, Joseph et Charlotte Hilmi avaient bâti un couple solide, enrichi de leurs traditions respectives.

Dina aimait ses parents libanais, leurs manières chaleureuses, leur pays, mais elle ne s'était jamais sentie autrement qu'américaine. Son héritage oriental était comme une chère vieille tante qui vivait au loin, à laquelle elle aimait rendre visite de temps en temps pour l'embrasser avec affection en évoquant des souvenirs avant de rentrer chez elle retrouver sa vraie personnalité américaine.

Depuis le 11 septembre, elle avait elle aussi subi sa part de réflexions désobligeantes, voire cruelles, mais la plupart des gens ne la traitaient pas en criminelle à cause de son nom. Et Karim, quels affronts avait-il essuyés ? Une ou deux affaires manquées ? Une insulte marmonnée par un chauffeur de taxi ? On ne prend pas la fuite devant des bêtises de ce genre, on les méprise.

Bien sûr, Dina avait été bouleversée quand les jumeaux étaient rentrés de l'école en pleurant. Elle leur avait longuement expliqué que les gens se conduisent souvent mal quand ils ont peur. Elle leur avait aussi promis que les brimades cesseraient. Elles avaient pris fin, en effet, mais après qu'elle eut parlé au professeur et à la directrice. Après que la classe et l'école entière eurent reçu une leçon salutaire sur le racisme et les préjugés. Elle avait fait le nécessaire pour protéger ses enfants. N'était-ce pas la preuve qu'elle les aimait autant que leur père ? Et même bien plus : Karim s'était-il seulement donné la peine de se demander comment ils s'acclimateraient en Jordanie, dans

31

un pays et une culture auxquels ils étaient étrangers, avec lesquels ils avaient si peu en commun ?

La phrase sur Ali, dont Karim craignait qu'il ne soit victime de l'influence déjà subie par son frère, lui tira un rire amer. C'était cela le nœud du problème, la vraie raison qui l'avait poussé à faire ce qu'il avait fait.

Le tintement de la sonnette arracha Dina à ses pénibles réflexions. Un instant, elle imagina qu'un policier venait lui apprendre qu'il y avait eu un accident. Mais ce fut la voix de Sarah qui résonna dans l'interphone.

Elles tombèrent dans les bras l'une de l'autre, s'étreignirent un long moment. Lorsque Sarah s'écarta enfin, Dina reconnut dans ses yeux le regard professionnel du Dr Gelman : de quoi souffre cette enfant et que puis-je faire pour la guérir ?

Rien n'aurait pu la réconforter davantage.

Et Dina fondit en larmes.

5

À trente-huit mille pieds, le ciel était encore clair mais la terre déjà dans l'obscurité. Il serait bientôt l'heure du dîner, puis du film. Pour le moment, les écrans individuels de la cabine de première classe n'affichaient que l'altitude de l'appareil, sa vitesse au sol et sa trajectoire. Karim avait souvent fait ce trajet, il n'en avait pas besoin pour savoir qu'il franchissait la pointe est de Terre-Neuve. De son hublot, il pouvait voir les lumières de la petite ville de Gander. On distinguait au-delà l'étendue noire de l'Atlantique, au-dessus duquel l'avion décrirait un vaste arc de cercle avant de se rabattre vers le sud au large des côtes d'Irlande, en direction de la France.

Ce vol avait beau lui être familier, il ne ressemblait en rien aux précédents. Depuis une heure, à chaque mille qui l'éloignait de New York et de l'Amérique, il sentait sa tension nerveuse diminuer comme un fluide qui s'écoulait de son corps et dont il aurait pu mesurer le volume. Maintenant, tout allait bien. Il avait réussi.

La longue attente à l'aéroport lui avait mis les nerfs à rude épreuve. Deux heures durant, il s'était inquiété de ce qui risquait de se produire, de la possibilité que, du seul fait de leur apparence ou de la tenue de Fatma, on les stoppe au comptoir d'enregistrement pour vérification d'identité – ou pire. Il connaissait des gens à qui c'était arrivé depuis le 11 septembre. Tous ceux qui arboraient un nom ou un physique comme le sien risquaient ce genre de mésaventure. Mais ils ne s'étaient heurtés à rien de plus sérieux que la routine des contrôles renforcés, les fouilles, les questionnaires interminables.

Même après le décollage, il avait craint que l'avion fasse demi-tour, problème mécanique, alerte à la bombe ou même – qui sait ? – tentative désespérée de Dina pour les faire revenir. Il était désormais rassuré. Le lendemain, à la même heure, ils seraient en Jordanie. Mais son soulagement s'accompagnait d'une grande lassitude, comme s'il venait de courir un marathon.

Comme un voleur en fuite.

Il s'était attendu à cette réaction. De fait, il culpabilisait depuis l'instant où il avait conçu son projet, et ensuite pendant sa préparation et son exécution. Il avait analysé ce sentiment aussi minutieusement qu'il se serait penché sur un délicat problème de gestion, pour atteindre cette conclusion : c'était un sentiment inévitable chez une personne foncièrement honnête dans les mêmes circonstances. S'il voulait parvenir à ses fins, il devait accepter d'en endurer les conséquences. Il devait aller jusqu'au bout en dépit des remords dont il souffrait.

Sans se croire un parangon de vertu, il estimait être un homme honorable doué d'une bonne moralité, valeurs que lui avait inculquées son père. Il aurait préféré agir ouvertement, bien sûr, après en avoir discuté avec Dina pour la convaincre de ses raisons, lui faire admettre que c'était pour le bien de Suzanne et d'Ali – et même de Dina et de Karim. Mais c'était impossible : leurs vues sur le monde étaient trop divergentes depuis trop longtemps. Il aimait toujours la femme qu'il avait épousée, pourtant il devait constater que de longues années s'étaient écoulées depuis la dernière fois où ils étaient tombés d'accord sur un sujet d'une réelle importance. Jamais elle n'aurait accepté de s'installer en Jordanie. Combien de fois, au cours de leurs nombreuses disputes, sur la discipline à imposer aux enfants par exemple, lui avait-elle rétorqué qu'ils étaient américains et non pas jordaniens ? Pour elle, c'était l'argument massue. Irréfutable. La discussion s'arrêtait là. Dina ne voulait même pas entendre raison.

Non, tout bien réfléchi, il avait adopté la seule solution envisageable. Et pourtant…

Vingt années de sa vie s'évanouissaient derrière lui dans le sillage de l'avion. Un mariage d'amour, les rêves du jeune Karim Ahmad. Il était également conscient de ce qu'il infligeait à Dina. Il s'était promis de ne pas l'empêcher de revoir leurs enfants. Et pourtant…

Il ne doutait pas de la manière dont il aurait réagi si elle l'avait mis dans la même situation. Il aurait été prêt à… à tuer ? Peut-être pas, mais à faire n'importe quoi d'autre. Il comprenait ce que Dina devait ressentir. Il savait qu'elle le haïrait jusqu'à la fin de ses jours.

Mais il ne pouvait pas faire autrement, se répétait-il. Cette solution était la bonne. Peut-on bien agir pour de mauvaises raisons ? Ou mal agir pour de bonnes raisons ?

— Tu as mal à la tête, papa ? s'enquit Suzanne avec inquiétude.

Il avait des migraines presque tous les soirs depuis… depuis quand, au juste ? Depuis qu'il avait découvert la vérité sur son fils aîné ? Avant, peut-être ? En tout cas, sa fille prenait ses douleurs très à cœur. À la maison, quand elle le voyait soucieux, elle lui apportait cérémonieusement un verre d'eau pour son aspirine.

— Non, ma chérie, mentit-il, je suis juste un peu fatigué. Mais tu es gentille de me le demander.

Elle s'assit à côté de lui dans le siège de première classe trop grand. Ali et Fatma étaient derrière eux. Les enfants changeaient de place de temps en temps.

— On arrive bientôt ? demanda Suzanne pour la deuxième fois.

Ali avait lui aussi posé deux fois la même question. Normal, de la part de jumeaux…

— Bientôt, ma chérie. Tu vas dormir tout à l'heure et, quand tu te réveilleras, nous serons là-bas.

Il espérait que Fatma et les enfants ne tarderaient pas à s'endormir. Pour sa part, il ne comptait guère trouver le repos cette nuit-là.

— Maman y sera, elle aussi ?

— Je te l'ai déjà dit dans le taxi, ma chérie, maman viendra un peu plus tard. Pour le moment, il n'y a que nous trois et Fatma. Mais là-bas, tu reverras tes grands-parents, ton oncle Samir et ta tante Soraya. Et tes cousins, bien sûr. Tu te souviens d'eux ?

Bien que les jumeaux ne fussent allés en Jordanie rendre visite à leur famille qu'une fois par an, Karim était agréablement surpris qu'ils en gardent des souvenirs si vivaces. Tant qu'ils penseraient aux enfants de Samir et Soraya, ils ne poseraient pas de questions embarrassantes sur l'absence de leur mère.

Le dîner constitua une distraction bienvenue. L'hôtesse dorlota les enfants et réussit même à tirer un sourire à

Fatma. Ensuite, Karim sélectionna le dernier volet des aventures de Harry Potter sur leurs écrans individuels ; ils l'avaient déjà vu, cependant les enfants en regardèrent le début avec le même plaisir avant de céder à la fatigue. Une hôtesse leur apporta des couvertures, des oreillers moelleux.

— Je voudrais que maman soit là quand nous nous réveillerons, dit Suzanne avant de fermer les yeux.

— Plus tard, ma chérie. Tu la reverras bientôt. Dors bien.

Quand il entendit derrière lui les ronflements de Fatma, il redemanda à l'hôtesse un verre du vin qu'il avait bu en dînant. S'il n'était pas un gros buveur – il en aurait encore moins souvent l'occasion en Jordanie –, un peu de bon vin de temps en temps représentait un réconfort. Cela aurait au moins le mérite d'apaiser sa migraine.

L'expression « couper les ponts » lui surgit à l'esprit. Jadis, une armée d'invasion détruisait les ponts à mesure qu'elle les franchissait pour ne pas céder à la tentation de battre en retraite. Karim avait pourtant l'impression de fuir. De battre en retraite devant un ennemi qu'il ne pouvait identifier que confusément. Mais s'il coupait ses ponts, c'était plutôt pour empêcher l'ennemi de le rattraper.

Il n'avait commencé à saisir la nature de cet ennemi que depuis quelques années, comprenant alors qu'il faisait partie intégrante de la culture américaine qu'il avait lui-même admirée quand il était plus jeune. Le plus insidieux des ennemis, car il fallait atteindre une certaine maturité pour discerner où et comment la liberté dégénérait en licence et en irresponsabilité. Et la maturité était une qualité à laquelle l'Amérique n'accordait aucune valeur.

Dans son état actuel de lassitude physique et mentale, se le représenter clairement n'était pas facile. Certaines images s'imposaient cependant. Les chanteuses que Suzanne idolâtrait, par exemple. Des gamines à peine pubères qui faisaient assaut de dépravation pour se donner des allures de prostituées. Et les jeunes sportifs qu'Ali admirait, des garçons sans cervelle, imbus de leur petite personne, qui se défiguraient à plaisir en se perçant les oreilles ou en se décolorant les cheveux. Dans un tel contexte, s'il avait écouté Dina, Ali aurait fini par croire que le style de vie de son frère était normal, voire recommandable.

Il était maintenant trop tard pour ramener Jordy dans le droit chemin et Karim se blâmait d'avoir été, en partie du moins, responsable de cet échec. Un ou deux ans de plus et il aurait été trop tard aussi pour Ali et Suzanne, irrévocablement entraînés dans le tourbillon d'immoralité anarchique engendrée par la prétendue « civilisation » américaine tant vantée, par le « rêve américain » devenu cauchemar. Le comble, c'est qu'ils n'auraient jamais pu réellement s'intégrer à cette société bâtie sur les sables mouvants de l'individualisme.

Les séquelles du 11 septembre lui avaient enseigné la leçon de la manière la plus rude. Jusque-là, il jouissait d'un certain prestige dans la banque d'investissements où il travaillait depuis une dizaine d'années. Sans en porter le titre, il dirigeait la « Division arabe », qui traitait avec les entreprises importantes et les organismes officiels du Moyen-Orient. Du jour au lendemain, l'atmosphère de la banque avait changé : regards fuyants, silences soudains quand on s'apercevait de sa présence, marques de défiance imméritées. Soupçonné sans raison de liens avec les organisations terroristes, il s'était trouvé soumis, et ses clients avec lui, à une inquisition humiliante.

Pour les enfants, en butte aux brimades de leurs camarades, c'était pire. L'Amérique les aurait corrompus sans jamais les assimiler. Mieux valait leur donner un nouveau départ et une vraie patrie, la sienne, avant qu'ils soient irrémédiablement pourris. Quant à Dina, eh bien... cela finirait par s'arranger d'une manière ou d'une autre. Avec le

37

temps, les choses finissent toujours par s'arranger. Il ferait son possible, en tout cas.

Les premiers rayons du soleil à travers le hublot le tirèrent de sa somnolence. La modification du régime des réacteurs lui indiqua que l'appareil amorçait sa descente vers Paris.

6

L'idée vint à Emmeline pendant qu'elle était au téléphone avec Sarah. C'était tiré par les cheveux, bien sûr, mais elle ne risquait rien d'essayer. Tout en se remaquillant avant d'empoigner son sac et son manteau, elle donna ses instructions à Celia, sa fidèle assistante :

— Note bien tout ça. Tu t'appelles Dina Ahmad. Ton mari, Karim Ahmad, se rend en Jordanie avec vos deux enfants, Ali et Suzanne. Ali souffre d'un asthme sévère, il doit prendre des médicaments qu'ils ont oubliés en partant pour l'aéroport. Appelle Kennedy, information, service clientèle, ce que tu auras au bout du fil. Tu ne sais pas quel vol ils doivent prendre ni même quelle compagnie, tu as perdu le papier, improvise. Tout ce que tu veux savoir, c'est s'ils sont encore à terre pour que tu puisses leur faire parvenir les médicaments. Essaie d'abord les vols directs pour la Jordanie s'il y en a, ensuite ceux par Paris ou, je ne sais pas, Londres par exemple. Prends ton plus bel accent anglais, joue les Ophélie au bord des larmes, n'importe quoi qui ne déclenche pas une alerte rouge à cause du nom arabe. Appelle-moi sur mon portable dès que tu sauras quelque chose, que le vol ait décollé ou pas. Pigé ?

Celia, qui se préparait à une brillante carrière d'actrice, n'eut pas besoin de se le faire dire deux fois. Emmeline n'avait pas encore quitté la pièce qu'elle pianotait déjà sur le cadran du téléphone.

Dans l'ascenseur, Emmeline chaussa ses lunettes noires, pour le cas improbable où quelque chasseur d'autographes amateur d'obscures célébrités du câble soit embusqué, et déboula dans la rue en espérant trouver un taxi. À l'heure stratégique entre la fin du dîner et le début des spectacles, les voitures jaunes étaient rares. Soudain, l'une d'elles obliqua vers la jeune femme en dédaignant un costume-cravate porteur d'un attaché-case qui agitait désespérément son bras libre. *New York réserve malgré tout de bonnes surprises*, pensa-t-elle en gratifiant le chauffeur de son plus beau sourire.

Malgré l'allure et l'élocution d'un natif des Caraïbes fraîchement débarqué à New York, le chauffeur ne lui demanda pas comment trouver l'adresse de Dina. Au bout d'une minute, Emmeline s'aperçut qu'il la lorgnait dans le rétroviseur d'un air signifiant « Je vous ai déjà vue quelque part ». Elle réagit par un aimable signe de tête – il ne faut jamais faire de peine aux fans – et alluma son portable. Emmeline considérait l'instrument comme une bénédiction pour toutes sortes de raisons, l'une d'elles étant qu'elle avait horreur de ne rien faire, et une course en taxi constituait le type même de l'oisiveté forcée.

Elle appela d'abord chez elle. Ce fut Sean qui répondit. S'ils ne vivaient pas ensemble – elle était encore loin d'être prête à cohabiter avec lui –, il se trouvait plus souvent dans le spacieux loft d'Emmeline, au réfrigérateur toujours bien garni, que dans le minuscule appartement qu'il partageait avec un colocataire. Elle lui expliqua brièvement la situation et promit des détails plus tard, peut-être beaucoup plus tard, impossible de savoir quand elle rentrerait.

— Pas de problème, répondit-il avec le faux accent australien dénotant l'ingestion d'un certain nombre de bières.

Sur quoi il l'informa qu'il se rendait à un match avec des copains, et Michael à une boum chez un camarade de classe. Donc, pas de problème. Emmeline décela toutefois dans son ton un vague quelque chose. Gêne, arrière-pensée ? Elle l'imaginait peut-être. Ou peut-être pas. Ils se fréquentaient depuis trois ans sans s'être promis une fidélité qu'ils observaient néanmoins, mais la fleur des débuts commençait à se flétrir. La carrière d'acteur de Sean en était en partie responsable. Il est dur, à trente-sept ans, de toujours attendre *le* rôle en or massif, celui qui peut arriver le lendemain – ou jamais. Sans doute n'y avait-il rien de plus à comprendre. Cet indéfinissable quelque chose avait quand même créé entre eux un léger malaise quand Emmeline raccrocha.

Il arrivait souvent à Emmeline de réagir à des événements avant même d'en prendre pleinement conscience. Ce qui arrivait à Dina la frappa avec d'autant plus de force qu'elle venait de parler de son fils Michael. Ali et Suzanne étaient partis, leur mère ne les reverrait peut-être plus avant des années !

Cette pensée la terrifia. Elle essaya de s'imaginer ce qu'elle aurait éprouvé si le père de Michael l'avait enlevé de la même manière, mais elle n'y parvint pas. Malgré tous ses défauts, Gabriel LeBlanc avait des qualités, bien que le sens des responsabilités n'en fasse pas partie. Un coup de téléphone, une carte postale de temps en temps marquaient les limites de son instinct paternel. Et quand bien même aurait-il décidé d'encombrer son existence vagabonde d'un garçon en pleine croissance, où l'aurait-il emmené qui fût hors de portée de sa mère ? La carrière de Gabe avait pris une tournure plus ou moins internationale, c'est vrai. La guitare qu'il grattait le samedi soir pour une poignée de dollars et de la bière gratuite dans les beuglants de la

Louisiane du Sud lui avait valu assez de succès pour l'amener à se produire à Montréal, à Paris et autres lieux dont il ne connaissait même pas les noms quand il concevait Michael dans sa jeunesse insouciante. Jamais, pourtant, il n'aurait choisi de vivre dans des endroits pareils. Pour le retrouver, Emmeline n'aurait pas besoin de chercher plus loin qu'un camping de Bayou-Grosse-Tête.

La Jordanie ! Où diable était-ce donc exactement au Moyen-Orient ? Emmeline aurait été incapable de la repérer sur une carte. Elle savait quand même que c'était un pays musulman. Comme tout le monde, elle en avait appris davantage sur l'Islam depuis un an que dans sa vie entière, mais cela restait plus que flou dans son esprit. Ces gens avaient-ils, par exemple, des lois sur le droit de garde des enfants ?

Manny Schoenfeld, son avocat ! Pourquoi n'y avait-elle pas pensé plus tôt ? Non qu'il en sache beaucoup plus qu'elle sur la Jordanie, mais il aurait au moins des idées sur ce qu'elle pourrait faire d'utile, au lieu de se tourner les pouces dans ce taxi. Sans plus attendre, elle composa son numéro sur le cadran du portable. Un drogué du travail tel que lui était sûrement encore à son bureau.

Il y était.

— Emmeline, notre superstar ! Quelle bonne surprise !

— Pas de pommade, Manny, j'ai un problème, le rabroua-t-elle avant de lui exposer la situation de Dina.

À l'évidence, il n'avait pas de solution immédiate à suggérer.

— Je suis un spécialiste du spectacle, tu le sais bien. Les contrats, les droits d'auteur, d'accord. Demande-moi de négocier avec un producteur de Hollywood, je suis ton homme. Mais les divorces et les droits de garde des enfants, je n'y connais rien dans ce pays, à plus forte raison en territoire musulman. C'est du domaine du droit international. Quant à connaître le droit local en – comment tu dis, déjà ? – en Jordanie ? et savoir s'il est lié d'une manière ou d'une autre aux lois religieuses, ce n'est pas le genre de questions que je peux poser à mon rabbin.

— Et s'ils étaient encore ici ?

— Dans une salle d'attente de l'aéroport, tu veux dire ? C'est peu probable. Dans ce cas, on pourrait à la rigueur envisager un jugement de référé ou quelque chose de ce genre, mais laisse-moi te dire que...

Un bip indiqua à Emmeline l'arrivée d'un appel. Le numéro de son bureau s'afficha sur l'écran.

— Je peux te rappeler tout de suite, Manny ?

— Je suis à toi corps et âme, Em.

Le message de Celia l'informa que Karim Ahmad et ses enfants étaient à bord d'un vol Air France ayant décollé à 18 h 15. Emmeline consulta sa montre : ils étaient maintenant au-dessus de l'Atlantique. Elle rappela aussitôt Manny.

— Je te parlais d'un jugement..., commença-t-il.

— Laisse tomber, les oiseaux se sont envolés. À moins que le pilote ait oublié son casse-croûte et décide de faire demi-tour, c'est cuit.

— Je ne sais vraiment pas quoi te dire, reprit Manny après avoir marqué une pause. Ton amie a un problème sérieux.

— À mon avis, elle le sait déjà. La question est de savoir comment le résoudre. C'est toi l'avocat. Que faisons-nous maintenant ? Qu'est-ce que je vais raconter à Dina dans moins de cinq minutes ?

— Je m'occupe du show-biz, Em, je te le répète. Il vous faut un spécialiste de ce genre de problème.

— Donne-moi un nom.

— Tu plaisantes ou quoi, Em ? Il y a un demi-million d'avocats à New York, tu crois que je vais t'annoncer comme ça : « Adresse-toi à Untel, c'est l'homme qu'il te faut » ?

— Tu peux quand même trouver quelqu'un, non ?

— Je peux me renseigner.

— Ce soir ?

— Non ! Je dois aller au pot d'une dernière de Broadway, ce sont tous des clients, impossible de leur faire faux bond.

— Les pots ne commencent qu'après la fin du dernier acte, Manny. Fais un effort, je t'en prie.

— Bon, d'accord, je vais donner quelques coups de fil. Mais c'est sans garantie et...

— Tu es un roi du barreau, Manny ! Je te ferai passer à la télé, je ferai de toi une star.

— Des promesses, toujours des promesses...

— À plus tard, Manny. Et merci encore.

— Merci de quoi ?

Emmeline avait déjà raccroché. Pendant les quelques minutes qui suivirent, elle n'eut réellement plus rien à faire que bavarder avec le chauffeur, qui, s'aperçut-elle, l'avait prise pour Whitney Houston. Elle en riait encore quand il la déposa à la porte de Dina. Sarah était déjà arrivée, Emmeline reconnut sa voiture en stationnement interdit devant une borne à incendie.

Dina et Sarah s'étaient installées à la cuisine, devant la lettre de Karim. Après l'avoir parcourue, Sarah prépara du thé et la relut une deuxième fois plus attentivement.

— Quel imbécile, déclara-t-elle. Un parfait crétin.

— C'est aussi ce que je pensais, dit Dina en se forçant à sourire. Mais il est toujours bon d'avoir l'opinion d'un tiers, docteur.

Sarah salua sa repartie d'un bref éclat de rire. Si Dina était capable de plaisanter, c'était bon signe. Elles en étaient là quand la sonnette tinta et qu'Emmeline fit son entrée au pas de charge.

— Ne t'inquiète pas, mon chou, lança-t-elle après avoir serré Dina dans ses bras. Je sais que tu ne peux pas t'en empêcher, c'est normal, mais nous allons prendre l'affaire en main. Tout s'arrangera, tu verras. Nous ferons l'impossible.

— Lis ça, dit Sarah.

— Tu veux du thé ? demanda Dina en même temps.

À Grosse-Tête, Emmeline aurait préféré un café assez fort pour décaper de la peinture. Compte tenu de la situation, une tasse de thé ferait l'affaire.

Quand elle eut terminé de lire la lettre, les trois amies échangèrent des regards.

— Bon, commença Emmeline. Avant tout, il nous faut un avocat. J'ai mis Manny au courant. Il n'y connaît rien, mais il cherche un confrère. J'espère avoir de ses nouvelles tout à l'heure.

— Un avocat est indispensable, approuva Sarah, mais ce n'est que le premier pas. Nous devons réfléchir à d'autres moyens d'action.

— Lesquels ? voulut savoir Dina.

— Toutes les suggestions seront les bienvenues, fit Emmeline.

— Eh bien, je pense par exemple au Département d'État, dit Sarah. Karim a des relations là-bas, n'est-ce pas ?

Dina se rappela la présence à leur mariage à Amman de membres de la famille royale et de personnalités officielles.

— Oui, des relations haut placées. Là-bas, la famille a beaucoup d'importance. C'est un petit pays, tout le monde se connaît.

— Il doit donc y avoir moyen de faire pression sur lui, enchaîna Sarah. Je ne crois pas que des gens haut placés aimeraient être mêlés à un incident diplomatique.

Dina eut la vision de hordes de journalistes et de caméras de télévision sur le pas de sa porte.

— Pas de publicité…, commença-t-elle.

— Mais non, la rassura Sarah. Cela peut se faire discrètement, par des négociations secrètes. Je passerai quelques coups de fil demain, promit-elle d'un air mystérieux.

Emmeline et Dina savaient qu'avec Ari, son ex-mari, Sarah avait un moment fréquenté les milieux diplomatiques internationaux. Si elle y avait gardé des contacts, ils pourraient se révéler utiles.

— Il y a aussi ton père, Dina, suggéra Emmeline.

Joseph Hilmi avait en effet joué un rôle de médiateur unanimement respecté pendant la guerre civile du Liban. Mais cela remontait à de longues années.

— Non, je ne veux pas le mêler à cette affaire. Il a beaucoup souffert et il n'est pas assez rétabli.

— D'accord, opina Emmeline. Qu'en dit ta mère ?

— Je ne l'ai pas appelée. Avec la maladie de mon père, elle a déjà assez de soucis sans lui ajouter celui-ci.

— Tes parents devront pourtant être mis au courant tôt ou tard.

— Plus tard. D'ici là, les choses se seront peut-être arrangées.

— Touchons du bois, dit Emmeline, qui joignit le geste à la parole, aussitôt imitée par les deux autres.

— Et Jordy ? reprit Sarah. Tu lui as parlé ?

— Non, pas encore.

— Mieux vaut attendre d'en savoir davantage, intervint Emmeline. Il sera toujours temps demain ou après-demain. Ce salaud de Karim a écrit qu'il te téléphonerait. Il le fera peut-être.

Emmeline et Sarah étaient au courant de la brouille entre Karim et son fils aîné. Il était inutile, en effet, d'aggraver la situation Sarah demanda :

— Tu as appelé la police. Qu'ont-ils dit ?

— Rien de plus que « Bonne chance », répondit Dina avec amertume avant de résumer sa conversation avec la policière.

À dix heures du soir, elles avaient épuisé toutes les idées de solutions et la conversation languissait quand Dina fondit en larmes.

— Allons, Dina, ne pleure pas, dit Sarah en prenant son amie dans ses bras. Cela finira par s'arranger, nous sommes avec toi.

Elle ne pouvait pas même imaginer ce que Dina éprouvait. Quoi de pire que perdre ses enfants ?

Elles s'efforçaient de calculer l'heure à laquelle Karim et les jumeaux arriveraient à Amman quand le portable ronronna dans le sac d'Emmeline. Elle le prit et poussa trois grognements approbateurs tout en faisant signe aux autres de lui donner de quoi écrire.

— Répète, je t'entends mal, dit-elle en griffonnant fébrilement. Et tu es sûr qu'il a de l'expérience ?... Bon, je te crois sur parole. Merci, Manny. Tu as ma reconnaissance éternelle.

Elle referma le portable, se tourna vers ses amies :

— J'ai l'impression que nous avons trouvé l'oiseau rare.

7

Le téléphone sonna à sept heures du matin, comme si Karim avait attendu une heure convenable pour appeler. Il parla d'un ton calme, mais sur la défensive.

— Bonjour, Dina.

— Karim ! cria-t-elle. Qu'est-ce qui t'a pris, Karim ? Comment as-tu pu me faire une chose pareille ?

Elle entendit soupirer dans l'écouteur.

— Il ne s'agit pas de toi, Dina. Ni de moi. Je l'ai fait pour nos enfants. J'ai cherché à t'expliquer...

— Expliquer ? Comment expliquer le fait d'arracher des enfants à leur mère ?

Il y eut un autre soupir.

— Je t'en prie, Dina ! Je ne peux pas te parler en ce moment. Je voulais juste te rassurer, te dire que les enfants vont bien et que...

— Je veux leur parler !

— Pas maintenant, Dina. Ils sont fatigués par le voyage, Fatma les a couchés. Je te rappellerai bientôt, je te le promets. Tu pourras leur parler à ce moment-là.

Elle le sentit sur le point de raccrocher.

— Ne raccroche pas, Karim ! Ne raccroche pas, je t'en prie ! Tu ne peux pas te conduire comme si cette fuite était un voyage ordinaire. Je suis folle d'inquiétude depuis votre départ.

— Je comprends, c'est pour cela que je t'appelle. Pour te rassurer. Suzanne et Ali sont en parfaite santé.

— Tu ne peux pas agir ainsi ! dit-elle en éclatant en sanglots. Je ne te laisserai pas faire, Karim, je...

— Dina, je t'en prie, c'est déjà fait. Inutile de discuter, je ne changerai pas d'avis. Au revoir.

Elle n'entendit plus que le bourdonnement lancinant de la tonalité. Le combiné dans la main, elle le fixa comme s'il était son seul lien avec ses enfants.

Au bout d'un long moment, elle composa le numéro de ses beaux-parents, laissa sonner dix fois, vingt fois, mais personne ne répondit. Désespérée, elle reposa sa tête sur l'oreiller encore mouillé des larmes qu'elle avait versées pendant la nuit.

8

Lorsque David Kallas apparut dans la minuscule anti-chambre qui lui tenait lieu de salle d'attente, la première réaction de Dina fut de le trouver sympathique. Mince, vêtu d'un complet bleu marine à la sobre élégance, il paraissait âgé d'une quarantaine d'années, mais son abord et son comportement étaient ceux d'un jeune homme.

— Madame Ahmad ? demanda-t-il en regardant à tour de rôle les trois femmes assises côte à côte.

— C'est moi, répondit Dina en se levant.

— Et mesdames ?...

— Mes amies, Sarah Gelman et Emmeline LeBlanc.

— Si vous voulez bien passer dans mon bureau.

Du même mouvement, Sarah et Emmeline se levèrent à leur tour. David lança à Dina un regard interrogateur.

— Je tiens à ce qu'elles assistent à notre conversation, dit-elle.

— Ce n'est pas habituel, mais puisque vous le souhaitez, soyez les bienvenues.

À peine plus vaste que la salle d'attente, le cabinet de l'avocat était décoré avec une simplicité de bon goût. Des dossiers s'empilaient en bon ordre sur des classeurs de noyer, et le bureau ancien, lui aussi en noyer, laissait voir une patine dénotant de longues années de soins méticuleux. Les fauteuils des clients, aux coussins moelleux, avaient été conçus autant pour le confort que pour le style.

— Puis-je vous proposer quelque chose à boire ? Thé, café, eau minérale ?

Elles choisirent toutes trois de l'eau. David passa la tête par la porte pour parler à la jeune femme assise derrière le petit bureau de l'antichambre.

— Rebecca, veux-tu nous apporter une bouteille de San Pellegrino et trois verres, s'il te plaît ?

Elle dut sans doute protester, car David s'en occupa lui-même et revint un instant plus tard avec un plateau.

— Rebecca est en faculté de droit, elle travaille pour moi à mi-temps, dit-il avec un sourire d'excuse. Elle a parfois l'impression que les petits services que je lui demande ne font pas partie de ses obligations professionnelles.

— Vous devriez la renvoyer, commenta Sarah.

— Si je le faisais, répondit-il avec un nouveau sourire, ma tante se plaindrait à ma mère, qui m'en toucherait plus que deux mots. Rebecca étant ma cousine, je suis obligé de la garder jusqu'à ses examens. Je suis toutefois heureux de préciser qu'ils auront lieu dans moins de deux mois.

Cette explication renforça la sympathie que Dina éprouvait déjà pour lui.

— Mon ami Manny m'a expliqué que vous connaissiez bien le Moyen-Orient, commença Emmeline.

— Disons, si vous le voulez bien, que la culture et la civilisation arabes me sont familières. Mes parents sont nés à Alep, en Syrie. Comme beaucoup de juifs syriens, ils ont émigré il y a une quarantaine d'années. Je parle arabe, j'ai étudié les affaires d'Orient à l'université de Columbia. Je peux donc dire sans trop me vanter que j'ai une assez bonne compréhension des us et coutumes de la région.

— Vous êtes aussi un expert des lois sur le divorce.

Le sourire reparut sur les lèvres de David.

— Je ne me qualifierais d'expert dans aucun domaine, mais une bonne moitié des dossiers que je traite sont liés à des divorces. Je connais bien les lois de cet État et de quelques autres. Ai-je répondu à votre question ?

— Euh… oui, dit Emmeline avec une moue dubitative.

— Il vaudrait sans doute mieux que vous m'exposiez ce qui vous amène, madame Ahmad. Manny m'a seulement mentionné que votre mari avait emmené vos enfants en Jordanie sans vous en avoir avertie. Pouvez-vous me donner plus de détails ?

Dina avala un verre d'eau, prit une profonde inspiration et raconta son histoire en marquant quelques arrêts quand elle se sentait sur le point de pleurer. Emmeline et Sarah lui tenaient chacune une main comme pour lui communiquer leurs forces.

David la laissa parler sans l'interrompre. Quand elle eut terminé, son sourire avait disparu, son expression était grave.

— J'ai bien peur de ne pas pouvoir vous offrir de grands encouragements, madame Ahmad. Du fait que votre mari et vous n'êtes pas divorcés, il n'y a pas d'enlèvement au sens légal du terme, ni de problème de droit de garde. Si vous portiez l'affaire devant la justice jordanienne, vous n'arriveriez à aucun résultat pratique car, sans même parler du statut de la femme dans les pays musulmans, vous n'êtes pas citoyenne de ce pays et votre mari gagnerait à coup sûr. Si, en plus, sa famille jouit là-bas de puissantes relations...

Il laissa sa phrase en suspens, ébauchant un geste fataliste.

— Vous ne pouvez vraiment rien faire ? insista Dina d'un ton implorant.

Il hésita à répondre par la négative, observa les trois femmes.

— J'étudierai la question, je contacterai quelques personnes ayant eu à s'occuper de situations du même ordre. À part cela...

— La famille de Dina a des relations au Moyen-Orient, intervint Sarah. Son père a travaillé avec le Département d'État pendant la guerre du Liban. Pensez-vous que cela pourrait être utile ?

— Franchement, je ne sais pas. Mais se renseigner ne peut pas nuire. Si des gens du Département d'État acceptaient d'intervenir, cela pourrait faciliter certains contacts.

— Je m'en occupe, dit Dina. Je vais appeler les personnes que je connais. Combien vous dois-je ? ajouta-t-elle en sortant son chéquier de son sac. Voulez-vous une avance sur honoraires ?

— Ne parlons pas encore d'honoraires, attendons plutôt de savoir si je suis en mesure de vous aider. De toute façon, ajouta-t-il en retrouvant le sourire, j'ai eu le plaisir de faire la connaissance de trois dames aussi charmantes les unes que les autres, c'est une chance qui n'arrive pas souvent à un vieux garçon comme moi.

Sa galanterie finit de conquérir Dina.

— Il est parfait, affirma-t-elle quand elles eurent quitté le bureau. Il m'a été sympathique dès l'instant où je l'ai vu.

— Mmm... ouais, fit Emmeline, qui ne portait jamais de jugements hâtifs sur les gens.

— Si, il est parfait, approuva Sarah.

Les mots « vieux garçon » avaient résonné dans sa tête avec la voix de sa mère. Un juif qui écoute ce que lui dit sa mère ! Elle avait beau ne pas envisager la plus brève aventure avec un homme, elle ne pouvait ignorer les insistants conseils maternels sur la manière de mener son existence. Et ces conseils s'appliquaient tout particulièrement à ce qu'il convenait de faire quand on était encore jeune et belle et que la chance mettait sur votre chemin un juif célibataire, avocat et bien sous tous rapports.

9

Dina ne pouvait plus reculer, elle devait apprendre à sa mère la disparition des jumeaux.

En entrant dans le hall de l'immeuble 1900 où ses parents vivaient depuis près de cinquante ans, elle salua le vieux portier, qui, aussi loin que remontaient ses souvenirs, lui avait toujours paru vieux. Dans la cabine d'ascenseur aux moulures dorées, elle pressa le bouton du dixième étage et attendit patiemment que le mécanisme poussif la hisse jusqu'à sa destination. Pendant toute son enfance, elle avait préféré grimper et dévaler en courant l'escalier de service aux marches de marbre pour éviter les caprices de l'ascenseur.

Elle avait été heureuse dans ce superbe vieil immeuble, où elle retrouvait ses souvenirs d'enfance avec toujours le même plaisir : la neige qu'elle regardait s'accumuler sur le balcon de sa chambre les matins d'hiver, blottie sous le chaud édredon cousu par sa grand-mère libanaise ; les indolentes journées de vacances dans la villa que louaient ses parents au bord de la mer ; les réunions de famille où ses proches, Irlandais et Libanais, faisaient assaut de rires et de bonne humeur. Quelle différence, aujourd'hui !...

Arrivée sur le palier, elle sonna au 10A. Il n'y avait que deux appartements par étage, symbole d'une époque où une famille, aisée sans être riche, pouvait encore élever des enfants et même s'offrir une servante au cœur de Manhattan.

Charlotte Hilmi vint ouvrir. En voyant Dina, un large sourire illumina son visage. Toujours belle à soixante-huit ans, elle avait gardé un teint clair où brillaient de beaux yeux verts et une opulente chevelure dorée, désormais striée de fils d'argent. Charlotte disait parfois en riant que son mari l'avait épousée pour ses cheveux et Joseph renchérissait en affirmant que, pour un Arabe comme lui, une blonde était irrésistible. Dina pensa amèrement que, naguère encore, Karim prétendait aimer ses cheveux châtain clair et tant d'autres choses en elle. Tout cela s'était maintenant évanoui – comme ses enfants.

Charlotte tendit les bras, serra sa fille sur sa poitrine. Un instant, Dina souhaita pouvoir y rester toujours, à l'abri des épreuves.

— Que je suis heureuse de te voir, ma chérie !

Elle prit Dina par la main et l'entraîna dans l'immense salon meublé, selon les goûts de son mari, de canapés tendus de damas et de guéridons incrustés de nacre ayant appartenu à ses parents.

— Alors, ma chérie, quelque chose ne va pas ? s'enquit Charlotte quand elles furent assises.

— Qu'est-ce qui te fait croire cela ? répondit Dina avec un sourire contraint.

— Dina, voyons !

— Écoute, maman, promets-moi de ne pas répéter à papa un mot de ce que je vais te dire.

Le sourire de Charlotte se figea.

— C'est grave ?

Dina acquiesça d'un signe de tête.

— Les enfants ? Il est arrivé quelque chose aux enfants ? s'écria Charlotte, angoissée.

— Non, maman, ils vont bien. Mais... ils sont en Jordanie. Karim les a emmenés là-bas sans esprit de retour. Jordy est encore ici, tu sais bien que Karim ne veut plus de lui, lâcha-t-elle avec amertume.

— Explique-moi tout.

Dina lui relata alors les faits tels qu'elle les avait rapportés à David Kallas.

— Je ne comprends toujours pas. Comment a-t-il pu faire une chose pareille ? Je ne savais pas qu'il y avait entre vous des problèmes de cette nature.

— Moi non plus. Je croyais que nous étions comme la plupart des gens mariés, que notre couple restait solide malgré des divergences que je n'avais jamais jugées aussi sérieuses. Karim ne les voyait manifestement pas du même œil. Il semble penser qu'il sauve les enfants de la corruption ambiante à laquelle leur frère aurait succombé, ajouta-t-elle avec un ricanement amer.

Charlotte garda le silence en s'efforçant d'assimiler ce qu'elle venait d'entendre.

— Pour me résumer, au risque de paraître simpliste, reprit Dina en soupirant, le problème de Karim consiste à opposer le mode de vie américain au mode de vie arabe.

— En quelque sorte.

— Quoi, « En quelque sorte » ? Tu comprends cela, toi ?

— À la rigueur, oui.

Dina regarda sa mère comme si elle parlait tout à coup un charabia incompréhensible.

— Ne fais pas cette tête, ma chérie, reprit Charlotte.

Aurais-tu oublié que ton père et moi avons eu des antagonismes culturels très semblables à ceux qui existent entre Karim et toi ?

— Non, je n'ai pas oublié. Mais papa et toi vous entendiez si bien que ces différences ne comptaient pas. Le jour de la Saint-Patrick, nous avions des fêtes typiquement irlandaises avec de la musique et des danses celtes, et oncle Terry faisait pleurer tout le monde en chantant *Danny Boy*. Pour Noël et l'anniversaire de papa, nous dansions le *dehka* et nous mangions ses plats libanais préférés. Il disait même que tu faisais mieux la cuisine que sa mère. Tu m'as appris toutes ces recettes, maman. C'est pourquoi j'avais toujours cru que Karim et moi serions capables de résoudre nos quelques désaccords.

— Tu t'imagines vraiment que ton père et moi n'avons jamais eu de problèmes ?

— Vous vous disputiez quelquefois, je sais, mais vous étiez toujours si... si bien ensemble.

— C'est vrai, dit Charlotte en souriant, et ça l'est plus que jamais. Mais tout n'était pas toujours aussi simple. Si tu ne t'en apercevais pas, c'est parce que les enfants ne remarquent les problèmes de leurs parents que quand ils ne peuvent pas faire autrement.

— Tu veux dire que papa et toi avez eu des problèmes sérieux ?

— Ce que je veux dire, c'est que dans tous les mariages il faut des concessions mutuelles. Et quand les époux viennent de cultures différentes, les compromis sont plus difficiles à atteindre.

— Peut-être, mais la famille de papa t'adore !

— Ils ne m'adoraient pas au début. Ils ont toujours été très polis, parce que c'est dans leur nature. Mais quand nous nous sommes mariés, la sœur de Joseph lui a clairement fait comprendre que j'étais en observation, en un sens. Bien sûr, tout s'est arrangé avec le temps et, maintenant, nous ne pourrions pas nous aimer plus sincèrement.

Dina ne pouvait imaginer que le monde entier ne soit pas en adoration devant sa mère. N'ayant jamais connu chez ses proches que l'amour et la concorde, elle s'attendait qu'ils règnent sur sa propre famille. Lorsqu'elle avait rencontré Karim à une soirée où elle s'était rendue avec ses parents, elle avait aussitôt été attirée par son physique de star. Une attraction à l'évidence mutuelle, car Karim s'était arrangé pour se la faire présenter dans les minutes suivantes. Dès leur première conversation, elle avait été séduite par son intelligence et sa culture. Il était à l'aise dans tous les sujets, histoire, littérature, politique, dont il parlait avec une clarté digne d'admiration.

— Te rappelles-tu quand j'ai commencé à sortir avec Karim ? Tu disais qu'il appartenait à une nouvelle génération tournée vers l'avenir. Que les gens comme lui sauraient intégrer aux valeurs traditionnelles arabes ce que l'Occident avait de meilleur à offrir.

— Je m'en souviens. C'est ce qui nous avait favorablement impressionnés, ton père et moi. Ton père appréciait la passion et la sincérité de Karim. Pourtant...

— Pourtant quoi ?

— Eh bien, ton père affirmait que notre ménage avait réussi parce qu'il était devenu un vrai Américain sans pour autant renier ses racines orientales. Il pensait en revanche que même si Karim vivait ici jusqu'à la fin de ses jours, il resterait foncièrement jordanien. Non que ce soit blâmable en soi, poursuivit-elle après avoir marqué une pause. Mais nous nous demandions si son caractère s'accorderait avec le tien, compte tenu de la manière dont tu as été élevée.

— Vous ne m'en avez jamais rien dit, ni papa ni toi.

— Mais si, ma chérie, l'aurais-tu oublié ? sourit Charlotte en posant une main sur le bras de sa fille. Je t'avais parlé de la liberté à laquelle tu étais accoutumée, du fait que personne ne t'avait jamais fait sentir que tu étais subalterne parce que tu étais une femme.

Dina s'efforça en vain de se rappeler cette conversation.

— Et qu'est-ce que j'ai répondu ?

— Tu as fait une grimace et tu m'as assuré que Karim était un homme moderne, comme toi tu étais une femme moderne.

Oui, pensa Dina, j'y ai cru, c'est vrai. Et puis à mesure que le temps passait, Karim avait oublié d'intégrer « le meilleur de l'Occident » dans ses valeurs traditionnelles...

— Mais pourquoi parlons-nous du passé ? demanda Charlotte, étonnée du silence de sa fille.

— Peut-être parce que c'est moins pénible que de faire face au présent.

— Je comprends, ma chérie, mais il faut réagir. Ton père pourrait...

— Non, maman. N'en parle pas à papa. Pour lui, Karim aura simplement emmené les enfants rendre visite à sa famille. Nous lui dirons que Jordy n'est pas parti avec les autres parce que nous ne voulions pas interrompre ses études. Nous lui dirons aussi que je viens de signer un gros contrat avec un musée et que je ne pouvais pas m'absenter. Et puis...

Hors d'état d'envisager la suite, Dina laissa sa phrase en suspens.

— J'ai horreur de mentir à ton père, mais tu as raison, ma chérie, soupira Charlotte. Il prétend aller mieux, pourtant ce n'est pas le cas. Que puis-je faire pour t'aider ? ajouta-t-elle.

— Je ne sais pas, maman. J'essaie de trouver une solution. J'ai consulté un avocat, il n'est pas optimiste car nous ne sommes pas divorcés et Karim a des appuis en Jordanie. J'ai pensé que tu avais peut-être les noms des gens du Département d'État que papa connaissait. Si certains sont encore en activité, je voudrais leur demander s'ils peuvent intervenir d'une manière ou d'une autre.

— C'est une bonne idée. La plupart des vieux amis de ton père sont à la retraite, mais tu peux essayer de contacter Danielle Egan. Ton père lui a parlé il n'y a pas longtemps. Elle lui a dit que l'Amérique avait envers lui une dette de reconnaissance pour le bon travail qu'il a réalisé pendant la guerre du Liban. Il était très heureux qu'on se souvienne de lui.

— C'est la moindre des choses, qu'on se souvienne de lui ! s'exclama Dina avec chaleur.

Grâce à l'influence de sa famille, chrétiens maronites de la haute bourgeoisie libanaise, Joseph Hilmi avait mené avec succès de discrètes négociations pendant la guerre civile qui ravageait son pays natal. Après la fin des hostilités, il avait usé de ses relations bancaires pour promouvoir des investissements destinés à relancer l'économie touristique. Oui, son père avait fait beaucoup de bien à beaucoup de gens. L'un d'eux, peut-être, consentirait à aider sa fille…

— Je vais chercher le numéro de téléphone de Danielle Egan, dit Charlotte en se levant. Veux-tu rester coucher ici ? Je n'aime pas te savoir seule dans cette grande maison.

— Merci, maman, mais si je reste, papa s'étonnera et posera des questions. En plus, je veux être à la maison si Karim me rappelle.

Karim ne rappela pas. Assise sur son lit près du téléphone, sans lire ni regarder la télévision, Dina rumina ses sombres pensées, se remémorant des scènes du passé. Avec le recul, elle comprenait qu'elle aurait dû discerner dès le début de son mariage les problèmes qui n'avaient fait que s'aggraver par la suite.

Karim restait très attaché à sa famille, qui n'avait jamais accepté Dina. Son beau-père, Hassan, ne l'exprimait pas ouvertement, sa dignité de patriarche le lui interdisait. Mais Maha, sa belle-mère, ne se gênait pas pour mettre en doute la valeur d'une bru chrétienne et – circonstance aggravante – de mère américaine pour son fils musulman, rejeton d'une famille respectable et respectée. Elle déclarait à la fin de chacune de ses diatribes qu'elle avait en tête nombre de partis mieux adaptés et plus dignes de la main de son fils.

En femme amoureuse ayant tendance à fermer les yeux sur ce qu'elle considère comme un détail, Dina n'avait d'abord pas accordé d'importance à l'hostilité de Maha. Karim en plaisantait, d'ailleurs, répétant qu'aucune femme au monde n'aurait pu trouver grâce aux yeux de sa mère. Et puis, plus le temps passait, moins Karim plaisantait et moins Dina considérait l'animosité de sa belle-mère comme un détail.

Elle s'était efforcée au début de prendre exemple sur sa mère en alliant leurs deux cultures. Elle cuisinait des plats orientaux qu'elle servait accompagnés de musique orientale, recevait chaleureusement les cousins de Karim en visite aux États-Unis et respectait la religion de son mari au point de faire l'effort de s'instruire des principes de l'islam. Elle ne parlait aux enfants de leurs grands-parents jordaniens qu'avec une affection qu'elle était loin d'éprouver.

Elle n'avait pas suivi Karim jusqu'au bout pour l'éducation des enfants après avoir pris conscience que si la Jordanie était un des pays les plus évolués du monde arabe, il y subsistait des coutumes qu'elle désapprouvait. Les mariages arrangés, souvent multiples, y restaient de pratique courante. Le fait qu'un homme puisse sortir seul dîner en ville où et quand il lui plaisait était toujours interdit à une femme non accompagnée. Mais le pire, à ses yeux, se trouvait dans les prétendus « crimes d'honneur », commis par des pères, des maris ou des frères sur des femmes censées avoir déshonoré leur famille par un libertinage réel ou supposé. Les hommes qui invoquaient ce mobile devant un tribunal n'encouraient qu'une peine symbolique, voire pas de peine du tout.

Lorsque Dina avait abordé la question chez ses beaux-parents, avançant que la loi devrait punir plus sévèrement les crimes, quels que soient leurs motifs, son beau-frère Samir avait rétorqué qu'il ne fallait pas toucher aux lois du royaume : si les « crimes d'honneur » n'étaient plus tolérés, la moralité publique deviendrait vite aussi dissolue que celle de l'Amérique. Dina avait espéré que quelqu'un dans la pièce manifesterait son désaccord, mais ses beaux-parents approuvèrent et Karim ne souffla mot. Était-ce à ce moment-là qu'elle avait commencé à se douter que son mari n'était pas l'homme dont elle était tombée amoureuse ? Ce jour-là, en tout cas, elle s'était interrogée sur les fréquents voyages de Karim en Jordanie.

Elle n'avait d'abord rien objecté, car elle jugeait louable qu'un homme conserve des liens étroits avec sa famille. Mais, à chacun de ses retours, Karim paraissait plus arabe que jamais, plus critique des « habitudes américaines » de sa femme, de ses jupes trop courtes, de ses rapports trop amicaux avec les hommes comme avec les femmes. Dina savait que son intolérance était attisée par les membres de sa famille, surtout par sa mère et son frère, qui tyrannisait sa propre femme, Soraya, et estimait que Karim ne recevait pas le respect dans son ménage, c'est-à-dire la soumission à laquelle il avait droit.

Tout cela s'estompa à la naissance de leur premier fils. Ils l'avaient appelé Jordan Jamal pour déférer à la fois au désir de Karim, qui voulait pour son fils un prénom arabe, et à celui de Dina, qui souhaitait le voir plus tard à l'aise avec son identité américaine. Karim était aussi fier que ravi d'avoir un fils. Sa famille envoya même ses vœux les plus chaleureux et une montagne de cadeaux.

Les dissensions recommencèrent lorsque Dina souhaita reprendre quelques mois plus tard son affaire de décoration florale. Karim aurait voulu qu'elle vende Mosaïc, ou au moins engage une gérante à plein temps pour travailler à sa place. Ils n'avaient pas de besoins d'argent. Pourquoi diable Dina refusait-elle d'entendre raison et de rester chez elle, comme toute bonne épouse et mère digne de ce nom ? Elle tenta de lui expliquer qu'elle tenait à garder Mosaïc parce qu'elle l'avait créée et ne travaillait pas dans le seul but de gagner de l'argent, mais aussi pour être autre chose qu'une ménagère. Karim n'avait pas compris ses raisons et, peu après, avait fait venir Fatma, sa cousine vieille fille pour qui cet emploi était une chance, disait-il. Sur le moment, Dina avait applaudi à cette initiative qui la déchargeait en partie de ses tâches domestiques. Quelle erreur !

Le drame de Jordan avait éclaté quelques mois avant la crise actuelle, qu'il avait contribué à précipiter.

Tout avait commencé par un coup de téléphone d'une conseillère de l'école, une certaine Jessica-quelque-chose que Dina avait vue une ou deux fois à des réunions de parents d'élèves. C'était une petite blonde potelée, insignifiante d'allure, à la fois résolument optimiste et prudemment évasive dans ses propos.

— Madame Ahmad, nous avons un petit problème avec Jordan, déclara-t-elle comme si elle s'excusait. Rien de grave, il ne s'agit pas d'un accident, mais d'une simple mesure, euh… disciplinaire. Nous le renvoyons chez lui pour une suspension de trois jours.

— Une suspension ? Pour quel motif ?

— C'est précisément l'objet de mon appel, madame Ahmad. Nous pouvons en parler au téléphone ou, si vous le préférez, vous pouvez venir vous-même ou avec M. Ahmad en discuter de vive voix avec moi. Et avec le directeur, bien entendu.

Dina voulut tout de suite savoir de quoi il s'agissait. Jordy avait été surpris en flagrant délit de « démonstrations d'affection au-delà de ce que nous considérons comme les limites des convenances » avec un autre élève. Oui, *un* élève. Ils subissaient tous deux la même sanction.

La première réaction de Dina fut de répondre qu'il y avait erreur. Elle s'en abstint, toutefois, et garda le silence un moment. S'en doutait-elle déjà ? Elle se disait depuis longtemps que Jordy s'absorbait trop dans ses études. Et elle trouvait qu'il ne poursuivait pas les filles de ses assiduités comme les garçons le faisaient lorsqu'elle était jeune.

Elle n'en avait jamais soufflé mot à Karim, qui lui reprochait constamment de trop couver leur fils et d'en faire une femmelette.

Quand elle retrouva la parole, elle s'étonna elle-même des mots qui sortirent de sa bouche :

— Sanctionnez-vous les élèves qui se livrent à des « démonstrations d'affection » s'ils sont de sexes opposés ?

Jessica-quelque-chose réussit à combiner dans sa réponse une certaine compassion avec la bienséance.

— Croyez-moi, madame Ahmad, notre établissement ne pratique aucune forme de discrimination. Il se trouve simplement que leur... niveau d'affection se situait très au-dessus de ce que nous pourrions tolérer entre nos élèves, quelle que soit leur... orientation sexuelle.

Orientation sexuelle ? répéta Dina, qui n'avait jamais entendu d'expression aussi déconcertante.

Elle parvint à conclure la conversation de manière cohérente et raccrocha, atterrée. Était-ce vrai ? Elle avait entendu parler de cas semblables dans d'autres familles. Mais Jordy ? Son fils si beau, si gentil, si intelligent ? Devait-elle croire qu'il rejoignait la cohorte des designers, des mannequins, des acteurs à la mode qui s'affichaient sans vergogne dans toute la ville – et mouraient de plus en plus nombreux ? Non, pas son Jordy ! Elle n'allait pas se fier à la parole d'une petite fonctionnaire irresponsable et sans expérience ! Elle décida d'en avoir le cœur net.

Elle alla chercher les jumeaux à l'école, leur dit de monter faire leurs devoirs et de regarder la télévision à l'étage. Elle ordonna ensuite à Fatma de rester dans sa chambre jusqu'à nouvel ordre, puis elle redescendit au salon attendre Jordy, qui rentra à l'heure habituelle. Dina se demanda s'il allait essayer de passer sous silence ses trois jours d'exclusion. Le premier regard qu'ils échangèrent suffit à mettre les choses au point.

— L'école t'a appelée. Écoute, maman, je...

— Explique-moi simplement ce dont il s'agit, Jordy.

Il hésita, parut sur le point de fondre en larmes avant de rougir de colère.

— De quoi il s'agit, maman ? Tu veux que je te dise que je suis pédé ? Homo ? Parce que c'est de *ça* qu'il s'agit !

— Jordy, c'est... Je veux dire, en es-tu sûr ?

— Si j'en suis sûr ? Je t'en prie, maman, ne me prends pas pour un débile ! Tu n'y comprends rien, n'est-ce pas ? Oui, poursuivit-il d'un ton radouci, j'en suis sûr depuis que j'ai eu onze, douze ans. Je n'ai pas pu t'en parler... c'est dur à expliquer, tu sais. C'est comme quand tu as compris que tu aimais les hommes. Eh bien moi, c'est la même chose.

Son ricanement amer brisa le cœur de Dina.

— Reprenons, dit-elle en priant Dieu de lui souffler les mots justes. Si tu crois que je vais cesser d'aimer mon fils parce qu'il est...

— Gay, maman. C'est le terme approprié.

Elle fit un pas vers lui, le serra contre elle. Depuis son entrée dans la pièce, Jordy tenait son cartable à la main. Il le laissa tomber et la prit à son tour dans ses bras. Un long moment, ils s'étreignirent en silence. Dina devait faire un effort surhumain pour ne pas pleurer.

— Je parierais que tu as besoin de boire quelque chose, maman.

— Et tu gagnerais ton pari, répondit-elle en se forçant à sourire. Qu'est-ce que tu veux ?

— La même chose que toi.

Dina repoussa l'idée du cognac auquel elle avait d'abord pensé et alla préparer du thé, qu'elle apporta au salon. Ils s'assirent face à face dans la pénombre du crépuscule.

— Je ne prétendrai pas que cela ne me fait rien, commença-t-elle. Simplement, je voulais que tu aies toujours ce qu'il y a de mieux et...

— Et les gays ne peuvent pas avoir ce qu'il y a de mieux ? C'est ce que tu allais dire, maman ?

— Jordy, mon chéri, ce que je voulais dire, c'est que ta vie sera moins facile. Et différente.

— Ouais, parlons-en. Différente.

Une fois encore, elle le vit prêt à pleurer. Une fois encore, elle chercha des mots capables d'adoucir sa peine au lieu de l'aggraver.

— Regarde-moi. Je t'aime. Je t'aimerai jusqu'à mon dernier souffle, quoi que tu fasses. Comprends-tu ?

Jordy se frotta les yeux, tenta de sourire.

— Oui, je comprends. Je suppose qu'il va falloir en parler à papa, ajouta-t-il.

Dina se posait la même question depuis le coup de téléphone de l'école et redoutait la réaction de Karim.

— Il n'a peut-être pas besoin de le savoir tout de suite.

L'expression de Jordy lui fit comprendre qu'elle avait dit ce qu'il ne fallait pas.

— Je ne veux plus avoir honte de ce que je suis ! lança-t-il d'un ton de défi. C'est bien fini.

— Comme tu voudras, mon chéri. Je me demandais seulement ce qui serait le plus facile pour toi, c'est tout.

Il lui signifia d'un sourire qu'il lui pardonnait.

— Je sais. Pauvre papa, enchaîna-t-il à mi-voix.

Une minute plus tôt, elle voyait encore en lui un bambin. Avec ces derniers mots, elle entendit parler un adulte.

Peu de temps après, ils perçurent le bruit des clefs dans la serrure, et la voix de Karim lança son habituel :

— Bonsoir, tout le monde !

— Nous sommes là ! lui cria Dina.

Il entra au salon, l'air fatigué – une journée pénible au bureau, sans doute –, et s'étonna de les voir assis là, tels des visiteurs.

— Quelque chose ne va pas ? demanda-t-il.

— Un problème à l'école, répondit Dina, qui le résuma en quelques mots.

Karim ouvrit la bouche avec stupeur et se tourna vers

son fils, comme pour lui demander d'infirmer les absurdes paroles de Dina.

— C'est vrai, papa, opina Jordy. Je suis gay.

Karim regarda tour à tour le fils et la mère.

— Ça ne peut pas être vrai. C'est une erreur.

— Non, dit Jordy.

— Ce n'est pas une erreur, Karim, renchérit Dina.

Elle vit l'expression de son mari s'altérer à mesure qu'il prenait conscience de la réalité. D'abord sur le point de craquer et de fondre en larmes, il céda peu à peu à la fureur et se tourna vers Jordy.

— Si c'est vrai, gronda-t-il, je ne veux plus te voir sous mon toit. Ce que tu es est une injure à Dieu et aux lois de la nature. Tu me répugnes, entends-tu ? Je ne veux plus une pareille horreur près de moi !

Il hurlait. Dina lui montra le plafond :

— Karim, je t'en prie ! Les jumeaux.

— Ah oui, les jumeaux ! Crois-tu que je veuille les exposer à cette dépravation ? Sors d'ici, ordonna-t-il à Jordy. Immédiatement.

Dina n'en croyait pas ses oreilles. Même en imaginant le pire, elle ne s'attendait pas à une telle explosion de fureur. Jordy était leur fils aîné, la fierté de son père moins d'une heure plus tôt.

— Il n'ira nulle part, Karim. Il est notre fils et il est encore mineur. Tu ne peux pas le chasser de la maison.

— C'est toi qui parles ? explosa-t-il en retournant sa fureur contre elle. C'est ta faute ! Je t'avertissais pourtant depuis des années. Mais non, il fallait que tu le dorlotes, que tu le pourrisses ! Que tu en fasses une… une espèce de femme ! Tu peux être fière de ton travail !

Jordy se leva.

— Non, papa. Maman n'y est pour rien. Toi non plus. C'est moi seul. Je suis comme je suis.

Le bras levé, Karim fit un pas vers lui. Jordy lui tint tête, les poings serrés.

— Non, Karim ! cria Dina. Non !

Karim stoppa, laissa retomber sa main.

— Vous me répugnez, tous les deux. Je sors, dit-il en se dirigeant vers la porte. Je ne peux plus supporter de vous voir, l'un et l'autre.

Il s'arrêta deux pas plus loin, les sourcils froncés.

— Il y a des gens qui traitent ce genre de maladies, reprit-il. Des spécialistes. Jordy ira en voir un demain.

— Non, papa, je n'irai pas chez un psy. Je ne suis pas malade, je suis gay, rien de plus.

— Tu iras, ou tu partiras d'ici ! Je te mettrai dans une académie militaire, ça te plairait davantage ?

Dina elle-même savait que la menace était vaine. Jordy était trop âgé pour une école de cadets.

— Vous croyez peut-être que je plaisante ? gronda-t-il. Je trouverai un spécialiste, dès demain. Tu iras le voir ou tu ne mettras plus les pieds ici, est-ce clair ? Je ne veux pas le voir quand je serai dans cette maison, poursuivit-il en se tournant vers Dina. Que ce soit le matin ou le soir. Il prendra ses repas dans sa chambre.

— Karim, tu ne…

— Ne discute pas ! cria-t-il. Tu n'en as déjà pas assez fait ?

Une minute plus tard, on entendit claquer la porte d'entrée. Dina et Jordy échangèrent un regard découragé.

— Au moins, fit Jordy avec un soupir qui ressemblait à un sanglot, je sais maintenant ce que mon père pense de moi.

— Il se calmera, espéra-t-elle en le prenant dans ses bras. Il lui faudra un peu de temps, c'est tout.

Elle y avait presque cru, même en sachant que Karim aurait du mal à accepter l'homosexualité de son fils. Si dans la plupart des sociétés elle constituait encore un stigmate, elle était considérée comme un crime passible de la peine de mort dans certains pays islamiques. Mais Karim était mille fois plus évolué que ces gens-là. L'amour finirait par l'emporter sur les préjugés...

Le recours au psychothérapeute tourna court lorsque l'homme de l'art convoqua les parents de Jordan pour leur dire que leur fils n'avait rien d'anormal et qu'il était simplement homosexuel. Vint ensuite l'internat, puisque Karim ne voulait plus jeter les yeux sur l'objet du scandale. Et il continuait, bien entendu, à reporter toute la faute sur Dina : si elle avait élevé leur fils comme une mère en a le devoir, si elle ne s'était pas obstinée à poursuivre sa carrière d'Américaine libérée, etc. Dina ressentait l'injustice de sa colère, mais elle comprenait son chagrin. Et, en dépit de tout, elle l'aimait encore, restant persuadée que tout finirait par s'arranger avec le temps et des efforts. Un mois avant son départ, elle lui avait même proposé de consulter avec elle un conseiller matrimonial. Il avait répondu qu'il y réfléchirait.

Et pendant tout ce temps, il préparait son forfait !

Elle se rendait compte maintenant qu'elle avait trahi son fils en ne prenant pas plus fermement sa défense – et cela en pure perte. Elle s'était trahie elle-même en laissant croire à Karim qu'il pouvait faire tout ce qu'il voulait de sa famille sans en subir les conséquences.

Le lendemain matin, Dina appela le Département d'État. Danielle Egan se montra cordiale en entendant le nom de Joseph Hilmi, mais lorsque Dina lui eut exposé sa situation, elle changea de ton et n'offrit rien de plus que quelques vagues consolations.

— J'espérais que le Département serait en mesure de m'aider à récupérer mes enfants, insista Dina. Quelqu'un pourrait peut-être prendre contact avec mon mari, exercer des pressions sur lui pour qu'il me ramène les jumeaux.

Mme Egan garda le silence.

— Vous ne pouvez vraiment rien faire ?

— Ce n'est pas aussi simple, madame Ahmad. Comment

le Département pourrait-il intervenir auprès d'un citoyen jordanien qui n'a contrevenu à aucune loi ? Surtout dans le cas d'une personne disposant de puissantes relations.

— Vous refusez donc de m'aider ?

Un autre silence suivit.

— Je dis seulement que les choses s'arrangent souvent d'elles-mêmes, madame Ahmad, répondit enfin la fonctionnaire. Vos enfants ne sont partis que depuis très peu de temps. Il est possible que votre mari décide de revenir plus tard, quand il aura surmonté l'obstacle ayant provoqué votre dispute...

— Ce n'est pas cela du tout ! l'interrompit Dina. Nous ne nous étions pas disputés. Et je connais mon mari, il ne reviendra pas.

Ce que je viens de dire est idiot ! se reprocha Dina. *Je ne connais pas mon mari. L'homme que je croyais connaître n'aurait jamais fait une chose pareille.*

— Écoutez, reprit Mme Egan au bout d'un nouveau silence, vous n'avez pas de raison de vous affoler ou de prévoir le pire. Les gens ne font pas toujours ce qu'ils disent, ils ne mettent pas toujours leurs menaces à exécution.

— Peut-être, rétorqua Dina sèchement. Je croyais pourtant me rappeler que vos collègues et vous-même aviez assuré à mon père que vous étiez reconnaissants du concours qu'il vous avait apporté au Liban et que votre porte lui serait grande ouverte s'il en éprouvait un jour le besoin.

— Nous lui sommes tous profondément reconnaissants, madame Ahmad. Si j'étais en mesure d'agir personnellement sans placer le Département dans une situation délicate, je le ferais, croyez-moi.

Dina comprit qu'elle avait tort de vexer les anciens collègues de son père.

— Excusez-moi, je n'aurais pas dû vous dire cela.

Le ton de Danielle Egan se radoucit.

— Écoutez, madame Ahmad, j'ai moi aussi deux enfants. S'il leur arrivait une telle mésaventure, j'en serais bouleversée et je ferais sans doute exactement la même chose que vous.

Dina se sentit un peu mieux. Son interlocutrice admettait enfin la réalité au lieu de continuer à l'enrober de généralités oiseuses.

— Je me renseignerai, reprit Mme Egan. Il doit y avoir à notre ambassade une personne susceptible de faire le point de la situation. Officieusement, cela va sans dire. En attendant, restez en contact.

— Bien sûr. Merci.

Quand elle raccrocha, Dina se demanda s'il valait vraiment la peine de garder un contact aussi manifestement inutile.

10

Comme la première fois, le téléphone sonna à sept heures du matin. Dina décrocha à la première sonnerie. Réveillée depuis trois heures, elle était hors d'état de se rendormir.

— Bonjour, Dina..., commença-t-il d'un ton presque tendre.

— Karim ! Pour l'amour du ciel, rends-moi mes enfants ! Comment as-tu pu me les enlever ? Qu'ai-je donc fait de si terrible que tu veuilles me ?...

— Dina, l'interrompit-il, je n'ai jamais eu l'intention de te faire du mal, crois-moi je t'en prie. J'ai emmené les enfants parce que je sais, du fond du cœur, qu'ils auront une vie meilleure en Jordanie. Ils seront entourés par ma famille, par des gens qui les aiment. Ils s'imprégneront ici de principes solides qui feront d'eux des adultes dignes de ce nom.

— Et pas des dépravés comme leur frère ? lâcha-t-elle avec amertume.

— Écoute Dina, je me reproche aussi le problème de... de ce garçon, dit-il, incapable de se forcer à prononcer le nom de son fils aîné. Cela ne lui serait pas arrivé s'il avait été élevé ici, comme il aurait fallu. Je ne veux pas exposer Ali aux mêmes risques. Ce n'est pas facile pour moi non plus, crois-moi, mais c'est la seule solution.

— La seule solution ! répéta-t-elle. Priver des enfants de leur mère, pour toi c'est la seule solution ?

— Je ne cherche ni à les priver de leur mère, ni à te priver de tes enfants, Dina. Tu les verras aussi souvent que tu voudras, tu passeras autant de temps que tu voudras avec eux. Mais ici, en Jordanie.

— Autrement dit, tu ne me prives pas entièrement de mes enfants mais tu me tiens entièrement à ta merci.

Elle l'entendit soupirer d'impatience.

— Il ne s'agit pas de moi, Dina, mais de Suzanne et d'Ali.

— Non, Karim, il ne s'agit que de toi, qui veux imposer tes quatre volontés. Comme tu n'as pas réussi à me soumettre, tu m'as pris mes enfants pour leur laver le cerveau !

Il y eut un long silence.

— Veux-tu parler à Suzanne et à Ali ? demanda-t-il enfin.

— Qu'est-ce que tu leur racontes, au juste ? Que tu les as kidnappés pour leur bien ? Pour les protéger de l'influence de leur mère, qui refuse de les élever de la seule manière que tu juges bonne ?

Karim garda de nouveau le silence.

— Je ne leur ai encore rien dit de... définitif. Juste que

je les emmenais voir leurs grands-parents et leurs cousins. Il vaut mieux les habituer progressivement à...

— À leur nouvelle vie ? compléta Dina.

— Oui, admit-il.

— Et qu'attends-tu que je leur raconte quand je leur parlerai ? Je dois être d'accord avec l'abomination que tu m'infliges ?

— Je te laisse juge de leur dire ce que tu estimeras le mieux. Pour leur bien.

— Salaud ! Tu sais très bien que je ne dirai rien qui puisse les inquiéter ou leur faire de la peine. Tu me forces à être ta complice !

— Je te passe Suzanne, soupira-t-il. Elle a très envie de te parler.

— Maman ! Maman ! cria Suzanne. Si tu voyais le poney que grand-père m'a acheté !

— *Nous* a acheté ! protesta Ali à l'arrière-plan. Il est pour tous les deux !

— On s'amuse bien, maman ! reprit Suzanne en dédaignant l'interruption de son frère. Tu viens quand ?

Dina sentit sa gorge se serrer. Les enfants étaient à l'évidence trop heureux chez leurs grands-parents pour qu'elle leur manque déjà. Elle se força à ravaler les larmes qui lui montaient aux yeux et à parler d'une voix normale.

— Je suis très contente que tu t'amuses bien, ma chérie.

— Et puis, tu sais, tante Soraya m'a dit que je pouvais l'aider à préparer les *baklavas* ! Et oncle Samir nous a rapporté de Londres le dernier Harry Potter ! Et demain...

Le cœur brisé, Dina réussit à articuler des réponses adaptées au torrent de joyeuses nouvelles que débitèrent Suzanne et Ali. Malgré sa répugnance à jouer le jeu que lui imposait Karim, elle ne pouvait pas faire autrement que prétendre que tout allait bien. Lorsqu'elle raccrocha enfin, elle étouffait de chagrin et de fureur. Elle haïssait Karim ! Elle haïssait sa famille entière, sans parler de Fatma, ce serpent ! Mais plus encore que de haine, elle souffrait du besoin de serrer ses enfants sur son cœur.

La maison lui parut plus froide et plus vide qu'avant le coup de téléphone. Elle remonta le chauffage, prépara du café, se doucha et s'habilla comme tous les matins pour aller travailler. Mais cette perspective lui parut soudain absurde. Confrontée à son écrasant sentiment de perte, sa carrière, Mosaïc même, tout lui semblait vain, inutile. Pourquoi y avait-elle attaché tant d'importance ? Certes, elle prenait un réel plaisir à créer les superbes motifs floraux qui décoraient les tables des meilleurs restaurants, ornaient certaines des plus belles résidences de Manhattan et donnaient un éclat unique aux galas des musées ou aux réceptions des grandes multinationales. Elle ressentait une satisfaction légitime à compter tant de célébrités dans sa clientèle, comme à voir son nom régulièrement cité dans les palmarès des magazines. C'était peut-être un peu futile, bien sûr, mais était-ce vraiment répréhensible ? Karim avait dû juger intenable de vivre avec elle, sinon il ne se serait pas esquivé comme un voleur !

Aller ou non à Mosaïc ce jour-là n'avait plus aucune importance. Le lendemain non plus, sans doute. Dina décrocha le téléphone, appela son assistante.

— Eileen, je ne viendrai pas pendant quelques jours. Je resterai en contact par téléphone et par fax. Voudriez-vous appeler cette étudiante qui a travaillé pour nous à mi-temps l'année dernière et lui demander de venir vous donner un coup de main en mon absence ?

— Vous êtes souffrante ?

— Un problème de famille, répondit Dina assez sèchement pour couper court à d'autres questions.

Eileen se le tint pour dit et ne réclama que quelques instructions sur les commandes en cours.

Combien de fois Karim lui avait-il demandé de prendre des congés, combien de fois s'était-elle obstinée à refuser ? Pourquoi, en fin de compte ? Que cherchait-elle à prouver ? Son travail lui plaisait, mais pas au point de la passionner. En fait, elle tenait surtout à ne pas ressembler aux femmes de la famille de Karim, soumises, éteintes. Et maintenant, c'étaient ces femmes qui avaient ses enfants ! *Je changerais volontiers de place avec elles*, se dit-elle.

11

— Salut à toi, Karim ! Qu'Allah bénisse mon neveu ! entonna l'oncle Farid en franchissant le seuil de la maison.

Il en allait de même à chaque visite de Karim. La parenté entrait et sortait en un flot quasi continu, les embrassades et les accolades se succédaient. Karim ne s'en lassait pas. Une famille devait être ainsi, forte, unie, toujours présente. Lorsqu'elle venait en Jordanie, Dina se plaignait du manque d'intimité qu'imposait la présence envahissante de la famille de Karim. Mais Dina n'avait jamais compris que la notion d'intimité n'existait pas en Orient. Tout jeune déjà, Karim connaissait le proverbe : « L'enfer est là où il n'y a personne. »

— Combien de temps restes-tu, cette fois-ci ? demanda Farid.

— Un moment.

Il espéra que son oncle se contenterait de cette réponse évasive, car il n'était pas prêt à expliquer en détail les raisons de son retour. Voyant Farid froncer les narines en humant une appétissante odeur d'agneau grillé et d'autres délices, Karim saisit l'occasion de changer de sujet.

— Nous venions juste de nous mettre à table, mon oncle. Allons donc voir ce que ma mère nous offre aujourd'hui.

Des rires et des voix s'échappaient de la salle à manger, où il entraîna son oncle. Depuis son arrivée, sa mère n'arrêtait pas de préparer des repas plus somptueux les uns que les autres pour les parents et les amis qui leur rendaient sans arrêt visite, à lui et à ses enfants. Karim réalisait à quel point ce style de vie lui avait manqué.

— Je ne suis pas venu déjeuner, mon garçon. J'ai fini mon repas il y a à peine une heure.

— Ça ne fait rien, mon oncle, venez quand même vous asseoir avec nous.

Hassan, le père de Karim, embrassa son frère cadet et tira une chaise pour le faire asseoir à côté de lui. Quand il fut installé, les enfants de Samir, Nasser et Lina, obéirent à un regard de leur père et allèrent baiser la main de leur grand-oncle, qui les récompensa de cette marque de respect par une bénédiction et quelques piécettes tirées de son gousset. Karim leur fit un sourire approbateur. Si les traditions de ce genre étaient passées de mode dans quelques familles, il avait été élevé de manière à révérer ses aînés et voulait inculquer les mêmes principes aux jumeaux.

Le repas reprit son cours. Tandis que les deux patriarches discutaient avec animation de leurs maladies et des régimes qu'ils étaient censés suivre, Soraya, la belle-sœur de Karim, se pencha vers lui :

— Avez-vous parlé de Marwan aux enfants ? s'enquit-elle à voix basse, sachant qu'il ne souhaitait pas encore annoncer – en dehors de la proche famille – son intention de rester.

Il la dévisagea sans comprendre. Avait-il oublié quelque coutume locale ?

— Le précepteur, précisa-t-elle.

Assis à côté de lui, Samir entendit sa femme et intervint :

— Je n'ai rien dit à Karim, je n'y pensais plus. J'ai trouvé un jeune homme pour apprendre l'arabe à Ali. Et à Suzanne aussi, bien sûr.

Karim avait demandé à son frère et à sa belle-sœur de

l'aider à chercher quelqu'un capable d'enseigner l'arabe aux enfants. Il avait toujours voulu le faire sans en trouver le temps à New York. De plus, Dina s'y était opposée sous prétexte qu'ils étaient trop jeunes pour ajouter de longues heures d'étude à leurs devoirs d'école. Il lui avait rétorqué que c'est dans l'enfance qu'on apprend le plus facilement et, bien entendu, elle n'en avait tenu aucun compte. De toute façon, puisqu'ils devaient bientôt aller à l'école, il leur fallait apprendre la langue afin de suivre les cours et de se mêler sans peine aux autres élèves. Il aurait pu le leur enseigner, mais il souhaitait les voir acquérir des connaissances sérieuses : lui-même ne pourrait leur faire la classe qu'à ses rares moments libres.

— Marwan Tamil est le fils d'un de mes amis, poursuivit Samir. Un brave garçon, intelligent. Il est en troisième année à l'université et parle l'anglais mieux que toi. Je lui ai demandé hier, il est d'accord. Si tu me dis le nombre d'heures que tu veux, j'arrangerai tout avec lui.

— C'est parfait, approuva Karim. J'en parlerai aux enfants pour mettre au point les horaires.

Il ne manqua pas le regard ironique qu'échangèrent son frère et sa belle-sœur. Regard qui signifiait clairement : « Qu'est-ce que c'est que cette Amérique où les parents se croient obligés de demander l'avis de leurs enfants ? »

— Combien prend-il de l'heure ? se hâta d'enchaîner Karim pour tenter de dissimuler sa bourde.

Il se rendit compte aussitôt qu'il en avait commis une autre.

— Presque rien, répondit Samir. C'est un pauvre étudiant qui a besoin de gagner quelques sous. Mais si ça te pose un problème, mon frère, je pourrai t'aider, ajouta-t-il avec un sourire supérieur.

— Pas de problème, mon *petit* frère, répliqua Karim. Je m'interrogeais, c'est tout. Les enfants ont trop longtemps vécu à New York, ils ont besoin d'apprendre le prix des choses.

— Et la valeur de rien ? demanda Soraya en souriant.

Elle était ravissante quand elle souriait. Karim s'étonnait de l'entendre citer cet aphorisme d'Oscar Wilde quand il se rappela qu'elle avait elle-même fait de brillantes études universitaires. Cela s'oubliait facilement lorsqu'elle jouait son rôle de maîtresse de maison. Suzanne avait d'abord trouvé très amusant de voir sa tante se couvrir la tête pour sortir en ville. Quand elle avait appris que le port du foulard n'obéissait pas à la mode mais à une règle obligatoire, elle ne s'en était plus autant amusée.

— En tout cas, déclara Samir, c'est un brave garçon, j'en réponds. Et il pourra leur enseigner plus que la langue. Un peu d'instruction religieuse par exemple, si cela t'intéresse.

Il s'agissait, là encore, d'un domaine que Karim avait dû négliger. Dina ne s'était pas opposée à ce que les enfants s'instruisent *sur* l'islam, mais elle refusait qu'ils soient endoctrinés dans une religion quelconque. Mieux valait, disait-elle, les laisser décider eux-mêmes de celle qu'ils voudraient embrasser quand ils seraient en âge de choisir. En fait, Karim n'avait lui-même guère été pratiquant jusqu'à ces derniers temps. Les jumeaux n'avaient donc que des connaissances très superficielles de la foi de leurs aïeuls. Pendant le ramadan, ils ne jeûnaient qu'un jour au lieu d'un mois du lever au coucher du soleil. Il leur était aussi arrivé parfois de faire trois prières par jour au lieu des cinq exigées par le Coran, parce qu'ils étaient encore trop jeunes pour se plier à cette discipline. Quant à Jordan, il avait paru s'intéresser un moment à la religion de son père, la sienne en réalité puisque les enfants d'un père musulman sont automatiquement musulmans. Karim se souvenait d'être allé avec lui à la superbe mosquée de la 96e Rue et de l'émotion qu'il avait ressentie en priant avec un fils dont il se sentait alors si proche.

Il secoua la tête comme pour chasser ce souvenir douloureux.

— Volontiers, répondit-il. Quelle est son orientation ?

Sa question provoqua un nouveau regard sarcástique de Samir.

— Son *orientation*, mon frère ? Sois tranquille, ce n'est pas un islamiste fanatique, il n'a pas de contacts avec les Frères musulmans, les talibans et encore moins Al-Qaida.

Karim ne put s'empêcher de rire.

— D'accord ! Dis-lui de m'appeler au bureau.

Au moins, pensa-t-il, la visite du jeune homme lui donnerait quelque chose à faire, une distraction. Son nouveau job, qu'il occupait depuis une semaine, se résumait en gros à des fonctions de consultant sur tout ce qui concernait les achats et l'entretien des avions militaires. Mais, plus encore qu'à New York, il s'agissait surtout de politique et d'intrigues internes au service. Jusqu'à ce qu'il sache quels boutons pousser et à quels moments opportuns, il ne faisait rien de plus que de la paperasserie sans intérêt.

— Très bien, approuva Soraya. J'en parlerai moi-même aux jumeaux, je saurai le leur présenter de manière plus agréable que vous n'en seriez capables l'un et l'autre.

Karim acquiesça d'un signe de tête. Quant à Samir, il était visiblement satisfait d'avoir pu résoudre un problème aussi mineur pour son naïf frère aîné, trop américanisé à son goût.

Soraya se leva afin de servir le dessert avec les autres femmes. Les plats étaient à peine posés sur la table quand arriva Hamid, le cousin de Karim, qui prit place à son tour. Les deux cousins ne s'étaient pas revus depuis une dizaine d'années, car Hamid avait longtemps travaillé dans le golfe Persique.

— Alors, cousin, demanda Hamid entre deux bouchées de pâtisserie, comment est la vie en Amérique par les temps qui courent ?

Comment répondre à une aussi vaste question en une minute ? Karim prit le temps de réfléchir.

— Disons qu'elle peut être difficile pour des gens comme nous.

— Pas étonnant, cousin Karim. Nous avons tous été diabolisés. Les Arabes sont bons pour fournir du pétrole, rien d'autre. Je te plains sincèrement d'être obligé de vivre dans un pays qui ne veut pas de toi.

— Et toi, cousin Hamid ? s'enquit Karim pour ne pas laisser la conversation s'engager dans cette voie. Que fais-tu en ce moment ?

Hamid fut trop heureux de faire étalage de la chance qui lui était offerte de participer à un important projet de développement près de la mer Rouge. Karim s'efforçait de trier ce déluge de détails pour en comprendre la substance quand son père se leva en signifiant aux hommes qu'il était l'heure de passer au fumoir, d'allumer le narguilé et de refaire le monde pendant que les femmes débarrasseraient la table.

Karim ne prisait guère cette fumée douceâtre. Il avait cessé de fumer son paquet de cigarettes quotidien quand Dina était enceinte des jumeaux et ne souhaitait pas retomber dans cette mauvaise habitude. Mais le narguilé était plus qu'une tradition chez les Ahmad. Hassan Ahmad avait acquis une bonne part de sa fortune grâce au négoce du tabac, de sorte que nul n'aurait osé refuser de se soumettre au rituel. *Je n'avalerai pas la fumée*, se promit Karim.

Le fumoir était meublé à l'ancienne de longues banquettes couvertes de tissus berbères multicolores importés du Maroc. Devant elles étaient disposés à intervalles réguliers des guéridons incrustés de nacre, chargés de petits plats d'amandes et de sucreries.

Située dans une des plus belles banlieues résidentielles de la capitale, la maison illustrait l'opulence et le statut social de Hassan Ahmad. Bâtie autour d'une vaste cour centrale, elle mariait les éléments traditionnels du décor à ceux du confort moderne, comprenant une cuisine suréquipée et plusieurs luxueuses salles de bains.

Conformément au désir de son père, Samir et sa famille

en occupaient une aile, car Samir avait toujours été un fils obéissant. Karim et ses enfants étaient logés dans une autre aile, originairement réservée aux hôtes. Si l'ameublement mêlait l'Orient à l'Occident, les superbes tapis qui recouvraient les sols étaient typiquement arabes. De même, la décoration et les œuvres d'art, telles les tapisseries brodées de versets du Coran, relevaient de la meilleure tradition islamique. Très attaché à la maison familiale, Karim avait cependant commencé à visiter d'autres propriétés, construites dans un style plus moderne et plus commode – il s'était bien gardé d'en parler à son père.

Karim aspira avec précaution une bouffée de fumée, juste assez pour faire bonne figure. Il passait le tuyau du narguilé à son voisin quand son père lui adressa la parole.

— L'aîné de mes petits-fils, Jordan, aurait l'âge d'être ici avec nous. Ne m'as-tu pas dit qu'il viendrait bientôt, lui aussi ?

— Non, père. Je veux dire, ce n'est pas sûr. Il est à l'école, il entrera à l'université l'année prochaine. Il ne peut donc pas interrompre ses études en ce moment.

Samir, qui était au courant de la vérité, regarda dans le vague. Hassan parut se satisfaire de la réponse.

— Bien sûr, opina-t-il. Mais je voudrais quand même le voir.

L'expression de Hassan devint si triste que, pour la première fois, Karim pensa que son père était déjà un vieillard.

Une heure plus tard, Karim et Samir sortirent ensemble dans la cour. Ils étaient maintenant presque seuls, les hôtes avaient pris congé.

— Je me demandais, au sujet de Jordan…, commença Samir. Tu sais, ce dont tu m'as parlé ne veut peut-être rien dire. Tu te rappelles ce scandale, il y a des années, quand le cousin Sharif faisait… enfin, la même chose ?

Ne voyant pas où Samir voulait en venir, Karim ne répondit pas.

— Eh bien, maintenant, Sharif est un homme marié, il a trois fils et personne ne s'intéresse plus à ce qu'il faisait quand il était jeune.

Karim garda encore le silence.

— Au fond, je me demande si c'était une bonne idée de l'envoyer dans un internat. J'ai connu ce genre d'établissements quand j'étais en Angleterre, reprit Samir, toujours fier d'avoir, comme nombre de jeunes Arabes de la haute bourgeoisie, suivi des études supérieures en Grande-Bretagne. J'ai l'impression que cela risquerait plutôt d'aggraver le... le problème. Non que je veuille te dire comment élever ton fils, mais il est aussi mon neveu et je m'intéresse à lui.

— Tu ne peux pas comprendre, fit enfin Karim.

— Peut-être pas. Mais je me demandais simplement, pourquoi ne pas l'amener ici ? C'est Dina qui t'en empêche ?

Il aurait été facile de répondre par l'affirmative. La famille de Karim n'avait jamais adopté Dina, surtout depuis son refus catégorique de venir vivre en Jordanie. Ils s'étaient un peu radoucis à la naissance de Jordan, mais l'embellie n'avait pas duré. Ils n'avaient ensuite vu Jordan puis les jumeaux qu'une fois, parfois deux par an et seulement pour de courts séjours, au lieu des longues visites que rendaient d'habitude à leur famille les enfants établis à l'étranger. Ils en voulaient à Dina, sachant que Karim n'aurait pas, de son propre chef, voulu priver ses parents de leur plus grande joie, la compagnie de leurs enfants et petits-enfants. Mais Karim avait eu beau abandonner Dina et lui arracher les jumeaux, il ne pouvait pas se résoudre à cette nouvelle trahison.

— Tu ne comprends pas, répéta-t-il à son frère. Tu ne peux pas comprendre. L'Amérique n'est pas comme ici. Il n'y a rien de commun, rien ne se passe comme ici. C'est pour cela que je suis revenu. Mais je ne peux rien faire en ce qui concerne Jordy, crois-moi.

— Bien sûr, dit Samir d'un ton conciliant. Nous en reparlerons plus tard, quand tu voudras. Mon frère, ajouta-t-il en l'embrassant sur le front.

Il avait mis dans ces deux mots tant de sentiments, tant de signification que Karim essuya une larme. Il savait maintenant avec certitude qu'il était de retour chez lui.

12

Sarah ne téléphona à Ari qu'à contrecœur. Elle évitait le plus possible les occasions de lui parler, sauf quand il s'agissait de leur fille, Rachel. Et pourtant, elle se voyait en train de composer son numéro pour quémander un service alors qu'elle ne lui avait rien réclamé du tout depuis trois ans qu'ils étaient divorcés – hormis le *get* qu'il s'obstinait à lui refuser.

Il décrocha à la troisième sonnerie. On entendait à l'arrière-plan les accents mélodieux de la *Shéhérazade* de Rimski-Korsakov, ce qui conduisit Sarah à penser qu'il recevait une femme. Ari mettait souvent ce disque quand il lui faisait la cour.

— Sarah ! Comme c'est gentil de m'appeler ! dit-il avec cordialité comme s'il s'adressait à une vieille amie perdue de vue.

— Je suis désolée de te déranger, Ari, mais il faut que je te demande quelque chose. J'y attache une grande importance et...

— Je t'en prie, Sarah, ne recommence pas avec ça ! l'interrompit-il. Je t'ai dit cent fois que...

— Mais non, Ari, il ne s'agit pas de *ça* ! coupa-t-elle à son tour. Veux-tu me laisser parler, s'il te plaît ?

Elle avait prononcé ces derniers mots d'un ton implorant qui l'étonna elle-même. Pour Dina, elle était prête à supplier Ari alors qu'elle ne l'avait jamais fait pour elle. Même pour le décider à lui accorder le *get* auquel elle tenait tant...

— Bon, bon, je t'écoute, Sarah. De quoi s'agit-il ?

Elle hésita. S'il était avec une femme, le moment était peut-être mal choisi.

— Je ne te dérange pas, au moins ? Si tu es occupé, je peux te rappeler plus tard...

— Tu ne me déranges pas du tout, voyons ! déclara-t-il d'une voix forte. Je ne suis jamais trop occupé pour ma famille, Sarah, tu devrais le savoir !

J'ai compris, se dit-elle. Il y a une femme dans l'appartement et il cherche à la déstabiliser, comme il le faisait avec moi. À lui faire comprendre qu'il existe en coulisse une ex qui l'aime toujours et ne demanderait pas mieux que de le récupérer.

— Eh bien, commença-t-elle, mon amie Dina a un problème grave qui...

— Ah ! Celle-là ?

— Ari, je t'en prie ! Vas-tu me laisser parler ?

— Excuse-moi. Continue.

Sarah exposa la situation. Quand elle eut terminé, Ari fit un bruit qui ressemblait à un gloussement étouffé.

— Le salaud ! Je dois avoir l'air d'un prince, par comparaison. Moi, au moins, je ne t'ai jamais enlevé Rachel.

Sarah préféra ne pas relever. Elle savait trop bien qu'Ari n'avait jamais eu l'intention de s'encombrer de leur fille.

— Que veux-tu que j'y fasse, Sarah ? reprit-il. Tu ne crois quand même pas que je vais sauter dans un avion pour me colleter avec cet individu ? Autant que je sache, Israël n'est pas en guerre avec la Jordanie.

Très drôle ! pensa-t-elle en grinçant des dents.

— Ce que j'espérais... Écoute, Ari, tu connais beaucoup de monde en Israël. Des gens en mesure de... d'agir, si tu vois ce que je veux dire. Pourrais-tu au moins leur demander si quelqu'un pourrait aider Dina à récupérer ses enfants ?

Un long silence suivit.

— Je t'en serais sincèrement reconnaissante, Ari, insista-t-elle.

— Je réfléchis, Sarah. Je réfléchis. Ne m'interromps pas.

— Excuse-moi.

Le silence retomba.

— Écoute, dit-il enfin, je ne peux rien promettre parce que, très franchement, voler au secours de Dina Ahmad ne figure pas dans mes priorités. Mais puisque c'est toi qui le demandes, je me renseignerai.

— Merci, Ari.

— Je précise, toutefois, que je n'ai pas l'intention de quémander de grandes faveurs à quiconque pour le compte de ton amie. Mais si par hasard quelqu'un connaissait une personne susceptible d'intervenir d'une manière ou d'une autre, eh bien, nous verrons.

— Je te remercie d'avance de tout ce que tu pourras faire.

— Peut-être rien du tout.

— De toute façon, nous en sommes là, soupira-t-elle.

Sarah se demanda en raccrochant si elle avait bien entendu un rire de femme se mêler à la musique de fond.

13

Dina ne s'attendait pas à de bonnes nouvelles. David Kallas lui avait téléphoné pour la prier de venir à son bureau, comme un médecin vous appelle après avoir reçu les résultats d'un examen. Si tout va bien, il l'annonce par téléphone. Dans le cas contraire, il vous demande d'aller le voir. *Pourquoi ?* se demanda-t-elle. *Ne vaut-il pas mieux en finir le plus vite possible ? Inutile d'y ajouter la torture d'imaginer des scénarios pires les uns que les autres.*

C'est ainsi qu'elle se retrouva avec ses deux amies dans la petite salle d'attente de David Kallas, où la cousine Rebecca pianotait sur son ordinateur sans leur accorder un regard.

Lorsque David sortit de son cabinet, le sourire qu'il adressa aux trois femmes ne montait pas tout à fait jusqu'à son regard.

— Bonjour, mesdames. Euh… madame Ahmad, vous souhaitez que vos amies assistent à nos entretiens, je sais, mais j'aimerais vous parler seule un petit moment.

Dina consulta les deux autres du regard. Emmeline esquissa un haussement d'épaules fataliste.

— Vas-y, Dina, nous t'attendrons ici, dit Sarah.

Dina suivit David Kallas la mort dans l'âme.

— J'aurais voulu avoir de bonnes nouvelles à vous annoncer, commença l'avocat. Voici où nous en sommes. J'ai appelé l'avocat de votre mari à Amman. Il m'a déclaré que M. Ahmad est intraitable en ce qui concerne les enfants et que sa position n'est pas négociable. M. Ahmad estime en outre s'être montré très généreux à votre égard sur le plan financier, puisqu'il vous laisse le domicile conjugal ainsi que les avoirs de la communauté. Mon confrère m'a également informé qu'il avait reçu l'ordre de procéder à des virements mensuels sur votre compte. Mais quant à la garde des jumeaux, votre mari a décidé qu'ils vivraient désormais avec lui en Jordanie et ne veut pas en démordre. Vous serez cependant libre d'aller leur rendre visite aussi souvent que vous le souhaiterez.

Dina se mordit les lèvres. Elle s'y était attendue, mais sans avoir tout à fait perdu l'espoir d'un règlement amiable.

— Nous pourrions bien entendu intenter une action en divorce, reprit David, et demander ensuite un jugement statuant sur la garde des enfants et le versement de la pension correspondante.

Dina reprit courage.

— Dans ce cas, le tribunal forcerait Karim à me rendre les jumeaux ?

— J'en doute, répondit David. J'ai procédé à des recherches sur les cas similaires au vôtre. Un père avait enlevé ses enfants jusqu'en Ouzbékistan. Les tribunaux américains l'ont contraint à les rendre à leur mère, mais le jugement n'a pas été exécuté.

— Voulez-vous dire qu'aucune mère n'a jamais pu reprendre ses enfants ?

— Dans le cas d'un père chinois et d'une mère américaine, celle-ci a obtenu que ses enfants lui soient rendus contre le versement au père d'une importante somme d'argent. Compte tenu de ce que je sais sur votre mari, cet expédient n'aurait aucun succès.

— Non, aucun, soupira-t-elle. Il est donc inutile d'espérer une solution légale ?

L'air navré, David secoua négativement la tête.

— Les seuls bénéficiaires seraient moi-même et mon confrère jordanien. Nous gagnerions vraisemblablement devant un tribunal américain mais, comme je l'ai dit il y a un instant, le jugement resterait lettre morte dans un autre pays. Dans la conjoncture actuelle, je doute fort que notre gouvernement soit prêt à intervenir auprès du gouvernement jordanien pour une question de garde d'enfants.

— Je ne peux rien faire, alors ? Rien ? répéta-t-elle d'un

ton suppliant. Je veux mes enfants. Je traverserais l'enfer à genoux pour les reprendre !

— Je sais. C'est la raison pour laquelle je tenais à vous parler seule.

Dina se redressa sur son siège. Avait-il quand même une solution à lui proposer ?

— Ce qui va suivre doit rester strictement entre nous, reprit David. Il existe des moyens d'agir en dehors des circuits légaux. Certains spécialistes des... actions spéciales peuvent s'en charger. Mais, une fois encore, je ne vous aurai rien dit.

— De quoi parlez-vous, au juste ? Je ne comprends pas.

David eut beau rester volontairement vague dans ses explications, Dina finit par comprendre : en un mot, il s'agissait de kidnapper ses propres enfants !

— Je pourrais peut-être vous communiquer le nom d'un professionnel de ce genre de travail, conclut-il.

Dina était stupéfaite. C'est une folie, pensa-t-elle, mais au moins c'est quelque chose. Une lueur d'espoir.

— Et vous connaissez un de ces... professionnels ?

— Peut-être, répondit-il avec prudence. J'ai toutefois entendu dire que ces opérations sont extrêmement coûteuses ; logique puisqu'elles sont dangereuses. Et illégales.

Dangereuses, illégales ? En temps normal, ces mots auraient suffi à la terrifier. Mais les circonstances n'étaient pas *normales*...

— C'est pourquoi, poursuivit David, je ne vous suggère même pas de vous engager dans cette voie. En fait, si vous me demandiez mon avis, je vous le déconseillerais formellement.

Tout en parlant, il posa sur son bureau une carte de visite dont Dina s'empara avec avidité. *Gregory Einhorn, Missions confidentielles*, lut-elle.

— Ce n'est pas moi qui vous ai remis ceci, insista-t-il.

— Je comprends.

— Bonne chance, madame Ahmad. J'espère… je vous souhaite de retrouver vos enfants, dit-il avec une évidente sincérité.

Dina lui tendit sa main, qu'il serra avant de la raccompagner dans l'antichambre. Sarah et Emmeline se levèrent en dardant sur leur amie des regards interrogateurs. Dina leur fit de la tête un signe négatif.

— Merci, conclut-elle en se tournant vers David.

— De rien, répondit-il. J'aurais voulu être en mesure de vous aider, mais si je peux faire n'importe quoi d'autre, n'hésitez pas à m'appeler.

Intriguée, Sarah regarda tour à tour Dina et l'avocat.

— Maître Kallas, puis-je venir vous consulter au sujet d'un problème personnel ?

— Avec plaisir, répondit-il en souriant. Téléphonez-moi, nous conviendrons d'un rendez-vous.

Dans la rue, Sarah et Emmeline bombardèrent Dina de questions. De quoi l'avocat lui avait-il parlé ? Qu'y avait-il de si secret qu'elles n'avaient pas le droit d'entendre ? Dina n'était pas prête à leur dévoiler la possibilité suggérée par David. Elle ne voulait pas s'entendre rétorquer que ce serait une dangereuse folie. C'était son seul espoir, elle voulait s'y raccrocher le plus longtemps possible. Elle se borna donc à expliquer que David avait fait des recherches et pris contact avec l'avocat de Karim, mais qu'il n'en était rien sorti.

— Il m'a dit que je pouvais demander le divorce, mais il ne semble pas convaincu de l'efficacité du geste pour récupérer les enfants.

— Et alors ? insista Emmeline.

— Alors… je ne sais pas. Je vais rentrer chez moi, réfléchir. Il y a peut-être d'autres moyens auxquels je n'ai pas pensé.

— Es-tu sûre que vous n'avez parlé de rien d'autre ?

demanda Emmeline d'un air soupçonneux. Je te trouve bizarre.

— Je dois l'être un peu, admit Dina en se forçant à sourire. Je suis vraiment désolée de vous avoir traînées là pour rien. Je ferais mieux de rentrer. Je vous appellerai demain, d'accord ? J'ai besoin d'être seule pour réfléchir.

Bon gré, mal gré, elles mirent Dina dans un taxi et chacune retourna à ses occupations.

Dina regrettait d'avoir menti à ses amies, mais elle avait réellement besoin de réfléchir. Devait-elle envisager de se lancer dans une action non seulement illégale, mais aussi périlleuse ? En cas d'échec, reverrait-elle jamais les jumeaux ? Et si elle décidait de passer outre à ses propres réticences, avait-elle le droit de mêler de près ou de loin Sarah et Emmeline à une telle folie ? Tout cela exigeait une sérieuse méditation.

14

Les rayons du soleil caressaient les grands arbres, les pelouses verdoyaient, l'ensemble formait un tableau digne d'inspirer un peintre paysagiste. Pourtant, tandis qu'elle traversait avec son fils le campus de la Phillips Academy, Dina n'accordait pas un regard à la beauté environnante. Elle pensait uniquement à l'épreuve qu'elle allait devoir affronter : apprendre à Jordy que son père avait enlevé les jumeaux sans intention de les rendre. Elle avait d'abord espéré qu'une solution rapide au conflit l'en dispenserait, mais elle ne pouvait plus croire au miracle. Jordy ne tarderait pas à se rendre compte que la situation était anormale ; autant prendre les devants et l'y préparer le mieux possible.

Mais comment ? Tout en roulant vers le Massachusetts, elle avait tenté de formuler des phrases susceptibles de mettre son fils au courant du coup de force de Karim sans l'amener à s'en attribuer le blâme. Elle n'avait encore rien trouvé et continuait désespérément à se creuser la tête.

— Nous avons largement le temps avant le dîner, mon chéri. Qu'aimerais-tu faire ?

— Je dois aller chercher des bouquins à la librairie d'Andover. Tu veux bien m'accompagner ?

Dina lui prit le bras, se serra contre lui. Dieu, qu'elle l'aimait son grand garçon, si beau avec son épaisse chevelure noire, sa peau bistre et ses grands yeux de velours qui ressemblaient tant à ceux de son père ! Elle n'avait pas le cœur à se promener ni à se conduire à l'instar des autres parents en visite. Mais puisque Jordy avait été privé de l'amour paternel, elle ne pouvait faire moins qu'essayer de rendre agréable le temps passé avec lui – du moins jusqu'au moment où elle devrait lui assener la nouvelle. C'est pourquoi elle avait invité à dîner avec eux Brian et Kevin, ses deux meilleurs amis. Et c'est aussi pourquoi elle se forçait à sourire alors qu'elle avait envie de pleurer.

Véritable institution depuis 1800, la librairie était installée dans une ancienne grange. En d'autres circonstances, Dina aurait pris plaisir à flâner une heure dans les trois étages de ce lieu pittoresque. Ce jour-là, elle erra sans but entre les rayonnages pendant que Jordy choisissait ses manuels.

Elle balayait les titres du regard lorsque soudain l'un d'eux retint son attention : *Prière d'une mère pour le suicide de son fils homosexuel*. Était-ce un avertissement ? se demanda-t-elle, horrifiée. Ou un rappel qu'il y a pire en ce monde que se faire voler ses enfants par leur père ? Elle tendit la main vers le livre, se ravisa de peur que Jordy la voie. Le rayon entier paraissait consacré aux mêmes problèmes, car un livre voisin traitait de la mortalité des jeunes due au sida. Dina retint de justesse un cri de douleur. Était-ce le hasard – ou la providence – qui lui mettait ces livres sous les yeux pour l'adjurer de protéger Jordy, maintenant plus que jamais ? Elle parcourut rapidement d'autres titres et décida de les acheter, mais pas ici. À New York, une fois rentrée.

Apercevant du coin de l'œil Jordy qui s'approchait, elle se dirigea en hâte vers le rayon suivant, où elle prit au hasard un livre qu'elle fit semblant de feuilleter.

— Ah ! te voilà, mon chéri. As-tu trouvé ce que tu voulais ?

— Oui, j'ai tout.

Elle paya les livres, puis ils sortirent ensemble au soleil et au grand air.

— Et toi, maman, qu'est-ce qui te ferait plaisir ? Veux-tu que nous allions passer une heure au musée ?

Dina fut sur le point de refuser. Mais quand avaient-ils pour la dernière fois visité ensemble un musée, vu un film, partagé un moment de plaisir ?

— Bonne idée, mon chéri.

Dina se rappelait sa première visite au campus avec Karim – sans Jordy, qui n'avait pas voix au chapitre, bien entendu. Karim avait énuméré les mérites de l'établissement. « Mon père prenait toutes les décisions me concernant jusqu'à ce que j'entre à l'université, avait-il déclaré lorsque Dina avait suggéré que Jordy ait son mot à dire sur le choix de son école. Et même ensuite, avait-il ajouté, je ne manquais jamais de lui demander son avis sur les questions importantes. » Elle avait eu beau protester que l'Amérique n'était pas la Jordanie et qu'on ne pouvait pas exiger d'un jeune Américain de suivre son exemple, il lui avait décoché un regard excédé signifiant clairement : « Tu ne comprends donc pas que c'est précisément ce que je veux changer ? » Elle laissa échapper un soupir involontaire et Jordy leva vers elle ses beaux yeux noirs, si semblables à ceux de son père, mais qui n'exprimaient que l'affection et la tendresse.

— Ça ne va pas, maman ?

— Si, mon chéri. J'admirais le paysage, c'est tout.

Menteuse, lui reprocha la voix de sa conscience. *Lâche et menteuse. Je lui parlerai plus tard*, plaida-t-elle.

De fait, le campus était superbe. Dina avait tenté d'y puiser une consolation, ainsi que dans l'histoire prestigieuse du collège, que Karim avait pris soin de lui détailler quand il avait décidé du lieu d'exil pour son fils. Il avait été fondé pendant la guerre d'indépendance des États-Unis et George Washington en personne s'était adressé à ses premiers élèves. Depuis, l'établissement s'enorgueillissait d'avoir accueilli nombre de personnages illustres, y compris le président George W. Bush, son père et son frère Jeb, gouverneur de la Floride. Le célèbre Dr Spock figurait aussi parmi ses anciens élèves. Dina aurait jugé tout cela excellent si Jordy n'y avait pas été exilé à titre de châtiment simplement pour être ce qu'il était.

Dans l'avenue menant au musée, ils passèrent devant de belles boutiques. Dina décida d'acheter un cadeau à Jordy avant de partir, un objet à la fois beau et utile qui lui reste et lui dise « Je t'aime » chaque fois qu'il s'en servirait. L'occasion se présenta une demi-heure plus tard, quand après avoir visité les salles consacrées aux impressionnistes américains, entre autres Winslow Homer, Mary Cassatt et John Singer Sargent, dont le musée possédait une importante collection, ils arrivèrent à la section des artistes contemporains. Jordy se montra particulièrement attiré par la photographe Margaret Bourke-White et apprit à Dina qu'il s'intéressait lui-même de plus en plus à la photographie.

— Veux-tu un nouvel appareil ? demanda-t-elle aussitôt. Si c'est pour toi plus qu'un passe-temps, tu pourrais...

— Mais non, maman, l'interrompit-il avec un sourire entendu. Mon vieux Canon fonctionne très bien et je ne suis pas encore un pro, crois-moi. Tu n'as pas besoin de m'acheter des choses pour me remonter le moral, je vais bien de ce côté-là, je t'assure.

C'est maintenant que je dois lui parler, pensa Dina. Mais elle laissa passer l'instant propice et l'heure de fermeture du musée arriva. Jordy retourna à son dortoir se préparer pour le dîner et chercher ses amis, et Dina regagna son hôtel.

À peine dans sa chambre, elle se déshabilla, s'étendit sur son lit et ferma les yeux. Elle était si fatiguée, ces temps-ci ! Le sommeil la fuyait, parfois des nuits entières. Peut-être devrait-elle demander un somnifère à Sarah, elle ne pouvait pas continuer à vivre ainsi. Il fallait qu'elle garde ses forces jusqu'à ce que ses bébés reviennent. *Mon Dieu*, pria-t-elle en silence, *aidez-moi...*

Elle avait dû s'assoupir, mais elle priait encore quand la sonnerie du téléphone la réveilla. Elle se rappela alors avoir demandé à la réception de la prévenir un peu avant sept heures. Elle prit une douche rapide, enfila un de ses meilleurs tailleurs – pour faire bonne impression devant les amis de Jordy. Qu'il se soit fait des amis la réjouissait. Étaient-ils gays, eux aussi ? se demanda-t-elle. Ou étaient-ils... quoi ? Normaux ? Le contraire de Jordy ? Elle s'en voulut d'y penser, mais l'idée lui était venue malgré elle. Si elle lisait les livres aperçus à la librairie, peut-être l'aideraient-ils à être une meilleure mère. Dieu sait si elle le voulait et si elle en avait plus que jamais besoin.

Dina entra au restaurant de l'hôtel peu après sept heures. Les trois garçons étaient déjà à la table qu'elle avait retenue, tous trois impeccables en blazers bleu marine et pantalons kaki. Elle donna à Jordy un léger baiser sur la joue pour ne pas l'embarrasser par des démonstrations excessives d'affection maternelle et salua ses deux amis d'un sourire. Les garçons, qui s'étaient levés à son arrivée, attendirent qu'elle se soit assise pour reprendre leurs places.

La salle était décorée avec goût, il y avait des fleurs sur les tables. Bien qu'elle n'eût pas d'appétit, Dina se força à faire honneur au dîner. Grâce aux amis de Jordy, la conversation se déroula aisément. Brian évoqua sans forfanterie les charmes de sa dernière petite amie, ce dont Dina déduisit qu'il n'était pas gay. Kevin parla de ses études, des recruteurs des grandes universités venus, puisque l'année scolaire touchait à sa fin, promettre monts et merveilles aux élèves bien notés.

— Et toi, où comptes-tu t'inscrire ? demanda-t-il à Jordan. Tu ne l'as jamais dit.

— Je ne sais pas encore, marmonna-t-il. J'ai le temps d'y penser.

Dina réprima une grimace peinée. Il ignorait que son père s'était envolé et s'imaginait sans doute qu'il n'aurait pas le choix de son université. Heureusement, Brian détourna le cours de la conversation.

Après le dessert, Dina signa l'addition et demanda à Jordy s'il voulait bien rester un moment avec elle avant de regagner son dortoir. Elle devait rentrer à New York le lendemain matin, il fallait lui parler ce soir-là. Elle ne pouvait plus reculer.

Les deux amis prirent congé avec politesse et remercièrent Dina pour l'excellent dîner. Quand ils se furent retirés, Jordy suivit sa mère dans sa chambre et s'assit avec elle au petit salon.

— Alors, mon chéri, tout se passe bien ici ? s'enquit-elle.

Sa question n'était pas une simple formule. En dépit du caractère cosmopolite de l'école, un nom arabe en ces temps troublés était plus lourd à porter qu'un patronyme grec ou allemand.

— Je te l'ai déjà dit, maman, tout va très bien.

— Et personne ne te... reproche d'être arabe ?

— Pas comme tu l'entends, maman, répondit-il en souriant. Certains disent quelquefois des vacheries et je me sens presque obligé de défendre le monde arabe, que je connais pourtant à peine, mais je m'en sors bien, sois tranquille. En fait, j'en parle tellement en classe que je devrais avoir des bonnes notes en histoire ce trimestre.

— De quoi parles-tu ?

— Du terrorisme, du problème palestinien, des manifestations anti-israéliennes et anti-américaines dans les pays arabes.

Ce fut Dina, cette fois, qui ne put s'empêcher de sourire. À New York, Jordy n'avait jamais manifesté d'intérêt pour la politique, qu'elle soit intérieure ou étrangère. Après avoir été renié par Karim, il aurait pu rejeter tout ce qui touchait de près ou de loin au monde arabe. Or, c'est l'inverse qui s'était produit.

— Je me suis trouvé pris dans des discussions plutôt rudes et pas seulement avec des juifs, ce qui m'a étonné, reprit Jordy. Mais je n'ai été obligé de me bagarrer qu'une seule fois.

— Oh ! mon chéri...

— Pas de problème, maman. Je ne pouvais pas faire autrement, j'aurais perdu la face. Je m'en suis tiré avec un saignement de nez et l'autre en a pris largement autant, tu peux me croire. Dis donc, comment va Rachel ? ajouta-t-il avant que Dina ait pu reprendre la parole.

La question était tellement inattendue que Dina en resta muette une seconde. La fille de Sarah ? Si elle ne connaissait pas les penchants de son fils, elle aurait aussitôt pensé à jouer les marieuses...

— Elle va bien. Pourquoi me le demandes-tu ?

Jordy marqua une légère hésitation.

— On s'écrit depuis un moment, répondit-il prudemment.

Dina lui lança un regard interrogateur.

— Deux gamins déboussolés qui n'ont plus de père ont pas mal de choses en commun, tu sais.

L'ironie amère de la réplique serra le cœur de Dina. Un instant de panique suivit : Rachel lui aurait-elle appris l'enlèvement des jumeaux par Karim ? Non, sûrement pas, sinon Jordy le lui aurait déjà dit. Elle devait donc le faire sans plus attendre.

— Jordy, mon chéri, il faut que je te parle.

— J'en étais sûr ! Tu avais l'air si bizarre quand tu m'as téléphoné que je me suis douté de quelque chose.

Elle avait pourtant essayé d'avoir l'air normal. Mais quand Jordy avait demandé à parler à Suzanne et Ali, elle avait inventé un prétexte si biscornu qu'elle n'y avait pas cru elle-même.

— Il s'agit de ton père.

— Qu'est-ce qu'il a encore fait ? gronda Jordy.

Elle lui raconta tout, aussi simplement et aussi calmement qu'elle en était capable.

— Le salaud ! Le misérable salaud ! explosa-t-il.

Dina voulut l'attirer contre elle, mais il se dégagea.

— C'est ma faute, n'est-ce pas ? C'est à cause de moi qu'il t'a plaquée en emmenant les jumeaux ?

— Non, Jordy. Je te jure que tu n'y es pour rien.

— Mais si ! Tout allait bien avant que je lui apprenne que j'étais… C'est moi qu'il hait, pas toi. Il préférerait que je sois mort plutôt que gay, j'en suis sûr.

— Ne dis pas cela, mon chéri. Tu ne peux même pas le penser.

— Oui, ne rien dire, bien sûr, fit-il avec un ricanement amer. Je sais pourtant que c'est vrai. Je n'ai pas oublié comment il me regardait, ce jour-là. Il aurait voulu me tuer. Tu essayais de me faire croire qu'il se conduisait comme un père furieux contre le gamin qui a esquinté sa voiture. Mais ce n'était pas ça du tout, c'était pire. Cent fois pire, tu le sais très bien. Et maintenant, il a fichu le camp.

— Ce n'est pas si simple, Jordy, soupira-t-elle. Oui, en effet, ton père a perdu son sang-froid ce jour-là. Mais avant, tout n'allait pas aussi bien que tu le crois. Nous avions des problèmes.

— Quels problèmes ? demanda-t-il d'un air sceptique.

Dina laissa échapper un nouveau soupir. Malgré sa répugnance à aborder un tel sujet devant son fils, elle ne pouvait pas l'éluder si elle voulait le convaincre qu'il n'était pas responsable de l'éclatement de la famille. Qu'il n'en était pas la seule raison, en tout cas.

— Nous avions des divergences, mon chéri. Elles ne me paraissaient pas graves. Ton père a dû finir par les juger insurmontables.

— Lesquelles ?

— Eh bien... Je voulais continuer à travailler, par exemple, alors que ton père y était opposé. Il aurait préféré que je reste à la maison.

— C'est tout ? Il n'y a pas de quoi fouetter un chat !

— Non, ce n'est pas tout. Il aurait voulu que nous soyons davantage comme sa famille en Jordanie, pas aussi... américains.

Jordy eut l'air sincèrement incrédule.

— Tu veux dire qu'il a décidé un beau jour de nous plaquer parce que nous sommes américains ?

— Il ne s'est pas décidé aussi vite. Il y pensait depuis un certain temps. Je crois que le 11 septembre a tout précipité. Tu sais, quelque chose comme sa culture opposée à la culture américaine. Il a choisi la sienne.

— Ça alors ! grommela Jordy. J'ai entendu pas mal de c... de bêtises dans ma vie, mais celle-là, c'est le bouquet.

Dina ne put s'empêcher de sourire.

— Oui, c'est le bouquet.

15

Les bureaux de Gregory Einhorn étaient situés dans un immeuble de la Troisième Avenue occupé par un échantillon typique de professions new-yorkaises, experts-comptables, informaticiens, avocats. Einhorn partageait le trentième étage avec une agence de design et un voyagiste. Sur la porte, une plaque indiquait « EINHORN & ASSOCIÉS » sans autre précision.

Dina arriva à son rendez-vous avec quelques minutes d'avance. Une réceptionniste à la cinquantaine revêche, en blouse de soie grise boutonnée jusqu'au menton, lui fit savoir que M. Einhorn la recevrait dans un moment. En entendant son accent britannique, Dina ne put s'empêcher de penser à la Miss Moneypenny des films de James Bond. Le décor, sobre jusqu'à l'austérité, symbolisait efficacité, compétence et discrétion.

Einhorn en personne sortit de son bureau pour l'accueillir. Dina ne savait à quoi elle s'attendait au juste – Humphrey Bogart, Sean Connery ? Gregory Einhorn n'avait rien de commun avec l'un ou l'autre de ces archétypes d'agent secret. La trentaine athlétique, blond, coiffé en brosse, la mâchoire carrée, américain jusqu'au bout des ongles, il paraissait avoir troqué pour l'occasion son uniforme de capitaine des bérets verts contre un coûteux complet sur mesure. La vue panoramique sur l'East River constituait le seul luxe de son bureau, aussi ascétique que le hall d'entrée.

— Voulez-vous du café, une boisson fraîche ?

— Rien, merci.

Il invita Dina à s'asseoir et prit place derrière sa table de travail, sur lequel régnait un ordre parfait. À côté de quelques dossiers alignés au cordeau se trouvaient un petit magnétophone noir, un ordinateur portable fermé et un téléphone high-tech. Des photos ornaient un mur. Sur l'une d'elles, Dina reconnut le jeune Einhorn en uniforme qui serrait la main du président Bush senior. Les autres, où figuraient surtout des enfants, paraissaient être des photos de famille.

Einhorn ouvrit une chemise, qu'il consulta comme un médecin vérifie le dossier d'un patient avant de s'adresser à lui. Dina lui avait exposé les grandes lignes de son problème quand elle l'avait appelé pour prendre rendez-vous.

— Donc, madame Ahmad…, commença-t-il.

— Appelez-moi Dina, je vous en prie.

Un sourire apparut sur les lèvres d'Einhorn et disparut aussi vite.

— Merci, Dina. Moi, c'est Gregory.

Elle remarqua qu'il n'avait pas suggéré Greg.

— Donc, votre mari a emmené vos deux enfants en Jordanie. Des jumeaux, n'est-ce pas ?

— Oui. Nous avons trois enfants. Mon fils aîné est encore ici.

— Bien. Rien de nouveau depuis notre premier contact ?

— Il m'a téléphoné plusieurs fois et m'a permis de parler aux enfants. À part cela, rien.

— Je voudrais enregistrer notre conversation, si vous n'y voyez pas d'objection.

— Aucune.

Il alluma le magnétophone, dicta le nom de Dina Ahmad, la date et l'heure.

— Maintenant, dites-moi tout ce que vous savez.

Il écouta avec attention, l'interrompant de temps à autre par des questions précises : l'adresse de Karim, quel type de quartier, quel genre de maison, qui d'autre l'habitait, à quels moments les enfants étaient-ils séparés de leur père, allaient-ils à l'école, leur père travaillait-il, etc. Dina devait souvent répondre qu'elle l'ignorait.

— J'ai peur de ne pas avoir pu vous fournir beaucoup de renseignements utiles, dit-elle quand elle eut terminé.

— Aucune importance, nous en apprendrons davantage sur place. Nous ne lançons jamais une opération sans avoir tous les détails en notre possession. Ce qui m'amène à vous poser la question la plus importante : existe-t-il à votre avis une possibilité de résolution du problème par des moyens normaux ? Je veux dire, pensez-vous que le problème puisse éventuellement se régler entre votre mari et vous ? Pouvez-vous envisager une réconciliation ? Ou, faute d'accord, qu'il vous rende les enfants pour une raison ou une autre ?

— Non, je ne crois pas, répondit-elle.

— C'est encore très récent. Je préfère que mes clients soient absolument certains de leur décision. Je souhaite également vous éviter des regrets ainsi qu'une dépense, considérable dois-je préciser, si d'autres solutions sont envisageables. C'est à vous seule de décider. Nous sommes en mesure d'accomplir la mission quels que soient les autres scénarios éventuels.

— J'ai une seule question, monsieur Einhorn, pardon, Gregory. Pouvez-vous me rendre mes enfants ?

— Oui.

La certitude qu'il avait mise dans ce simple mot procura à Dina une bouffée de joie mêlée d'appréhension.

— Comment ferez-vous ?

— Cela dépend des conditions sur place. Dans le meilleur des cas, une somme d'argent placée à bon escient peut suffire : un instituteur qui détourne les yeux au moment propice, par exemple. Ou encore, dans le camp adverse, une bonne amie qui découvre que s'occuper des enfants d'une autre n'est pas aussi gratifiant qu'elle l'imaginait.

Dina leva un sourcil. Elle lui avait pourtant déjà dit qu'elle ne croyait pas à l'existence d'une rivale. Pas encore, en tout cas.

— Mais certaines situations n'offrent pas de telles facilités, reprit-il d'un ton quasi professoral. Dans ce cas, la meilleure méthode consiste en un enlèvement rapide exécuté par une force compétente et suivi d'une exfiltration immédiate.

« Force compétente », « exfiltration » ? Dina sentit s'accroître ses craintes. Il s'agissait quand même de ses enfants !

— De quel genre de « force » parlez-vous ?

— Soyez tranquille, nous ne faisons pas la guerre. Nos collaborateurs sont des experts confirmés, les meilleurs de la profession. Personne ne doit en pâtir, c'est notre règle numéro un.

— Avez-vous déjà... traité un cas comme le mien ? Dans un pays étranger ?

— Près de quarante pour cent de nos opérations se déroulent à l'étranger. C'est même notre spécialité. Très peu de nos collègues ont les ressources dont nous disposons.

Dina commençait à trouver la situation surréaliste. Elle avait en face d'elle un homme dont la profession, qu'il exerçait apparemment avec un plein succès, consistait à enlever les enfants d'un parent pour les donner à l'autre.

— Vos... opérations sont-elles plus difficiles avec deux enfants ?

— Pas vraiment. Les rapatriements multiples sont assez fréquents. Vous pouvez d'ailleurs en voir ici un certain nombre de témoignages, dit-il en montrant les photos sur le mur.

Dina regarda avec attention. Il s'agissait bien de photos de famille, mais pas de celle d'Einhorn. Elles représentaient toutes un parent et un enfant, certaines fois deux, souriants et heureux. Pour la plupart, lesdits parents étaient des mères, mais il y avait aussi quelques pères. Les émouvantes retrouvailles se déroulaient parfois dans un hall d'aérogare. D'autres photos avaient été prises quelque temps plus tard au domicile familial. Sur l'une d'elles, on voyait un arbre de Noël.

— Pouvez-vous me parler de certains de ces... cas ?

— D'une manière générale, bien sûr.

— Celui-ci, par exemple ? demanda-t-elle en désignant une mère et sa fille qui avaient l'air particulièrement radieuses.

— Belgique. Père double nationalité, divorcé, droit de garde les week-ends ; la situation classique. Un samedi, direction l'aéroport, vol pour Bruxelles. Les jours de semaine, la petite était gardée par ses grands-parents. Belle maison, quartier chic. Notre homme, anglais, se fait ouvrir sous prétexte de retrouver des souvenirs de son père pendant la Seconde Guerre mondiale. Une fois à l'intérieur, il fait entrer nos deux autres hommes restés dans la rue. Le grand-père a voulu résister, il a même empoigné le tisonnier de la cheminée, précisa Einhorn avec un sourire amusé, mais l'affaire s'est réglée sans problème. Personne n'a eu la moindre égratignure. Comme je vous le disais, nous n'employons que les meilleurs. Nous avons posé un hélicoptère dans un grand jardin public en face de la maison. Une heure plus tard, mes hommes et la petite étaient en Allemagne, où sa mère l'attendait. Une demi-heure après, la mère et la fille s'envolaient pour les États-Unis.

Dina espérait quelque chose de similaire pour revoir ses jumeaux, mais l'allusion au grand-père la troubla. Que serait-il arrivé s'il avait disposé d'une arme ou été plus jeune, plus vigoureux ? Comment l'affaire aurait-elle été « réglée » si quelqu'un, un domestique, un voisin, avait appelé la police ? L'emploi de la force, même « compétente », était dangereuse. Et ses enfants pris dans une telle opération de commando, même bien menée ?...

— Je dois également savoir combien vous me demanderez.

Le bref sourire apparu sur les lèvres d'Einhorn s'effaça aussi vite.

— Chaque mission est différente. La Jordanie n'est pas la Belgique, par exemple. Les pays limitrophes ne sont pas aussi hospitaliers que l'Allemagne. Mais nous ne vous réclamerons pas un chèque en blanc. Nos services sont établis sur un devis solidement documenté. Je procéderai à une étude préliminaire, sans frais pour vous bien entendu. Comptez deux jours, trois tout au plus. À moins que vous décidiez de ne pas poursuivre nos contacts compte tenu de ce que vous savez maintenant.

— J'ai surtout besoin d'un ordre de grandeur. Mes ressources ne sont pas… illimitées.

— Bien. Je peux vous indiquer que nos honoraires minimaux pour une mission à l'étranger sont de cent mille dollars. Au-delà, tout dépend de ce qu'il faut réaliser et, dans cette situation, il en faudra beaucoup. Mais comme je vous l'ai dit, je vous fournirai un devis ferme et définitif. Il ne devrait pas dépasser deux cent cinquante mille dollars, sauf frais imprévus exceptionnels.

Le montant énoncé laissa Dina sans voix. Où, au nom du ciel, pourrait-elle se procurer une somme pareille ?

— Quand pensez-vous pouvoir me remettre ce devis ? s'enquit-elle quand elle eut repris son souffle.

— Trois jours, tout au plus. Cela vous convient ?

— Oui, bien sûr.

— Mlle Easterly va vous fixer un rendez-vous.

— Désirez-vous une avance ?

— Non, mais nous vous demanderons la moitié de nos honoraires de base à la signature de notre engagement ferme.

— Cinquante mille ?

— C'est cela.

— Je vois. Il faut que je réfléchisse.

— C'est tout naturel.

Il n'y avait plus grand-chose d'autre à dire. Dina se leva, Einhorn en fit autant.

— Vous traversez un moment difficile, Dina, je sais. Mais rappelez-vous ce que je vous ai dit au début de notre entretien : c'est encore récent. Soyez sûre de vous. Nous resterons toujours à votre disposition. Ne prenez pas de décision hâtive.

Il la raccompagna dans l'entrée et la confia à l'efficace Mlle Easterly pour qu'on lui fixe un rendez-vous.

En reprenant le chemin de sa maison déserte, Dina pensa

qu'elle n'aimait guère Gregory Einhorn. En même temps, elle était consciente de n'avoir pas douté un seul instant de sa capacité à réaliser avec précision l'ensemble de l'opération.

16

— Un quart de million de dollars ! s'exclama Emmeline, effarée. Et tu es allée voir ce mercenaire toute seule ?

— Pas un mercenaire, plutôt un... spécialiste. Très professionnel, très direct. Quant au quart de million, c'est un maximum. Cela peut coûter moins, s'il n'y a pas de frais imprévus.

— Je n'y compterais pas, à ta place, objecta Sarah. Je m'attendrais plutôt à des tas de frais imprévus.

Les trois amies s'étaient réunies dans un petit restaurant de SoHo où elles allaient souvent en sortant de l'école. Le nom, la direction, le décor avaient changé, mais la clientèle était aussi jeune que du temps où elles fréquentaient l'endroit.

— Tu as l'argent sous la main ? voulut savoir Emmeline.

— J'ai de quoi payer l'avance, une cinquantaine de mille.

C'était la somme que Karim avait laissée sur leur compte joint. Elle pourrait vendre ses bijoux, prendre une hypothèque sur la maison – non, compte tenu de la modicité de ses revenus, une banque ne lui prêterait rien. Elle avait aussi un compte d'épargne assez bien garni, mais le tout restait insuffisant.

— Nous pourrions réunir les fonds, suggéra Sarah.

— Pas question ! lança Dina. Je ne vous entraînerai pas dans cette affaire !

Sarah avait sans doute les moyens de signer elle-même le chèque. Or, c'était la dernière chose que voulait Dina.

— Ne dis pas de bêtises, la rabroua Sarah.

— Nous sommes déjà dedans, renchérit Emmeline. Et j'ai un paquet de fric qui dort sur le marché des devises. Liquide et disponible.

Dina ne voulait pas davantage en entendre parler.

La conversation s'interrompit pendant qu'une serveuse essayait de s'y retrouver dans leurs commandes, toutes différentes.

— Écoutez, reprit Dina quand elles furent de nouveau seules, je sais que vous me soutenez, je vous en suis reconnaissante du fond du cœur et je vous adore. Mais je refuse que vous dépensiez votre argent pour mes problèmes. C'est hors de question.

— Hors de question ? Dis-moi que tu n'en ferais pas autant si l'une de nous était dans le même cas, déclara Emmeline du ton sévère de la maîtresse d'école qui rappelle à l'ordre un cancre.

— Nous pouvons nous procurer l'argent, enchaîna Sarah. Le problème n'est pas là. La question est de savoir si tu veux aller jusqu'au bout. Si tu estimes que c'est la meilleure solution.

— Pour le moment, je n'en vois pas d'autre.

— Fais-tu confiance à cet Einhorn ? s'enquit Emmeline.

— Oui. Il m'a donné l'impression de savoir ce qu'il fait.

— Eh bien, dans ce cas, il nous reste à découvrir exactement ce qu'il a en tête et combien cela coûtera, dit Sarah.

— Oui, approuva Emmeline. Et après, en avant toute.

Une nuit passa, un jour, une autre nuit, un autre jour, une nuit encore sans un appel de Karim, c'est-à-dire sans nouvelles des jumeaux. Jordan était son seul contact avec sa famille. Et encore, son coup de téléphone n'avait été qu'une longue diatribe contre son père. Même si Dina partageait ses griefs, elle n'en tirait aucune consolation.

Emmeline et Sarah restaient toujours à ses côtés, bien sûr. Emmeline s'efforçait de lui remonter le moral, Sarah parlait finances : avoir un prêt bancaire serait plus raisonnable que puiser dans leurs réserves. Sarah se faisait fort de l'obtenir et proposait de l'avaliser. Il y avait même moyen de déduire les intérêts des revenus imposables, affirmait-elle à Dina, qui n'y comprenait rien.

Ses espoirs ne reposaient que sur Gregory Einhorn. En se rendant au rendez-vous fixé pour la remise du devis, elle débordait d'un optimisme étrangement mêlé d'appréhension.

Mlle Easterly l'accueillit dans l'austère hall de réception sur un ton encore plus *british* que la première fois. Dina se demanda si cela la hissait au rang de future cliente. Mais à peine eut-elle posé les yeux sur Einhorn quand il lui ouvrit sa porte qu'elle flaira un problème. Il lui décocha le même sourire automatique, lui fit la même offre distraite de café ou de boisson fraîche, mais l'atmosphère n'était plus la même. Sitôt derrière son bureau, il entra dans le vif du sujet.

— Madame Ahmad, commença-t-il en oubliant le Dina de la première entrevue, j'ai étudié votre cas comme je vous l'avais promis. J'ai bien peur de devoir déclarer forfait.

— Pourquoi ? Vous m'aviez dit que vous le feriez.

— Je vous ai promis d'étudier le dossier, et ce que j'ai découvert n'est pas encourageant du tout. Pas de mon point de vue, du moins.

— Comment cela ?

— Je ne suis pas sûr que vous ayez été tout à fait franche avec moi, madame Ahmad. Votre mari dispose de puissantes relations dans son pays.

— Je vous l'avais dit !

— Vous avez cependant omis de m'apprendre qu'il appartient à une famille importante, qui jouit d'appuis très haut placés. Cela change tout.

— Mais si, je vous l'avais expliqué ! Bien sûr qu'il a des

relations et sa famille aussi, c'est normal dans les pays arabes ! Je croyais que vous l'aviez compris.

Le bref sourire apparut et s'effaça. Dina se demanda si elle l'avait vexé. En tout cas, son ton resta cordial, lénifiant même.

— Je paie des collaborateurs pour comprendre ce genre de choses à ma place, madame Ahmad. Dans ma profession, une information précise est indispensable. Ma prudence, croyez-moi, n'obéit qu'au souci de préserver mes clients autant sinon plus que moi-même.

— Donc, vous refusez d'entreprendre ce... cette mission ? De me rendre mes enfants ?

— Je le regrette sincèrement. Le risque serait trop grand pour toutes les parties en cause.

Dina crut que le plancher s'ouvrait sous elle pour la précipiter dans le vide, trente étages plus bas. Trois jours durant, elle n'avait pensé à rien d'autre qu'au compétent Gregory Einhorn dirigeant avec succès la « mission » de lui ramener Suzanne et Ali. Et voilà qu'il la congédiait sans lui laisser d'espoir !

— Je ne comprends plus. Je me rends compte que ce pourrait être un peu plus compliqué que prévu, mais je suis prête à vous payer davantage et...

— Madame Ahmad, si je gagne ma vie en prenant des risques, je ne suis pas joueur. La rémunération doit être proportionnée aux risques encourus, non seulement pour moi mais pour mes collaborateurs. Je ne pourrais pas envisager de réaliser une telle opération pour moins de deux millions de dollars.

— Je suis incapable de trouver une telle somme !

— Alors, je le regrette très sincèrement, mais je ne peux rien faire pour vous.

C'était final et définitif. En sortant, Dina crut distinguer une lueur de compassion dans le regard de Mlle Easterly. Et elle ne se permit de fondre en larmes qu'une fois dans l'ascenseur.

17

Je ne peux pas y croire ! se dit Sarah en vérifiant son maquillage pour la deuxième fois en une minute. Comment ai-je pu lui demander de m'inviter à dîner ? C'est invraisemblable !

En réalité, elle ne lui avait pas forcé la main et ce n'était pas une invitation à proprement parler. N'empêche qu'elle était là, en train d'attendre David Kallas. Et tout cela parce qu'elle l'avait appelé à son bureau pour prendre rendez-vous. Comme il était occupé aux rares moments de la journée où elle aurait pu se libérer, il avait suggéré de la retrouver en dehors des heures normales de travail. « Nous pourrions boire un verre, par exemple, et parler de votre affaire sans avoir à courir à nos rendez-vous suivants », avait-il proposé. « Pourquoi pas au Harvard Club ? C'est tout près de votre bureau », avait-elle répondu. « Si vous avez le temps, avait-il alors lancé, nous pourrions même y dîner. Nous sommes bien obligés de nous nourrir, n'est-ce pas ? »

L'invitation venait donc de lui. Et voilà pourquoi elle l'attendait, les nerfs en pelote, dans l'élégante salle lambrissée du grill-room, fierté du club depuis des décennies.

Quand elle le vit enfin s'approcher, elle se leva, serra sa main tendue et lui rendit son sourire.

— Quelle bonne idée nous avons eue ! dit-il pour dissiper la gêne qu'il voyait dans le regard de Sarah. Quand je suis débordé comme ces derniers temps, je me contente le plus souvent d'un vieux bagel desséché ou d'un reste de sandwich.

— Et votre mère le permet ? le taquina-t-elle.

— Si elle le savait, elle me tirerait les oreilles ! répondit-il en riant. C'est une des raisons pour lesquelles j'ai quitté la maison aussitôt après mes études de droit. Elle me rappelle quand même une fois par semaine que ma chambre est toujours à ma disposition dans sa superbe demeure, si commodément située près d'Ocean Parkway.

— Je comprends, j'ai grandi à Brooklyn moi aussi. Près d'Eastern Parkway. Il a fallu que je me marie pour pouvoir partir, je ne voyais pas d'autre moyen.

— C'est affreux !

— Non, je plaisante… mais à peine. Mon mariage est justement la raison pour laquelle je voulais vous voir.

Un serveur nota leurs commandes, apporta les apéritifs. En levant son verre, Sarah prit conscience que, pour la première fois depuis des années, elle était seule avec un homme dans un autre cadre qu'un local hospitalier.

— Il ne s'agit donc pas de votre amie Dina ? J'avais pensé que vous souhaitiez peut-être me faire part de vos inquiétudes à son sujet. Malheureusement, je ne peux rien vous dire de plus que ce dont nous avions parlé l'autre jour elle et moi.

— Je me fais beaucoup de souci pour Dina, bien sûr. Mon amie Emmeline aussi. En fait, c'est à cause de Dina que j'ai téléphoné à mon ex-mari pour lui demander s'il pouvait lui venir en aide.

— Ah oui ? En quoi croyez-vous qu'il pourrait se rendre utile ?

— Ari a la double nationalité américaine et israélienne. Il fait quantité d'affaires en Israël et y connaît beaucoup de gens. Certains appartiennent à ce que vous appelleriez des « réseaux occultes ». Je lui ai demandé s'il était en mesure d'intervenir pour aider Dina à récupérer ses enfants, il m'a promis de se renseigner.

Si Dina décidait d'employer les services du professionnel dont il lui avait remis la carte, pensa David, une interférence extérieure risquait de tout compromettre.

— C'est une possibilité, dit-il prudemment. Mais si votre ex-mari intervenait d'une manière ou d'une autre, se hâta-t-il d'ajouter, il ne faut pas perdre de vue que cela risquerait de se retourner contre lui.

Sarah ne put s'empêcher de sourire à l'idée qu'Ari soit impliqué en personne dans une mission de sauvetage au bénéfice de Dina.

— Non, il n'irait sûrement pas jusqu'à s'en mêler lui-même. Pas pour moi en tout cas, encore moins pour Dina. S'il est bien luné, il ne fera rien de plus que poser quelques questions et récolter peut-être des idées ou suggérer des contacts utiles.

— Je ne cherchais pas à vous décourager, vous savez. Je trouve admirable, au contraire, que vous et Mme LeBlanc vouliez aider votre amie. Nous devons seulement considérer qu'à l'époque où nous sommes, il y a tant de haine et de sang versé dans cette partie du monde…

— C'est une raison de plus pour laquelle j'estime que Karim est fou d'avoir emmené ces enfants en Jordanie. Ils sont américains à cent pour cent. Jordy aussi, bien qu'il ressemble physiquement à son père comme deux gouttes d'eau.

— C'est le fils aîné, celui qui est resté ?

— Oui. Son père l'a rejeté parce qu'il est homosexuel.

— Mme Ahmad y avait fait allusion, en effet. Pauvre garçon, c'est triste. Il doit en souffrir.

— Dites aussi « pauvre Dina ».

Un bref silence suivit.

— Je voulais, reprit Sarah, vous parler de mon divorce.

— Votre divorce ? Vous évoquiez votre « ex-mari ».

— Il l'est, nous sommes légalement divorcés depuis trois ans. Mais il refuse toujours de m'accorder un *get*.

— Vous voulez un divorce religieux ? s'étonna David.

Sarah comprit sa réaction. Il se demandait pourquoi une femme comme elle, en apparence moderne et libérée, tenait à un divorce religieux en plus d'un divorce civil.

— J'espère que vous pourrez comprendre mes raisons. Je ne vais pas souvent à la synagogue, j'observe le sabbat et les fêtes religieuses quand un patient n'a pas besoin de moi, mais je ne fais pas de cuisine casher. Je suis pourtant juive dans l'âme, même si je n'en donne pas l'impression ni n'obéis à toutes les règles, et je crois que le mariage est un des sacrements les plus importants. C'est pourquoi je tiens à ce que le mien se termine... comme il faut. Cela vous paraît-il absurde ?

— Pas vraiment. Ma cousine Arlene a versé une grosse somme d'argent à son mari, Morris, pour qu'il lui accorde un *get*. Ce n'est pas dans l'esprit, je sais, puisque les époux sont censés y consentir librement, mais elle voulait se remarier et avoir des enfants. Sans divorce religieux, ses enfants du second mariage auraient été considérés comme illégitimes. Elle a donc cédé à ses exigences. Vous savez sans doute que les époux refusent parfois leur consentement comme un moyen de pression pour le partage des biens de la communauté.

— Dans le cas d'Ari, ce n'est pas l'argent qui le déciderait. Il en a assez pour deux vies, sinon trois.

— Pourquoi refuse-t-il, alors ?

— Pour garder un certain contrôle sur moi, je pense.

— Oui, c'est vicieux mais compréhensible. Il doit vouloir vous empêcher de fonder une autre famille.

— Je n'ai pourtant pas l'intention d'avoir d'autres enfants.

— Mais vous pensez quand même à vous remarier ?

— Disons plutôt que je n'en exclus pas l'hypothèse. Cela dit, elle est peu probable, compte tenu de mon emploi du temps et du fait que je ne rencontre pratiquement personne en dehors des médecins. Ne souriez pas, ils sont soit déjà mariés, soit beaucoup trop jeunes.

— Je ne souris pas. Que voudriez-vous donc que je fasse pour vous, madame Gelman ?

— Sarah, je vous en prie.

— Sarah.

— J'aimerais que vous cherchiez des moyens de faire pression sur Ari.

— Ne serait-il pas plus efficace de vous adresser à un tribunal rabbinique ?

— J'y ai pensé, seulement je ne crois pas que je gagnerais. Ari est très bon comédien. S'il comparaissait devant des rabbins, il jouerait le rôle du bon époux n'ayant jamais perdu l'espoir d'une réconciliation et me ferait passer pour la mauvaise femme qui ne fait même pas ses prières régulièrement.

— Je vois. Mais pourquoi avez-vous pensé que je pourrais vous aider ?

— Je ne sais pas au juste. L'idée m'est venue quand je vous ai entendu parler de votre mère, de votre tante, de votre cousine. Vous m'avez paru être une personne soucieuse des autres, pas le genre d'avocat rapace dont tout le monde se moque.

— Je crois n'avoir jamais entendu de plus beau compliment, répondit-il avec un sourire épanoui.

— Et puis, ajouta Sarah, mon amie Dina vous avait trouvé très sympathique.

Le sourire se mua en un franc éclat de rire.

— Avec une pareille recommandation, je ne pourrai pas faire moins que trouver une solution à votre problème !

À mesure que le dîner avançait, leur conversation devenait plus amicale, plus confiante. Ils en vinrent à évoquer leur enfance à Brooklyn. David écoutait, comprenait, lançait toujours la repartie adéquate. Ils évitaient cependant les questions trop personnelles quand Sarah se surprit à demander :

— Vous ne vous êtes jamais marié ?

— Non. Un gros chagrin pour ma famille, croyez-moi. Dans ma communauté, on se marie jeune, et il n'est pas rare d'avoir déjà deux enfants avant vingt-cinq ans.

— Mais pas vous ?

— Ce n'est pas faute d'avoir essayé, soupira David. Ma

mère et mes tantes se sont évertuées à me chercher une femme, mais je n'en ai jamais rencontré une avec qui j'aurais voulu passer ma vie entière. Un de mes cousins m'a même demandé si j'étais gay.

Sarah se retint de pouffer de rire. Et s'il l'était, après tout ?

— Je lui ai répondu que je ne l'étais pas, reprit-il, mais que j'avais vu trop de drames dans ma profession pour me jeter sans réfléchir dans la vie conjugale.

— Bonne réponse.

— Il en avait une meilleure. Selon lui, à quarante ans – c'était il y a quelques années –, je n'avais plus l'âge de me jeter dans n'importe quoi.

— Et alors, que lui avez-vous répliqué ? interrogea Sarah, amusée.

— Que je cherchais une femme qui ne voudrait pas d'un garçon de vingt ans.

Ils commandèrent le café et se mirent d'accord pour partager un seul gâteau au chocolat.

— Le mari de votre amie Dina, reprit David, que pensiez-vous de lui avant ce... cette regrettable affaire ?

Sarah prit le temps de réfléchir. Son opinion sur Karim était trop influencée par son récent méfait pour qu'elle retrouve un jugement objectif.

— Il ne m'a jamais été sympathique, répondit-elle. Peut-être parce que je savais qu'il ne m'aimait pas.

— Pourquoi donc ne vous aimait-il pas ?

— Parce que je suis juive, j'en suis presque certaine, même s'il n'a jamais rien dit à ce sujet. En plus, bien sûr, Ari est israélien. Je ne pense pas non plus que Karim ait aimé Emmeline. Non parce qu'elle est noire, ce n'est pas un problème dans les pays d'où il vient, je crois, mais parce qu'elle est trop libre, elle dit ce qu'elle pense, ne s'efface devant personne, homme ou femme. Et puis, poursuivit-elle, le fait que Karim fasse sentir à Dina qu'il lui faisait une immense faveur en lui permettant de travailler me déplaisait beaucoup. Ari, au moins, ne m'a jamais infligé cela.

En fait, Ari aurait voulu qu'elle suive une carrière plus prestigieuse. Il avait été furieux qu'elle refuse une flatteuse affiliation à l'université de Columbia pour prendre un poste hospitalier.

— Ari n'appréciait pas mon amitié pour Dina, ajouta-t-elle. Et cela, j'en suis certaine, parce que Karim est arabe.

— Pourtant, vous n'avez ni l'une ni l'autre renié vos amies.

— Sûrement pas ! s'exclama-t-elle.

— Bravo. Comment M. Ahmad se conduisait-il avec les enfants ?

— Bien, admit-elle à contrecœur. Avant sa crise de rage au sujet de Jordy, j'aurais dit qu'il était un père modèle. Il était en adoration devant ses enfants. Pourquoi me demandez-vous ça ?

— Par acquit de conscience. Il arrive qu'un parent enlève ses enfants uniquement pour faire du mal à l'autre.

— Je ne crois pas que ce soit le cas. Karim a des idées absurdes et s'est conduit comme un salaud, mais il a emmené les enfants parce qu'il tient à eux.

Le temps avait passé si vite que Sarah poussa un cri de surprise en regardant sa montre.

— Seigneur, il faut que je m'en aille ! Je commence ma journée de très bonne heure, demain.

David insista pour régler l'addition en dépit des protestations de Sarah, qui affirmait qu'elle était membre du club et que les invités n'avaient statutairement pas le droit de payer.

— Vous m'inviterez la prochaine fois, promit-il.

Cette réponse lui fit plaisir, même s'il ne s'agissait que d'une politesse sans conséquence. Mais, quand ils sortirent quelques minutes plus tard, son plaisir redoubla.

— J'ai passé une merveilleuse soirée, Sarah. J'aimerais que nous recommencions bientôt, si vous le voulez bien.

Elle accepta avec empressement. Et tandis qu'ils étaient debout l'un près de l'autre sur le trottoir, elle ne put s'empêcher de remarquer qu'il mesurait seulement quelques centimètres de plus qu'elle.

Juste assez, en somme, pour se regarder dans les yeux.

18

— C'est faisable, déclara Sarah. De justesse, mais faisable.

— Non ! protesta Dina. Je refuse absolument.

Si elle était prête à tout pour retrouver ses enfants, elle ne pouvait accepter que ses amies prennent le risque de se ruiner. Elles s'étaient retrouvées autour d'une table de la cafétéria de l'hôpital, car Sarah ne disposait que d'une demi-heure. Mais elles étaient comme un état-major sans troupes, sans munitions et, pire, sans stratégie.

— Nous allons peut-être trop vite, dit Sarah, que le chiffre de deux millions de dollars faisait quand même réfléchir. Cela pourrait prendre des mois. Nous devrions nous creuser davantage la tête pour chercher d'autres possibilités.

— Plutôt un autre homme de main, intervint Emmeline. Il paraît qu'on trouve des tueurs pour mille dollars, ou même moins. Combien coûterait un kidnappeur ?

Les autres se demandèrent si elle plaisantait vraiment.

— Je vais rappeler Danielle Egan au Département d'État, dit Dina. Elle m'avait promis d'essayer de prendre contact avec quelqu'un en Jordanie. Si je la harcèle, elle fera sans doute quelque chose.

— Ça ne peut pas faire de mal, opina Sarah d'un ton

dubitatif. De son côté, Ari aura peut-être trouvé une solution, ajouta-t-elle sans conviction.

Emmeline parut tout à coup un peu moins abattue.

— Cette journaliste du *Times* qui écrit des articles sur la condition des femmes dans les pays musulmans, vous vous rappelez ? Elle pourrait s'intéresser à ton cas. Ce serait un autre point de vue sur le même problème, en un sens.

Dina se demanda si la publicité était une bonne idée. Sans moyens efficaces de le pousser à rendre les enfants, à quoi bon dépeindre Karim comme un salaud ? D'un autre côté, si sa honte s'étalait au grand jour dans la presse, cela le remuerait peut-être un peu...

— Tu la connais, cette journaliste ? demanda-t-elle.

— Je n'arrive pas à me rappeler son nom, admit Emmeline. Mais nous sommes toutes les deux dans le grand chaudron des médias. Avec un petit effort, je dois pouvoir la retrouver et lui parler.

Dina n'en douta pas. Mais cela servirait-il à quelque chose ?

— Bon, déclara Sarah, qui présidait la séance pour la simple raison qu'elle avait lieu sur son territoire. Toi, tu harcèles Danielle-quelque-chose. Toi, tu mets la main sur cette journaliste. Moi, je vais demander à David s'il lui est venu d'autres idées.

— Celui-là, tu peux le garder, grommela Emmeline.

Pour la première fois, elles eurent presque envie de rire. Dina et Emmeline avaient impitoyablement taquiné Sarah en apprenant qu'elle avait dîné avec l'avocat et prévoyait de le revoir.

C'est sur cette note moins lugubre qu'elles se levèrent pour retourner à leurs occupations, Sarah à ses patients, Emmeline au studio et Dina à Mosaïc. Elle ne supportait plus de rester chez elle sans rien à faire d'autre qu'attendre quelque chose, n'importe quoi. Elle passerait le temps en dessinant une composition florale pour un gala au bénéfice de la recherche sur le sida et laisserait le plus gros du travail à son assistante avant de rentrer dans sa maison vide.

Deux jours s'écoulèrent ainsi, sans le moindre signe d'espoir. Emmeline rapporta que la journaliste du *Times* avait manifesté un intérêt mitigé pour son histoire, sur laquelle elle se pencherait éventuellement si elle en trouvait d'autres du même genre, susceptibles de fournir la matière d'un article. Elle avait quand même pris le nom et les coordonnées de Dina, sans plus.

Sarah avait dîné avec David – soirée encore plus agréable que la première –, qui avait parlé de la situation de Sarah à un cousin rabbin, mais n'avait rien d'encourageant pour Dina. À moins qu'un fait nouveau modifie le statu quo, ni lui ni aucun avocat ne pouvait rien faire de plus que gonfler inutilement ses honoraires.

Dina avait retéléphoné à Danielle Egan, sans plus de résultat que la première fois. Pendant cinq minutes, la fonctionnaire avait compati à ses malheurs tout en lui laissant entendre que le Département d'État avait pour le moment des problèmes plus importants à résoudre au Moyen-Orient. Dina avait eu l'impression qu'elle avait sous les yeux une note de service stipulant en substance : « Situation épineuse. Ne rien faire. »

Elle se retrouva seule chez elle ce samedi soir, plus découragée que jamais, parcourant les divers programmes de la télévision sans en trouver aucun susceptible de retenir son intérêt. Elle essaya d'écouter de la musique, mais tout lui paraissait trop déprimant ou trop frivole. Et elle était incapable de se concentrer sur une quelconque lecture.

Elle se demandait si elle allait prendre un somnifère quand le téléphone sonna. Elle avait déjà parlé à Sarah, à Emmeline et à sa mère. Ce ne pouvait donc être que Karim.

Une voix d'homme inconnue résonna dans l'écouteur.

— Madame Ahmad ?

— Oui.

— Je m'appelle John Constantine. Je travaille quelquefois avec Gregory Einhorn. Il m'a communiqué votre nom en m'informant que vous aviez une affaire dont il ne pouvait se charger.

— Il vous l'a expliquée ? s'enquit Dina, méfiante.

— Il m'a dit juste ce que je viens de vous répéter, en ajoutant que je pourrais peut-être étudier votre problème si vous êtes intéressée. Vous pouvez vérifier auprès de lui.

— Vous êtes détective ? Vous travaillez pour M. Einhorn ?

— Pas pour, *avec* lui. De temps en temps.

Il avait une voix grave, légèrement voilée. Solide. Rassurante. Dina se jeta à l'eau.

— Oui, je suis assez intéressée pour vouloir vous en parler.

— D'accord. Quand cela vous conviendrait-il ?

— N'importe quand. Le plus tôt possible.

— Dans ce cas, pourquoi pas dans une heure ? Cela vous paraît peut-être étrange, vous devez avoir d'autres projets un samedi soir. Mais, dans mon métier, on n'a pas souvent d'horaires fixes.

Le quelque chose dans sa voix la décida. Puisque je me suis déjà jetée à l'eau, pensa Dina, autant nager.

— D'accord, je suis libre ce soir. Retrouvons-nous quelque part.

— Dites-moi où.

Elle lui donna le nom d'une cafétéria à trois rues de chez elle.

— Bien. J'y serai dans une heure. Comment vous reconnaîtrai-je ?

Pour la première fois depuis des semaines, Dina se sentit assez sûre de cet inconnu pour se permettre de plaisanter.

— C'est vous le détective. Cherchez.

Trois quarts d'heure plus tard, Dina entra dans la cafétéria. La salle était presque vide et elle n'y vit personne correspondant à l'idée qu'elle se faisait d'un détective privé.

Elle s'assit à une table, commanda un café, attendit. Elle attendit encore, en commanda un second, consulta sa montre. Une heure un quart. Ce n'était pas bon signe. S'il n'était pas capable d'être à l'heure, comment réussirait-il une opération aussi délicate que celle qui consistait à lui rendre ses enfants ?

Finalement, un grand type au teint basané et à l'allure vaguement méditerranéenne entra, balaya la salle du regard et se dirigea vers elle.

— Madame Ahmad ?

— Oui, répondit-elle en essayant de ne pas laisser paraître son agacement.

Il n'avait pas l'air d'un détective, malgré son trench-coat fripé, et il ne s'excusa pas de son retard, ce qui aggrava l'agacement de Dina. Pour un début, ce n'était pas prometteur.

— Vous voulez manger quelque chose ? demanda-t-il.

— Non.

— Moi si, je meurs de faim. J'ai oublié de déjeuner aujourd'hui.

De mieux en mieux ! songea-t-elle. Il n'est pas fichu d'être à l'heure et il ne pense pas à se nourrir.

Après avoir commandé un double hamburger, Constantine entra dans le vif du sujet.

— Einhorn ne m'a rien dit de précis, mais il n'y a que deux raisons pour lesquelles il se dégage d'une affaire : soit elle est trop dangereuse, soit elle a un coût trop élevé. Ou les deux. C'est souvent le cas.

— Et vous, qui êtes-vous ? voulut savoir Dina. Un sous-fifre ? Un kidnappeur à tarif réduit ?

Elle savait que ses questions étaient blessantes, mais elle n'avait pu s'empêcher de les poser. Quand il s'agissait de ses enfants, elle ne voulait que du premier choix.

Son sourire dévoila des dents blanches impeccablement alignées et apporta la preuve qu'il avait le sens de l'humour.

117

— Nous n'opérons pas de la même manière, sans doute parce que nos conceptions ne sont pas les mêmes. Je travaille sur une échelle réduite, je ne donne pas à mes opérations l'ampleur du débarquement de Normandie. Et si j'accepte une mission, j'en assume les risques. Voulez-vous m'expliquer en quoi cette mission consiste ?

Dina s'exécuta. Quand elle eut terminé, il lâcha simplement :

— Cinq cents dollars par jour, plus les frais. Dans ce cas, il s'agira essentiellement de frais de voyage. Si vous m'engagez.

— Et qu'aurai-je en échange ?

— Vos enfants.

Une affirmation aussi catégorique lui coupa le souffle. Était-il sérieux ou était-ce une simple vantardise ? Elle devrait en parler d'abord à Sarah et à Emmeline. Ou à sa mère. Ou à David Kallas. Mais qui lui offrirait un autre choix ?

Les mots lui vinrent aux lèvres presque malgré elle :

— Quand pouvez-vous commencer ?

19

La première séance de travail de Dina avec John Constantine se déroula chez elle le surlendemain matin. Le choix du lieu avait fait l'objet d'une discussion préalable.

— Vous pouvez venir à mon bureau, avait-il proposé, mais il n'est pas très reluisant. J'occupe un coin d'un vieux loft dans le bas de Broadway. Il y a un téléphone, une boîte aux lettres, quelques dossiers et pas de secrétaire.

Le doute revint dans l'esprit de Dina, qui se força à se

rappeler que si Gregory Einhorn exhibait tous les symboles de la réussite, il avait refusé de l'aider. Son expression dut trahir sa conviction de New-Yorkaise qu'un professionnel sérieux se devait de travailler dans un local reflétant son standing, car il reprit en souriant :

— Je vous l'ai déjà dit, je n'opère pas comme Einhorn. Je n'ai pas pour ambition d'être riche, ce qui vaut mieux parce que j'en suis et j'en serai toujours loin. J'avais acheté ce loft il y a des années, à une époque où il ne fallait pas encore être millionnaire pour s'en offrir un. J'ai gardé le bureau et je loue le reste à un photographe de mode qui a besoin de beaucoup d'espace.

John Constantine dans le rôle d'un propriétaire parut incongru à Dina, qui réussit à n'en rien laisser paraître.

— Intéressant, se borna-t-elle à dire.

— Quoi, le photographe ? Oui, assez. Je croyais en savoir beaucoup sur les apparences auxquelles il ne faut pas se fier, vous savez, ce genre de choses. Certains matins, je me trouve dans l'ascenseur avec une gamine mal débarbouillée qui a l'air d'avoir sauté de son lit cinq minutes plus tôt et je la revois deux heures plus tard en top model.

— Je me demande parfois ce que sont devenus les mannequins ordinaires. Maintenant, il n'y a plus que des top models.

Dina s'étonna de sa remarque : elle n'avait jamais éprouvé d'intérêt pour les mannequins, ordinaires ou pas. Constantine la gratifia d'un bref sourire et remit la conversation sur ses rails.

— De toute façon, j'aurai besoin de voir où et comment vous vivez. J'aime me faire une idée du cadre de vie pour mieux sentir les enfants, votre mari, vous-même. Mais ce n'est pas indispensable si cela vous gêne, ajouta-t-il.

— Non, ça ne me gêne pas du tout.

C'est ainsi qu'il s'encadra ce matin-là, en blazer anthracite, col cheminée noir et pantalon gris fer, dans la porte de la maison à peine assez haute et large pour sa taille et sa carrure. Dina lui offrit du café et il la suivit à la cuisine.

— Superbe, dit-il en s'asseyant à la longue table de réfectoire. On se croirait à la campagne.

Il ne fit pas d'autre commentaire sur la maison.

Pendant que Dina préparait le café, il sortit de ses poches un bloc-notes et un petit magnétophone.

— Pas de nouvelles de Karim ?

L'usage du prénom surprit Dina, puis, à la réflexion, elle comprit que ce serait plus commode que de se référer sans cesse à lui comme « votre mari » ou « M. Ahmad ».

— Non, pas depuis notre dernière conversation.

— L'avez-vous appelé ?

— J'ai appelé plusieurs fois pour parler à Suzanne et à Ali, mais on m'a donné chaque fois un prétexte : ils étaient avec leur précepteur, ils dormaient, ils étaient sortis avec leur grand-père. Comme si je n'étais autorisée à leur parler que quand Karim m'appelle.

— Qui répond quand vous téléphonez ?

— Le plus souvent Soraya, ma belle-sœur. Parfois Samir, mon beau-frère, dit-elle sans pouvoir retenir une grimace dégoûtée.

Constantine prit quelques notes. Elle servit le café et il la déçut en y ajoutant trois cuillerées de sucre.

— Bien, reprit-il en allumant le magnétophone. Racontez-moi ce qui s'est passé depuis le jour où Karim a emmené les enfants. Ensuite, vous préciserez les détails, le contexte.

Elle lui relata tout, sans rien dissimuler. Il écouta avec attention en prenant de temps à autre de courtes notes. Il demanda ensuite à voir la chambre des enfants, où elle l'accompagna. Il regarda partout, prit ici et là un jouet qu'il parut palper avant de le reposer, jeta un coup d'œil dans la penderie où restaient quelques vêtements.

— Donc, des jumeaux, commenta-t-il quand ils furent

redescendus à la cuisine. Lequel des deux a de l'ascendant sur l'autre ? Qui est le dominant ?

Dina ne s'était jamais posé la question.

— Le dominant ? répéta-t-elle, étonnée.

— Je n'ai encore jamais eu l'occasion de travailler avec des jumeaux, mais chez tous les frères et sœurs il y en a toujours un qui mène les autres.

— Suzanne est peut-être un peu plus mûre. Les filles le sont souvent plus que les garçons, à cet âge.

— Donc, son frère la suivrait dans des circonstances, disons… un peu inhabituelles ?

— N'importe lequel suivrait l'autre, si cela leur semblait assez important à tous les deux.

Il approuva d'un signe de tête et inséra une cassette vierge dans le magnétophone.

— Bien. Maintenant, dites-moi tout à propos de l'endroit où ils sont. Vous y êtes déjà allée, je crois ?

— En Jordanie ? Bien sûr.

— Moins le pays que la maison. Les gens qui l'habitent. Leurs habitudes. Tout ce que vous savez.

Pendant sa réponse, il l'interrompit par de fréquentes questions et prit de nombreuses notes en plus de l'enregistrement du magnétophone. Il manifesta un intérêt particulier pour Samir et Soraya. Que Dina pensait-elle d'eux ? Que pensaient-ils d'elle ? Tout ce qu'elle put lui révéler fut que Samir la détestait, ou plutôt la désavouait, tandis que Soraya paraissait éprouver pour elle une certaine sympathie. Non qu'elles aient jamais été amies, elles se connaissaient d'ailleurs à peine, mais elle avait parfois l'impression d'avoir quelques points communs avec sa belle-sœur. Rien de plus, peut-être, que d'avoir épousé les deux frères ou d'être des femmes dans un monde dominé par les hommes. Quelque chose les rapprochait, en tout cas.

Les questions se succédèrent par dizaines. Comment était le quartier ? La disposition des lieux dans la maison ? Où étaient logés les autres enfants ? Les adultes ? Les serviteurs ? Si les enfants allaient à l'école, où celle-ci serait-elle située ? Y aurait-il deux écoles séparées, une pour les filles, l'autre pour les garçons ? Où allait-on faire les courses ? Quand ? Qui s'en chargeait ? Les Ahmad pratiquaient-ils leur religion ? Quels étaient les rapports actuels de la famille avec les personnages influents du pays ?

Dina lui fournit toutes les réponses dont elle était capable. Elle décrivit la vaste maison bâtie autour d'une cour centrale. Elle énuméra les serviteurs présents lors de sa dernière visite, une femme de chambre, une laveuse qui venait une fois par semaine et, bien entendu, l'odieuse Fatma. Samir et sa famille occupaient une aile de la maison où les visiteurs défilaient, parents, amis, voisins. Les femmes faisaient les courses une fois par semaine. La famille était pratiquante, mais sans excès. Et si elle ne pouvait nommer toutes leurs relations, elle savait qu'ils connaissaient plus ou moins intimement beaucoup de gens haut placés, y compris dans la famille royale.

— C'est cela, je crois, qui a fait reculer Einhorn, précisa-t-elle.

Constantine fit un geste évasif, comme si les puissantes relations de Karim n'avaient pas grande importance à ses yeux. Dina reprenait confiance en lui. Il paraissait encore plus méticuleux qu'Einhorn et, surtout, plus dévoué à la cause de ses clients.

Sa dernière question posée, il referma son bloc-notes et éteignit le magnétophone.

— Je vais faire quelques recherches préliminaires, parler à quelques personnes, esquisser un avant-projet. Ensuite, il faudra que j'aille sur place vérifier tout par moi-même, comme vous vous en doutez. Je vous le dis parce que ce sera à vos frais.

— Je sais, je suis d'accord.

— Je n'y resterai pas très longtemps et je n'en profiterai pas pour m'offrir des vacances. Je voyage en classe affaires, mais je fais mon possible pour limiter les dépenses.

Ne sachant que répondre, Dina approuva d'un signe de tête.

— Donnez-moi une semaine, deux au maximum. Je resterai en contact tous les jours tant que je serai ici, le plus souvent possible une fois là-bas. Quand j'aurai étudié les conditions locales, nous déciderons d'un plan d'exécution.

— Avez-vous idée de ce que sera ce... plan ?

— Pas encore. Chaque mission est différente, on ne peut jamais prévoir. La meilleure des missions, poursuivit-il après un silence pensif, est celle qu'on n'a pas besoin d'exécuter parce que les parents ont résolu le problème entre eux.

— C'est peu probable, j'en ai peur.

— Cela arrive quand même de temps en temps.

Pendant le silence qui suivit, Dina prit conscience que si elle mettait littéralement tous ses espoirs entre les mains de cet homme, elle ne savait rien de lui.

— Comment vous êtes-vous lancé dans ce genre de... travail ? demanda-t-elle.

— Par hasard, répondit-il avec un petit sourire. Un ami d'ami qui avait un problème m'a demandé si je pouvais faire quelque chose. J'ai étudié la question, tout a bien marché. J'avais à peine terminé quand quelqu'un d'autre m'a demandé le même service. Je me suis rendu compte que je m'en sortais bien et que le travail me plaisait. Alors, j'ai pensé que ce ne serait pas plus mal de gagner ma vie avec.

— Vous étiez dans la police ?

— À un certain moment. Vous voulez connaître mes qualifications et savoir qui je suis ? D'accord. Quand j'étais jeune, j'ai commis l'erreur de m'engager dans les marines, surtout pour agacer mon père. J'étais à l'université à l'époque, Columbia. Bref, c'était une décision tellement idiote que j'ai fini, bien entendu, par atterrir dans les services de renseignements de la marine.

— Au Vietnam ?

— Non, c'était déjà fini. Mais j'ai pas mal bourlingué en Asie du Sud-Est. J'ai même rempilé deux fois et j'y aurais peut-être fait carrière si j'avais supporté le système, seulement c'était au-dessus de mes forces. Ensuite, j'ai passé quelques années dans la police à New York. Je faisais encore de temps en temps un petit quelque chose pour mon ancienne boutique, en solo. Ils m'ont rappelé pendant la guerre du Golfe, ce qui est un coup de chance pour nous.

— Vous connaissez la Jordanie, alors ?

— Pas vraiment. Mais j'ai travaillé de très près avec quelques Jordaniens et j'ai rendu un grand service à l'un d'eux. Nous ne serons donc pas seuls sur le terrain.

— Voilà une bonne nouvelle, fit Dina, réconfortée.

Constantine paraissait peu empressé de continuer son histoire.

— Et après la guerre ? insista-t-elle.

— Une époque bizarre... J'ai découvert que je n'avais plus envie d'être flic. Difficile à expliquer. Pas pour le travail lui-même, mais il y avait trop de... trop d'ordures à nettoyer, si vous voyez ce que je veux dire. La guerre m'en avait fait prendre conscience. Et puis je me suis retrouvé dans le métier que je fais maintenant. Greg Einhorn commençait à passer à la vitesse supérieure. Il a entendu parler de moi et m'a donné pas mal de contrats. Ce qui nous amène au présent.

— Et vous aimez ça.

C'était moins une question qu'une constatation.

— Oui. Les missions que je réalise sont semblables à la vôtre. J'ai l'impression d'être dans le camp du bon droit, comprenez-vous ? Ce que je fais est bon pour quelqu'un. Pour les enfants.

— Et pour les mères ?

— Ce ne sont pas toujours les mères, vous savez. Même si c'est le plus souvent le cas. Et je découvre des situations... la vôtre n'a rien à voir, bien entendu, mais j'ai vu de mes yeux des gens faire mal à leurs enfants, physiquement mal, rien que pour faire souffrir l'autre parent.

— Dieu merci, Karim n'ira jamais jusque-là. Seulement il y a d'autres moyens de faire souffrir… Parlez-moi d'une de ces missions. Non, rien de confidentiel, ajouta-t-elle en voyant son expression déconcertée. Juste comment elle s'est passée. Comment elle s'est terminée.

Elle se souvenait du spectaculaire enlèvement en hélicoptère réalisé par Einhorn en Belgique. Constantine avait-il des coups d'éclat similaires à son actif ? Elle voulait savoir à quoi s'attendre.

Constantine réfléchit un instant.

— Au Mexique, l'année dernière. Un type de l'Oregon, plein aux as, qui avait vidé ses comptes en banque, mis le gamin, un garçon de six ans, dans sa Mercedes et était parti prendre une retraite anticipée au soleil. Américain, pas mexicain – il y a beaucoup d'Américains du côté d'Oaxaca.

Il s'interrompit le temps de vider sa tasse de café.

— Je suis descendu là-bas en pensant que ce serait plutôt facile – le type n'était pas un maniaque de la sécurité – et qu'avec un peu de chance nous pourrions embarquer le gamin dans un petit avion avant que l'autre s'en aperçoive. Ça s'est passé encore plus facilement que prévu, dit-il avec un sourire de réelle satisfaction. J'avais des contacts dans le coin, un mot en amène un autre et j'ai découvert que le type en question était plutôt mal vu dans la région. Il était radin dans un pays où les gens friqués sont censés en faire profiter les autres. Il ne dépensait rien, sauf avec les femmes. Et l'une d'elles était dans les bonnes grâces d'un capitaine de la police. Il fallait être fou ou complètement idiot. Les flics l'auraient coincé tôt ou tard de toute façon, mais cela collait trop bien avec ce que je voulais, ou plutôt ce que voulait ma cliente. Je suis donc allé trouver directement ce flic mexicain, nous nous sommes tout de suite entendus. Je lui ai versé une fraction de ce qu'il m'aurait demandé s'il n'avait pas eu de griefs personnels contre l'individu, ou peut-être ne m'aurait-il rien demandé du tout – il était honnête, c'est le système qui est pourri là-bas. Bref, j'ai fait venir ma cliente de Portland et, le soir même de son arrivée, ils ont coincé le père indigne dans sa villa en possession de drogue. Et qui, par miracle, se trouvait là pour reprendre la garde du gamin, munie de tous les papiers et flanquée d'un bon avocat mexicain, sinon la mère en personne ?

— Qu'est-il arrivé au père ?

— Ils ont trouvé chez lui assez de cocaïne pour le boucler dans une prison mexicaine jusqu'à ce que son fils soit un grand garçon.

— Il était trafiquant de drogue ?

— J'ai dit qu'ils ont trouvé de la cocaïne, je n'ai pas dit que je savais comment elle était arrivée chez lui. Cette partie-là de l'histoire ne me plaît pas, je l'avoue, mais il aurait fini par lui arriver quelque chose du même genre.

Ce sauvetage, avec l'aide plus ou moins illégale de la police, était aux antipodes de l'évasion en hélicoptère. Dina se sentit réconfortée.

— Ne comptez pas sur une solution aussi facile dans votre cas, reprit Constantine comme s'il devinait ses pensées. Au fait, vous avez mentionné l'autre soir vos amies Sarah et... Emily ? ajouta-t-il en rassemblant son magnéto-phone et son bloc-notes avant de se lever.

— Emmeline.

— Oui. Je pourrais leur parler, à elles aussi ? Elles peuvent avoir des idées différentes. Peut-être pas, mais on ne sait jamais.

— Bien sûr.

— Pouvez-vous me donner leurs coordonnées ?

Dina écrivit les numéros de téléphone sur une page du bloc.

— Merci. Appelez-moi sans délai s'il y a du nouveau,

dit-il en se dirigeant vers la porte. Un appel de Karim, n'importe quoi.

Dina acquiesça d'un signe de tête.

— Autre chose. Vos amies sont au courant. Vous et moi aussi. Mais il faut en rester là. Personne d'autre ne doit savoir ce que nous faisons. Pas même vos parents. Pas même votre fils aîné.

— Je comprends.

— Bien. C'est important. Merci pour le café, conclut-il avec un sourire destiné à adoucir l'autorité de ses derniers mots. À bientôt.

Et il sortit sans lui laisser le temps de le raccompagner.

20

Quand le téléphone sonna à sept heures du matin, Dina comprit que c'était Karim. Regardait-il l'horloge aussi souvent qu'elle ?

D'un ton plaisant, presque tendre, il commença par donner des nouvelles des enfants. Il avait engagé un précepteur et, une fois qu'ils seraient acclimatés, ils iraient en classe, Ali dans une école de garçons, Suzanne dans une école de filles.

— Ils font des progrès remarquables en arabe, ajouta-t-il avec enthousiasme. Leur précepteur dit qu'il n'a jamais eu d'aussi bons élèves.

Dina ne répondit pas. Se rendait-il compte de la torture qu'il lui infligeait ?

— Ils entreront à l'école d'ici à deux mois. Ils suivront très facilement les cours, j'en suis sûr, affirma-t-il comme s'il croyait que ces nouvelles consoleraient Dina.

— La place des enfants est ici, avec leur mère, répondit-elle sans illusions sur l'efficacité de sa réplique. T'imagines-tu vraiment que je ne vais pas me battre pour les reprendre ?

Idiote ! se morigéna-t-elle aussitôt. Elle ne devait pas lui faire savoir qu'elle lutterait par tous les moyens.

— Je suis désolé, Dina, dit-il avec un accent de sincérité, je ne reviendrai pas sur ma décision. Ce que je fais est pour leur bien. Tu peux te battre tant que tu voudras, cela n'y changera rien. Demande à ton avocat, il te dira la même chose.

Sur quoi il raccrocha.

Comme après chaque appel de Karim, Dina fondit en larmes. Mais il y avait cette fois une différence : elle avait fait un pas décisif vers une solution pour reprendre ses enfants.

21

Pour Emmeline, un taxi pouvait être deux choses : une annexe de son bureau où téléphoner, réviser ses notes pour une prochaine émission, ou alors une oasis de paix et de tranquillité où se détendre en laissant ses pensées divaguer jusqu'à l'arrivée à destination. Elle opta ce soir-là pour l'oasis. Elle avait déjà passé tous ses coups de fil importants et, pour une fois, n'avait rien d'urgent devant elle.

Dina paraissait tenir le coup en dépit de la déception qu'elle avait éprouvée avec ce spécialiste des missions de sauvetage. Elle avait affirmé n'avoir pas besoin de compagnie ce soir-là. Malgré tout, Emmeline comptait passer chez son amie le lendemain matin pour s'assurer qu'elle allait bien.

Sean l'avait appelée dans l'après-midi en lui proposant une soirée tranquille à la maison avec un dîner confectionné par ses soins. Elle avait accepté volontiers. Sean ne connaissait que quelques recettes simples, italiennes pour la plupart, mais il les réalisait bien.

Avant même d'arriver à la porte de l'appartement, elle reconnut les effluves d'oignons, de bacon grillé et de sauce tomate de sa fameuse pasta. Une bouteille de Barolo débouchée sur la table du coin dînette le confirma. Dans la cuisine, Sean goûtait la sauce à l'aide d'une grande cuillère de bois avec les mimiques avantageuses d'un chef étoilé savourant son chef-d'œuvre.

Il accueillit Emmeline par son plus beau sourire et un baiser débordant d'affection.

— Salut, beauté !

— Bonsoir, étranger. Qu'est-ce que tu fais brûler ?

— Ce sera prêt dans une demi-heure, si tu peux attendre. Si tu meurs de faim, je lance la pasta tout de suite.

— Je peux attendre, à condition qu'on me serve quelque chose à boire dans cette *trattoria*.

— Vin ou quelque chose de plus fort ?

— Vin.

Il remplit deux verres, qu'il emporta au salon. Les vibrations sourdes d'une basse électronique émanaient de la chambre de Michael. Emmeline interrogea Sean du regard.

— Joy et Josh sont là. Tous les trois devant l'ordinateur, comme d'habitude.

Joy Nguyen et Josh Whiteside étaient des camarades de classe de Michael. Ce que la fluette petite Vietnamienne, le grand escogriffe blanc et Michael avaient en commun, à part un QI flatteur et la passion de l'informatique, restait un mystère, mais ils étaient inséparables.

— Qu'est-ce qu'ils font ? Un raid sur le *stock-exchange* ?

— Espérons-le, ils pourront peut-être nous entretenir dans nos vieux jours.

Michael avait expliqué que ses amis et lui n'étaient pas des *hackers*, brutes bornées tout juste capables de lancer des virus sur la toile ou de dévaster des sites officiels comme celui du Pentagone. Pour les raffinés dont il faisait partie, ce n'était que du vandalisme. Ce qu'il fabriquait en se faufilant dans le labyrinthe du web relevait de l'éthique des arts martiaux, où les ceintures noires cherchent constamment à se perfectionner sans jamais user de leur force à des fins condamnables.

Emmeline était fière des talents de son fils dans ce domaine et y fondait de grands espoirs. Un jour, peut-être deviendrait-il un nouveau Bill Gates, en version améliorée débarrassée de ses bugs. En tout cas, il faisait preuve d'une remarquable assiduité et ne manquait pas d'ambition, comme s'il n'avait hérité que de l'énergie de sa mère et rien de l'aimable nonchalance, pour ne pas dire de la paresse désinvolte, de Gabriel. Ou, peut-être, comme s'il avait consciemment décidé de prendre le contre-pied du style de vie de son père.

Sean interrompit ses réflexions sur son fils unique.

— Rude journée ?

— Crevante, mais tout a fini par s'arranger. Et toi ?

— Un casting pour une pub W.-C. Net. Ma carrière file à l'égout, c'est le cas de le dire.

Malgré le rire dont il ponctua sa phrase, Emmeline n'y manqua pas l'arrière-goût d'amertume et de lassitude. Elle s'abstint de lui demander s'il avait eu le rôle, il l'aurait annoncé.

Sean aurait pourtant eu besoin de ce tournage, même médiocre. Son emploi de barman lui rapportait à peine de quoi couvrir ses dépenses vitales, dont la moitié du loyer du studio sans ascenseur qu'il partageait avec un autre acteur tout aussi désargenté. Le reste, repas au restaurant, sorties du week-end, billets de théâtre, etc., Emmeline l'assurait. L'amour-propre de Sean s'érodait à vue d'œil et Emmeline avait des principes assez traditionnels pour souhaiter que son homme soit capable de subvenir à ses besoins par ses propres moyens. Surtout depuis son désastre conjugal avec Gabriel.

— Quoi de neuf avec ton amie Dina et son mercenaire ? demanda-t-il dans le dessein évident de changer de sujet.

— Ça n'a pas marché. Il a jugé que c'était trop dangereux.

Emmeline omit volontairement de mentionner devant Sean le montant des honoraires réclamés par Einhorn. Elle ne voulait surtout pas attirer son attention sur le fait que ses amies et elle auraient été en mesure de réunir une aussi forte somme alors qu'il n'avait pour ainsi dire pas un sou devant lui.

Sean avala une gorgée de vin et lui décocha un regard admiratif et amoureux dont elle devait admettre qu'il lui plaisait.

— Tu es plus belle que jamais, Em.

Nouveau changement de sujet, définitif cette fois. Ils savaient l'un et l'autre qu'il était inutile de s'engager dans la voie ainsi suggérée, compte tenu de la présence de Michael et de ses amis dans la pièce voisine.

— Merci, mais maintenant je crève de faim.

— D'accord, répondit-il avec un sourire résigné. Je m'en occupe. Cinq minutes, tu tiendras le coup ?

— J'essaierai de ne pas m'évanouir.

Elle le suivit à la cuisine et finit de siroter son vin en le regardant préparer la salade pendant que les pâtes cuisaient dans l'eau frémissante. Elle aimait le voir cuisiner. Pour un homme aux doigts encore couverts de vieilles cicatrices gagnées dans les bagarres de sa jeunesse, il avait des délicatesses de jeune mariée quand il était aux fourneaux.

Ils finissaient la salade quand le vacarme cessa tout à coup dans la chambre de Michael, et les trois ados surgirent en se bousculant comme dans une sortie de mêlée de rugby.

— On sort, m'man, annonça Michael. On va chez Josh.

— Jusqu'à quelle heure ?

— Ben... pas très tôt. Alors, m'attends pas. Et amusez-vous bien tous les deux puisqu'on vous débarrasse le plancher.

Et le trio se retira comme il était entré. On entendit des rires étouffés derrière la porte refermée.

— Ah ! La jeunesse ! déclama Sean avec un soupir de théâtre.

— Ouais. Ils doivent nous croire prêts pour la maison de retraite.

De fait, elle avait aperçu un clin d'œil de conspirateurs entre Sean et Michael. La connivence entre hommes commence tôt, se dit-elle, amusée.

Sean alluma deux bougies, servit la pasta.

— Les meilleurs spaghettis de ce côté-ci de l'Atlantique, annonça-t-il. N'aie pas peur de te resservir, il n'y a pas de dessert.

— J'ai peut-être une idée pour le remplacer, susurra-t-elle en lui décochant le même clin d'œil.

Et ils pouffèrent de rire à l'unisson.

22

Dina s'arrêta un instant devant la vitrine où se détachaient en lettres d'or MOSAÏC et CRÉATIONS FLORALES PAR DINA. La vision de sa boutique lui procurait le plus souvent un frémissement de fierté. Elle se demanda cette fois si cette fierté ne lui avait pas coûté trop cher.

Elle ne devrait pas le penser, bien sûr. Personne n'attendait d'un homme qu'il consacre sa vie entière à son foyer et à sa famille. Pourquoi alors l'exigerait-on d'une femme ?

Ce serait pourtant logique, mais les gens qui fondent leurs décisions sur des sentiments ou des émotions se soucient fort peu de logique. Si Karim avait raisonné logiquement, n'aurait-il pas considéré que son propre héritage génétique avait pu rendre Jordy homosexuel, tout comme il lui avait transmis ses yeux et ses cheveux noirs ? Non, il était bien plus facile de rejeter le blâme sur Dina et sur la culture américaine !

Dina tourna la clef, poussa la porte. La boutique n'était pas très vaste, mais il ne lui fallait pas davantage d'espace. Le dimanche, jour de fermeture, elle pouvait passer un moment seule dans ce lieu où s'étaient écoulées tant de ses heures loin de sa famille.

Aux murs, les dessins de ses dernières créations et les photos de ses plus belles réalisations. Karim en avait pris quelques-unes les premiers temps de leur mariage, quand tout allait encore bien entre eux. Un photographe professionnel avait fait les autres. Au-dessus de son bureau, elle avait placé la photo de ce qui était devenu son emblème, la composition qu'on ne cessait de lui demander depuis qu'elle l'avait créée pour un banquet officiel à l'issue du marathon de New York. Elle s'était inspirée du discours prononcé par David Dinkins, le maire de cette époque, qui comparait New York à une « splendide mosaïque ». L'image que ces mots exprimaient l'avait séduite, celle d'hommes et de femmes de toutes les origines apportant en un même lieu la richesse de leur diversité – à l'instar de son propre mariage, avait-elle cru. C'est ainsi qu'elle avait créé une mosaïque de fleurs formant un kaléidoscope de couleurs et de parfums.

Karim était alors fier d'elle et de son talent. À l'occasion d'un voyage d'affaires à Paris, il était allé à Grasse commander à grands frais un parfum spécialement formulé pour elle. Il l'avait appelé *Mosaïc* et avait même suggéré à Dina de le mettre sur le marché. Mais ce cadeau l'avait trop touchée pour qu'elle accepte. « Je veux le garder rien que

pour moi, Karim. Il est trop précieux pour le partager. »
Ce soir-là, ils avaient fait l'amour avec la même passion
qu'aux premiers temps de leur mariage. « Je t'aime, Dina,
lui avait-il répété. Tu es unique au monde. » Que tout cela
paraissait loin, maintenant ! Et trop douloureux pour en
évoquer le souvenir…

Mais leur mariage avait-il réellement été une mosaïque
dont toutes les pièces s'imbriquaient à la perfection ?
Karim parlait déjà souvent de la manière dont les choses
se passaient « dans son pays ». Combien de fois lui avait-
elle répété que les enfants n'étaient qu'à moitié jordaniens ?
Elle croyait faire l'effort de transiger, mais l'avait-elle réellement fait ? Était-il même possible de réaliser une « splendide mosaïque » dans le cadre d'une vie conjugale ?

Comme toujours, le parfum des fleurs imprégnait l'atmosphère de la boutique. Dina y était tellement accoutumée
que, le plus souvent, elle le remarquait à peine. Ce jour-là,
pourtant, elle fut particulièrement consciente de la douceur
entêtante du jasmin sur son bureau et de l'arôme de
l'unique rose dans son vase de cristal. Elle les respira en
se promettant d'être forte. Elle aurait voulu que ses enfants
sentent près d'eux sa présence constante, sachent qu'elle
pensait à eux entre leurs brefs échanges par téléphone. Si
elle leur écrivait, serait-elle sûre que ses lettres leur parvien-
draient ? Karim les confisquerait-il ? Fatma oui, sûrement,
ses beaux-parents aussi. Le soupir qui lui échappa ressemblait à un sanglot. Mais elle devait essayer.

Elle prit son carnet de dessin, ses crayons de couleur,
dessina fébrilement. Mécontente du premier essai, elle
déchira la page, recommença. Un sourire apparut sur ses
lèvres quelques minutes plus tard. Quand elle eut terminé,
elle avait réalisé deux cœurs entremêlés en fleurs roses et
bleues, ce qui n'avait rien d'original, mais les destinataires
ne lui en voudraient sûrement pas. Elle inscrivit le nom
d'Ali dans un des cœurs, celui de Suzanne dans l'autre,

écrivit dessous « Je vous aime », plia le feuillet et le mit dans une enveloppe qu'elle adressa à ses beaux-parents.

Dina consacra les deux heures suivantes à vérifier ses livres de comptabilité. Eileen faisait un excellent travail et Dina avait assez de dessins d'avance pour satisfaire sa clientèle un certain temps. Jusqu'à ce qu'elle ait trouvé le moyen de récupérer les jumeaux, elle pouvait se contenter de travailler chez elle la plupart du temps et de faxer ses dessins à la boutique, où un fleuriste dont elle connaissait l'habileté se chargerait de les réaliser. Elle se demanda pourquoi elle n'avait pas envisagé de travailler de cette manière avant la désertion de Karim. Était-ce par refus systématique de lui accorder cette concession ? En était-elle arrivée à un stade où elle considérait qu'accéder à une de ses demandes constituerait une forme de capitulation ? Elle n'en savait rien et ne le saurait jamais. D'ailleurs, quelle importance cela pouvait-il avoir maintenant ?

Elle quitta la boutique, glissa l'enveloppe dans la boîte aux lettres la plus proche. L'idée de rentrer chez elle la rebuta. Quand Jordy reviendrait pour les vacances ce serait différent, mais pour le moment elle ne pouvait rien faire dans sa maison que ronger son frein en ressassant ses pensées déprimantes. Elle héla un taxi et décida de se faire conduire chez ses parents.

— Ton père se porte beaucoup mieux aujourd'hui, annonça sa mère en lui ouvrant la porte.

Dina se força à la croire.

Sur la terrasse, Joseph Hilmi était étendu sur un transat, une légère couverture sur les jambes malgré la douceur du temps. En se penchant pour l'embrasser, Dina sentit sur sa peau une odeur aigre. Était-ce à cause de la chimio ? Elle y vit en tout cas le signe qu'il était encore fragile et qu'elle devait lui épargner tout souci inutile.

— Qu'est-ce qui ne va pas, mon cœur ? lui demanda-t-il de but en blanc.

La tendresse de sa voix et l'emploi de ce terme, qu'elle n'avait pas entendu dans sa bouche depuis sa jeunesse, la bouleversèrent.

— Rien, papa. Tout va bien.

— Et les enfants ? insista-t-il. Pourquoi ne les as-tu pas amenés ?

Il fallut à Dina toute sa maîtrise de soi pour ne pas craquer. Le temps où elle pouvait se jeter dans les bras de son père pour lui demander d'effacer ses gros chagrins était bien révolu.

— Ah, maman ne te l'a pas dit ? répondit-elle du ton le plus naturel qu'elle parvint à feindre. Karim les a emmenés en Jordanie voir sa famille. Maha est souffrante en ce moment et il a pensé qu'une visite de ses petits-enfants la remonterait.

L'explication n'avait manifestement pas convaincu son père.

— Est-ce que tout va bien entre Karim et toi, Dina ? Te traite-t-il comme il le devrait ? Parce que sinon...

Dina eut un instant de panique. D'où cela venait-il ? Aurait-il échappé un mot à sa mère pour éveiller ses soupçons ? Elle réfléchit en hâte et décida qu'une demi-vérité valait mieux qu'un mensonge.

— Nous avons quelques difficultés, admit-elle.

— Je m'en doutais, fit-il d'un air sombre.

— Ah bon ? Pourquoi ?

Elle croyait pourtant que Karim et elle présentaient à ses parents l'image d'un couple sans histoire. Karim avait d'ailleurs toujours cherché à faire bonne impression sur son beau-père.

— Quelque chose... Je mettrai le doigt dessus dans un moment.

— Nous ne sommes pas toujours du même avis, c'est vrai.

— Bien entendu. Personne n'est toujours du même avis.

— Karim voudrait que je sois plus... traditionnelle. Que

j'arrête de travailler, que je reste à la maison avec les enfants, tu vois.

Bien que chrétien et new-yorkais depuis des décennies, son père avait malgré tout des racines orientales, comme Karim.

— Oui, je vois, grommela-t-il.

— Qu'est-ce que tu vois, papa ? Explique-moi.

Il prit la main de Dina dans la sienne, la serra faiblement.

— Quand Karim a commencé à te faire la cour, commença-t-il en faisant sourire Dina par ce terme désuet, je l'ai jugé instruit, bien éduqué, intelligent, d'un esprit ouvert et équilibré, ce qui était remarquable pour un musulman – et même pour un chrétien, en fait. Tu sais, Dina, je me suis toujours méfié des gens qui se vantent d'être cent pour cent quelque chose. Ce sont des sectaires bornés, comme ceux qui ont ravagé notre pauvre cher Liban.

Les larmes lui vinrent aux yeux à l'évocation du martyre subi par le pays que le monde entier qualifiait de « perle de l'Orient ».

— Quoi qu'il en soit, reprit-il, j'ai vu Karim changer au fil des années. Ou peut-être ce qu'il me montrait était-il comme un costume acheté en Occident et qui ne lui allait plus.

— Mais pourquoi n'as-tu jamais rien dit ?

— Dire quoi ? Que ton mari devenait de plus en plus semblable à son père ? répondit Joseph avec un haussement d'épaules fataliste. À quoi cela t'aurait-il avancée ?

Était-ce donc sa faute, après tout, si elle n'avait pas vu ce que voyaient les autres ? Qu'aurait-elle pu faire ? Voler elle-même les enfants, prendre la fuite ? Pour aller où ? Dina retint de justesse un soupir découragé. Elle n'avait pas le droit d'affliger davantage son père.

— Ne t'inquiète pas pour nous, papa. Tout s'arrangera, tu verras.

Joseph la regarda longuement sans répondre. Le moment de gêne se dissipa et la conversation reprit un cours plus léger.

23

À cette heure-ci, pensa Dina en regardant le cadran de la pendulette sur sa table de chevet, il doit être en train de survoler Terre-Neuve. Demain, il sera à Amman. Et après... Elle ne put achever sa pensée. Elle avait placé sa confiance en John Constantine, elle estimait pouvoir se fier entièrement à lui, mais sa mission pouvait échouer pour tant de raisons ! Elle savait qu'elle ne dormirait pas beaucoup cette nuit-là, elle se sentait un peu obligée de rester éveillée afin de suivre par la pensée le voyage de Constantine pour l'aider, le conseiller. Prier.

Elle avait quand même dû s'assoupir car le téléphone la tira d'une demi-somnolence. Constantine ? Non, impossible. Son vol ne s'était pas encore posé et, de toute façon, il était trop tôt pour qu'il ait des nouvelles à lui communiquer.

C'était Jordy. Sa voix était enrouée, nasillarde, comme s'il avait un mauvais rhume – ou venait de pleurer.

— Maman ?

— Oui, mon chéri ?

— Je veux revenir à la maison.

— Avec joie. Je t'envoie un billet de train, nous passerons un bon week-end ensemble et...

— Non, maman. Je ne veux pas revenir pour le week-end, mais pour rester avec toi.

— Pourquoi, Jordy ? Tu as des problèmes à ton école ?

— Non, tout va bien de ce côté-là. Je veux juste être avec toi. Tu ne devrais pas rester seule.

Comment Karim avait-il pu se mettre en rage contre un garçon aussi aimant ? se demanda Dina avec tristesse.

— Je serais heureuse de t'avoir avec moi, mon chéri, mais il vaut mieux attendre la fin de ton année scolaire, elle n'est que dans une quinzaine de jours. Passe tes examens et nous te trouverons ensuite une bonne école en ville.

— Je tiens à la choisir, maman.

Karim ne lui avait pas laissé le choix pour décider de sa propre éducation, mais comme Karim ne reviendrait pas, son avis ne comptait plus. Elle ne pouvait toutefois pas approuver sans savoir ce que son fils avait en tête.

— Nous en reparlerons plus tard, mon chéri. D'accord ?

— D'accord.

— Et puis, Jordy...

— Oui, maman ?

— Je t'aime.

— Je t'aime aussi, maman.

Dina raccrocha en soupirant. Son besoin de revoir ses enfants, de les sentir, de les toucher croissait chaque jour, chaque heure, et se faisait de plus en plus douloureux. Elle pouvait vivre sans Karim, elle s'en passait même fort bien, ce qui, avec le recul, lui paraissait étrange. S'il avait été tué dans un accident, elle en aurait terriblement souffert. Son absence aurait créé en elle un vide qui lui aurait semblé irréparable. Elle aurait attendu de voir sa silhouette familière franchir la porte, de sentir ses caresses... Au fait, quand avaient-ils fait l'amour pour la dernière fois ? La veille de son départ ! Et maintenant, elle le haïssait à cause de cette infâme duplicité. Il avait emporté le souvenir de son corps comme un trophée. Une trahison de plus dans un long chapelet de trahisons, grandes ou mesquines. Oui, décidément, elle pouvait vivre sans lui jusqu'à la fin de ses jours. Mais pas sans ses enfants. Il fallait qu'elle les reprenne, la vie sans eux était inconcevable.

Le téléphone sonna de nouveau. Elle décrocha aussitôt :

— Écoute, Jordy, il faut que tu te reposes. Nous…

— C'est moi, Dina, fit la voix de Karim.

Elle eut un frisson de peur. Un appel de Karim avant même l'arrivée de Constantine était-il un mauvais présage ?

— J'espère que je ne t'ai pas réveillée.

— Non, je ne dors pas beaucoup ces temps-ci.

Un silence suivit. Tu n'as pas de réponse toute prête, cette fois ? pensa-t-elle avec rancune.

— Dina, je voulais juste te dire que Suzanne et Ali vont bien. Ne t'inquiète pas si tu vois aux nouvelles la grande manifestation qui a lieu à Amman. Elle se déroule loin de la maison et, de toute façon, je n'ai pas fait sortir les enfants.

— Tu espères me rassurer en m'annonçant cela ? Tu t'attends que je te remercie des bons soins que tu leur prodigues ou de tes égards envers moi quand tu me préviens qu'ils sont en bonne santé ? Qu'est-ce que tu t'imagines, Karim ? Que j'accepte avec reconnaissance l'enlèvement de mes enfants dans un pays où on les haïra parce qu'ils auront été élevés en Amérique ?

— Non ! protesta-t-il. Cela n'arrivera jamais, j'y veillerai !

— Ah ! C'est bon à savoir. Tu en as déjà meurtri un, tu ferais bien d'être plus prudent avec les deux autres…

Dina s'interrompit. Elle entendait sa voix vibrer de colère et d'amertume, elle ne devait pas lui parler sur ce ton tant qu'elle n'avait pas récupéré les jumeaux. Malgré tout, elle ne pouvait plus se dominer.

— À moins, reprit-elle, que tu aies déjà choisi ta deuxième femme avec laquelle tu pourras faire d'autres enfants. Ce serait d'ailleurs une bonne idée, Karim. Si tu as des enfants avec une autre, tu ne verrais plus d'inconvénient à me rendre les miens.

Arrête ! Ne le provoque pas. Pas encore.

— Non, Dina. Je ne veux pas d'autre femme, je n'en ai jamais voulu. Je n'ai voulu que toi, je ne veux encore que…

— Non ! l'interrompit-elle, tais-toi ! Quel culot de me dire une chose pareille !

— Bien, fit-il sèchement. Comme je te l'expliquais, je ne voulais que te rassurer. Les enfants t'appelleront demain. Bonne nuit, Dina.

Et elle se retrouva de nouveau seule avec sa rage impuissante et sa peur.

Elle alluma le téléviseur, se brancha sur CNN. Quelques minutes plus tard, elle vit les nouvelles : recrudescence des attentats suicides en Israël, violentes manifestations anti-américaines au Caire, à Amman, dans d'autres capitales arabes. Elle s'efforça en vain d'imaginer comment ses enfants réagissaient, s'ils étaient au courant. Ses beaux-parents suivaient-ils les mêmes événements sur Al-Jazira ? Accordaient-ils une seule pensée à leur belle-fille ? Un bref instant, elle se remémora les réactions de Karim à New York après le 11 septembre et pendant les interminables hostilités entre Israël et les Palestiniens. Elle se rappela les tirades antiarabes des médias américains. Ce n'est pas la même chose ! commença-t-elle à se dire. En quoi est-ce différent ? lui souffla la voix de la raison, celle qui intervenait toujours pour la ramener à l'honnêteté, à l'objectivité, pour lui éviter de porter des jugements hâtifs. Mais elle fit taire la voix. Elle voulait rester drapée dans sa juste colère, espérant qu'elle lui permettrait de passer la nuit sans flancher.

Lorsque l'appel arriva enfin de longues heures plus tard, Dina était épuisée. Elle avait dormi à peine, se réveillait constamment en se demandant où était John Constantine et ce qu'il faisait.

Il était deux heures de l'après-midi à Amman, d'où il l'appelait d'un téléphone public dans le hall de l'hôtel Intercontinental.

— Je suis arrivé tout à l'heure. J'ai déjà pris contact avec l'ami dont je vous avais parlé. Je vais dormir un peu avant de le rencontrer. Ensuite, nous verrons.

— Karim m'a téléphoné cette nuit. Il m'a dit qu'il y avait des manifestations, je les ai vues sur CNN. Soyez prudent.

— Je le serai. J'ai été dans des endroits où il se passait des événements bien pires.

Voulait-il la rassurer ? Oui, sans doute.

— De toute façon, faites attention. Et tenez-moi au courant.

— Bien sûr.

Ce fut tout. Dina raccrocha à regret. Le seul lien la rattachant à l'homme dont elle attendait qu'il lui rende la vie était rompu.

24

Sarah se sentit obligée d'intervenir pour éviter que la conversation ne dégénère en dispute.

— Résumons : tu as engagé cet homme sans nous en parler ?

Dina décocha un regard furieux à ses amies, assises à la table de sa cuisine, comme pour les mettre au défi d'aggraver sa peine.

— Oui !

— Mais on ne sait rien de ce type ! insista Emmeline.

Dina résuma le bref CV que lui avait donné Constantine :

— Il a été dans le corps des marines après le Vietnam, ensuite dans la police à New York. Il ne m'a pas dit pourquoi il l'avait quittée, sans doute était-il trop indépendant pour accepter la discipline. Ensuite, il a été consultant en sécurité et l'armée l'a rappelé pendant l'opération *Tempête du désert*. Je crois qu'il était dans les services de renseignements. Depuis, il fait ce... ce genre de travail.

— Un cow-boy, en somme, déclara Emmeline avec dédain.

— C'est peut-être justement un cow-boy qu'il me faut.

— En as-tu au moins parlé à David ? s'enquit Sarah.

— Non, à personne. Vous êtes les seules à le savoir.

Emmeline exprima par un grognement son mécontentement d'avoir été laissée dans l'ignorance d'une décision aussi importante.

— Il est en Jordanie en ce moment ? demanda Sarah.

— Oui. Il y est arrivé ce matin.

— Pour reprendre les enfants ?

— Bien sûr que non ! Sauf s'ils arrivent dans sa chambre d'hôtel et lui demandent de les emmener à l'aéroport. En ce moment, il prend des contacts, reconnaît les lieux, prépare l'opération.

Emmeline poussa un nouveau grognement réprobateur. Sarah décida d'adopter un autre angle d'attaque.

— Comment est-il ? Je veux dire, en tant qu'individu.

— Plutôt bien. Grand, costaud, l'air de savoir ce qu'il fait. Il m'a inspiré confiance, c'est pourquoi je l'ai engagé.

— Marié ?

— Je ne le lui ai pas demandé, mais il ne porte pas d'alliance. Divorcé, peut-être. Quelle importance ? s'impatienta Dina, agacée. Suis-je censée chercher un homme parce que mon mari m'a plaquée ?

— Excuse-moi, Dina, fit Sarah en rougissant un peu. Simplement, je me disais que...

— Ce n'est pas grave, la rassura Dina. Excuse-moi aussi, je n'aurais pas dû m'énerver.

— Je ne t'en veux pas. Je reviens tout de suite, ajouta-t-elle en se levant de table.

— Tu as des nouvelles de Karim ? s'enquit Emmeline

d'un ton radouci. Si tu préfères ne pas en parler, je comprendrai.

— Si, parlons-en. Il m'a appelée hier soir pour me dire que les enfants allaient bien et que je ne devais pas m'inquiéter. Même avec la foule qui hurlait des slogans antiaméricains dans les rues d'Amman.

— Ne pas t'inquiéter ? Quel salaud !

— C'est à peu près ce que je lui ai répondu.

Il y eut un long silence. Emmeline n'était pas de celles qui bavardent pour rien dans un moment pareil. Un moment, pensait-elle, qui exigerait plutôt l'action. Mais laquelle ? Comment pouvait-elle se rendre utile à son amie ?

— Écoute, Dina, ce n'est peut-être pas une bonne idée de rester toute seule chez toi à te morfondre pendant qu'il se passe... tout ça, tu comprends ? Tu devrais sortir un peu plus, te changer les idées...

— Non, il faut que j'attende les coups de téléphone. Ceux de Karim, de Constantine, d'autres. Je ne peux pas prévoir.

— D'accord. Mais alors, si je restais avec toi cette nuit ? Michael se débrouillera très bien sans moi et je peux même demander à Sean de garder la maison.

Dina était sur le point de répondre qu'elle n'avait pas besoin de baby-sitter quand elle se ravisa. Si ses journées étaient pénibles, ses nuits étaient bien pires.

— Oui, avec plaisir. Si tu es sûre que...

— Tout à fait sûre. D'ailleurs, cela nous rajeunira. On mangera du pop-corn en regardant la télé.

— Qui mangera du pop-corn ? voulut savoir Sarah, qui revenait à ce moment-là. J'ai manqué quelque chose ?

— Rien. Je reste passer la nuit avec Dina, c'est tout. On se gavera de pizza. Ou alors, je préparerai une de mes fameuses jambalayas que je réussissais si bien à Grosse-Tête.

— Je peux en être, moi aussi ? réclama Sarah avec gourmandise.

— Non, tu viendras demain. Puisque Dina ne veut pas décoller de cette fichue baraque, nous nous relaierons pour lui tenir compagnie.

— D'accord. Au fait, je viens d'appeler David. Selon lui, Constantine est très bien. Il l'aurait même recommandé à Dina en premier lieu, mais il croyait qu'il travaillait pour Einhorn.

— Tu en as parlé à David ? protesta Dina. Tu lui as raconté ce que je venais de vous dire ?

— Il m'avait demandé de garder le contact, répondit Sarah, gênée.

— Et quand te l'a-t-il demandé ? s'enquit Emmeline.

— Hier soir, admit Sarah, de plus en plus embarrassée.

— Je vois, articula Emmeline en mettant un lourd sous-entendu dans ces deux syllabes.

— Moi aussi, renchérit Dina, heureuse que la conversation prenne enfin un tour différent.

— Nous avons juste dîné ensemble ! protesta Sarah, cramoisie.

— Juste dîné, hein ? Et depuis combien de temps ils durent, ces dîners ? interrogea Emmeline d'un ton accusateur.

— Deux fois seulement ! se défendit Sarah.

— Mon chou, qui sait à quoi peuvent mener deux simples petits dîners ?

— À rien, déclara fermement Sarah. Ils ne mènent à rien.

Plus tard ce soir-là, après une somptueuse jambalaya et un dessert de pain perdu non moins délicieux, les deux amies se mirent à leur aise et s'étendirent côte à côte sur le lit.

— Merci, Emmeline, dit Dina.

— Pour quoi, mon chou ?

— Pour tout. Le dîner, ton amitié.

— Ce n'est rien, voyons ! Et maintenant, dis-moi la vérité. Comment fais-tu pour tenir le coup ?

— Si je prétendais que tout va bien je mentirais, mais je n'ai pas non plus envie qu'on s'apitoie sur mon sort.

— Compris. Alors, de quoi allons-nous parler ? Ou préfères-tu qu'on regarde une ou deux vidéos ?

— Parlons de toi, pour changer. Comment ça marche avec Sean ? Tu n'en racontes pas grand-chose, ces temps-ci.

— Il n'y a pas beaucoup à raconter. Nous nous amusons bien, mais à long terme... je n'en sais rien.

— À cause de ton histoire avec Gabe ? Je n'ai jamais vraiment su ce qui vous est arrivé, en fait. À part qu'il se prenait pour Peter Pan et qu'il est parti peu après la naissance de Michael.

— Oui, c'est tout lui. Du charme à revendre, mais il est musicien, ajouta-t-elle comme si c'était un terme infamant. Maintenant, il s'en sort bien. De temps en temps, il envoie un chèque en me demandant d'acheter un beau cadeau à Michael. Il n'a pourtant pas revu son fils depuis je ne sais combien d'années.

— Il n'a jamais cherché à le revoir ?

— Une fois, quand il était à Toronto. Il avait envoyé des tickets de concert et un billet d'avion en proposant à Michael de venir le voir sur scène.

— Et alors ?

— Michael avait à peine dix ans. Je n'allais sûrement pas le mettre tout seul dans un avion pour aller regarder son père s'exhiber en public avant de le laisser tomber une fois de plus. J'ai dit à Gabe que s'il voulait voir son fils, il pouvait venir le chercher et se conduire normalement. Il ne me l'a jamais redemandé depuis.

Dina compara sa situation et celle de son amie.

— Au moins, tu as Michael. Il est à toi et Gabe n'a pas essayé de te l'enlever.

— Ouais... Je n'ai sans doute jamais apprécié à sa juste

146

valeur son manque d'intérêt pour son fils. Excuse-moi, mon chou, ce n'était pas drôle, se reprit-elle aussitôt.

— Rien n'est drôle quand il est question de mariages brisés et d'enfants pris en otages. Au début, on n'imagine pas que les rapports puissent devenir aussi... aussi cruels.

Emmeline ferma un instant les yeux, arbora une expression rêveuse.

— Au début, entre Gabe et moi, c'était de la magie pure, comme ça ne peut l'être que quand on est jeune. J'étais la meilleure cuisinière de Grosse-Tête – et là-bas, mon chou, toutes les femmes sont des cordons-bleus, je te prie de me croire. Les gens venaient de dizaines de kilomètres à la ronde pour mes soufflés de patates douces, mon *okra*, mes haricots rouges au riz, mes poulets frits... Hmm ! J'ai faim rien que d'en parler.

— Tu me donnes faim aussi.

— Bref, j'étais là, la petite Emmeline Fontenot, et il y avait Gabriel LeBlanc qui jouait du banjo comme personne. Laisse-moi te dire que nous avons fait de la belle musique ensemble.

Dina se demanda en souriant si Emmeline savait à quel point son visage se transformait à l'évocation de ces temps heureux.

— C'est drôle, je ne regrettais pas à l'époque de travailler dur et d'entretenir Gabe. Et puis, nous avons eu de la chance, du moins nous l'avons cru. Le groupe de Gabe a enregistré un disque qui est devenu un tube du jour au lendemain. On n'entendait que lui, pas seulement à Grosse-Tête ou à La Nouvelle-Orléans, mais dans le Sud tout entier.

— Cela a dû être formidable, commenta Dina, qui savait pourtant que le « formidable » n'avait pas duré.

— Ça aurait été bien si nous étions restés là-bas. Mais Gabe ne rêvait que de New York. Je lui disais que New York n'avait rien à voir avec le Sud, mais il ne voulait pas écouter. Il faisait comme si je cherchais à le priver de la chance de sa vie. Alors, nous sommes venus ici, dit-elle avec un profond soupir. Nous n'avons fait qu'une bonne chose à New York : Michael.

La tendresse évidente dans la voix d'Emmeline prononçant le nom de son fils fit de nouveau sourire Dina.

— Quant au reste, ma foi, ce n'était plus si bien. Gabe jouait dans des mariages, des petites boîtes, il gagnait à peine de quoi couvrir les frais du groupe. Le succès que devait lui apporter la grande ville se faisait attendre. Pendant ce temps, j'ai travaillé comme une esclave, jusqu'à mon accouchement.

Dina se remémora sa première grossesse, la manière dont Karim la dorlotait.

— La situation a empiré après la naissance de Michael, reprit Emmeline. Nous manquions de tout. Et puis, un beau jour, Gabe s'est envolé. Nous ne nous étions pas disputés, non, il est tout simplement parti avec les onze cents dollars qui restaient sur le compte en banque. Après, je n'ai plus entendu parler de lui pendant près d'un an, quand il m'a renvoyé l'argent. Sans un mot, rien, juste les onze cents dollars. Il m'a sans doute rendu service en me plaquant, ajouta Emmeline en soupirant, mais ce n'est pas ce que j'ai pensé à l'époque.

La suite de l'histoire, Dina la connaissait. Emmeline avait pris un emploi à Manhattan dans un restaurant de spécialités de la Louisiane. De sous-chef elle était devenue chef quand celui-ci avait démissionné pour monter son propre restaurant. La chance y avait conduit un soir un critique gastronomique renommé, qui s'était répandu en louanges sur ses talents culinaires. D'autres critiques vinrent vérifier les dires de leur collègue, les articles flatteurs se succédèrent. Plus tard, avec l'appui d'investisseurs, elle avait ouvert son propre restaurant puis publié un livre de cuisine avant de toucher un peu à tout, notamment à la décoration d'intérieur. De succès en succès, elle avait monté ce qu'elle appelait modestement un « petit show » sur le réseau câblé, où elle diffusait ses recettes de cuisine, de décoration et de bien d'autres choses encore. À l'expiration de son contrat initial, ses indices d'écoute en constante progression lui avaient valu un renouvellement assorti de la rémunération la plus élevée jamais offerte par la chaîne.

Emmeline avait alors vendu son restaurant, réalisé de fructueux investissements et consacré son temps à la télévision. Son agent en était maintenant à négocier la programmation de son show en première partie de soirée et il était même question de lancer une gamme d'épices cajuns et autres produits dérivés.

Dina se demandait parfois si Emmeline était heureuse. Si elle extériorisait volontiers ses colères et ses frustrations, il était difficile de savoir si elle avait trouvé le contentement, sinon le bonheur, dans l'existence qu'elle avait créée pour son fils et elle. Dina avait conscience du gouffre qui la séparait d'Emmeline, au point de se sentir parfois honteuse de n'avoir jamais eu besoin de lutter. Avant l'épreuve qui la frappait, elle menait la vie qu'elle avait toujours voulue, un mari, de beaux enfants, une carrière modeste mais gratifiante.

— Tu es bien tranquille depuis cinq minutes, fit observer Emmeline. Tu es prête à te coucher ?

— Non, pas encore. Dis-moi, as-tu revu Gabe depuis qu'il t'a quittée ?

— Oui, une fois. Michael avait trois ans, je l'avais emmené voir ses grands-parents. Tu sais comment les nouvelles vont vite dans une petite ville. Bref, Gabe l'avait appris et il est arrivé un beau matin, tout sourire, comme si de rien n'était, en demandant à voir son fils. Tu peux imaginer comment je l'ai reçu ! « Ton fils ? Il est ton fils maintenant, après trois ans sans un mot ? Tu te crois dans un zoo où on vient caresser les animaux avant de rentrer chez soi ! » Son sourire s'est à peine atténué. « Tu es dure, Emmeline Fontenot », m'a-t-il répondu. Finalement, il a admis que je n'avais pas tout à fait tort.

— Alors, qu'as-tu fait ?

— Il m'a promis de s'amender si je le laissais voir son fils. Michael a d'abord été intimidé, après il s'est réchauffé, comme tout le monde. Il est difficile de ne pas aimer Gabe, tu sais. Ensuite, Gabe a plus ou moins tenu promesse. Comme je te l'ai dit, il envoie de temps en temps un chèque et des cartes postales des endroits où il passe en tournée. J'ai compris que sa carrière allait de mieux en mieux quand il a commencé à envoyer des cartes postales du Canada ou de France. Il téléphone aussi parfois. Michael accepte quelquefois de lui parler, quelquefois non.

— Qu'est-ce que Michael pense de Gabe ?

— Il est surtout blessé et en colère, ce que je ne peux pas lui reprocher. Une carte postale vaut peut-être mieux que rien, mais Michael sait que les choses ne devraient pas se passer comme ça entre un père et son fils. J'essaie de me dominer dans mes paroles, afin que de mauvais sentiments ne lui empoisonnent pas l'esprit. Je lui dis : « Tu n'as qu'un seul papa, mon chéri. Je regrette qu'il ne soit pas celui que tu mérites – Dieu sait si tu mérites tout ce qu'il y a de meilleur. Mais Gabriel LeBlanc est ainsi. Il t'aime à sa manière, même si elle est loin d'être bonne. Il vaut donc mieux te mettre en paix avec ça si tu ne veux pas devenir un homme aigri, en colère contre le monde entier. »

— Et que répond-il ?

— La plupart du temps, il répond « Bof ! », fit Emmeline en souriant.

Les deux amies bavardèrent encore un moment, jusqu'à ce que Dina se laisse vaincre par le sommeil. Emmeline l'imita peu de temps après.

25

— Et d'abord, qui c'est ce type ? voulut savoir Rachel pendant que Sarah se préparait à sortir dîner avec David.

Les poings sur les hanches, les sourcils froncés, elle incarnait l'Inquisition préservant la Vertu en péril – mais une ravissante Inquisition dotée d'opulentes boucles rousses et de superbes yeux verts. Sarah savait qu'elle ne devrait pas avoir l'air de s'excuser auprès de sa fille, mais elle ne pouvait s'en empêcher.

— Je te l'ai déjà dit, David Kallas est avocat. J'ai fait sa connaissance quand Dina est allée le consulter au sujet de ses enfants.

— Alors, pourquoi sors-tu encore avec lui ? C'est la quatrième fois. Ne crois pas que je ne remarque rien.

Dommage que les fessées ne soient plus à la mode, pensa Sarah. Si elle avait parlé à sa mère sur ce ton, elle aurait reçu une bonne tape. Mais les temps avaient changé...

— Tu n'es pas chargée de me surveiller, Rachel. Je suis adulte, je ne suis plus mariée et...

— C'est pas vrai ! Tu passes ton temps à répéter que tu n'es pas vraiment divorcée !

— Je suis assez divorcée pour sortir avec qui bon me semble, répliqua Sarah sèchement. Et ton père pense manifestement la même chose, ajouta-t-elle en espérant que l'algarade s'arrêterait là.

— Ce que fait ou pense papa n'a rien à voir avec la question. Tu cherches à l'éluder une fois de plus.

— Et quelle est cette question, je te prie ?

Elle avait l'impression d'être elle-même l'adolescente mise en accusation par sa mère. Un comble !

— La question est celle-ci : je veux savoir ce que tu fais et ce que cela signifie.

Sarah refréna de justesse son envie d'éclater de rire.

— Autrement dit, tu veux connaître mes intentions ?

— Oui, répondit Rachel d'un air de défi.

Malgré son exaspération, Sarah ne put s'empêcher de penser que sa fille était une vraie beauté.

— Je l'ignore. Pour le moment, ma seule intention consiste à sortir avec David aussi souvent que je le souhaite. Sa compagnie me plaît. Si mes intentions changent, je te le ferai savoir. Et je te demande, enchaîna Sarah pour couper à Rachel la parole qu'elle allait reprendre, d'être polie avec David comme avec mes autres relations.

Une moue déforma la jolie bouche de Rachel, qui partit dans sa chambre en claquant la porte – ce n'était pas la première fois. Les garçons devaient être plus faciles, soupira Sarah. Sûrement moins pénibles.

Quand David arriva, Sarah n'était pas prête et dut le faire attendre au salon – en espérant que Rachel resterait dans sa chambre. Jusqu'alors, David avait paru insensible aux réactions de l'adolescente, qui allaient du dédain glacial à l'impolitesse caractérisée. Était-il immunisé par un bataillon de nièces invivables ? Ou par le fait que les problèmes de Rachel ne le concernaient pas ?

En entendant sa fille faire irruption au salon, Sarah retint sa respiration et se prépara à un nouveau festival d'insolences. Son premier mouvement fut de se précipiter, mais elle décida d'attendre et de voir ce qui allait se produire. Le sang-froid de David résisterait-il à ce que Rachel lui jetterait à la figure ? Elle s'approcha de la porte à pas de loup, tendit l'oreille et fut vite impressionnée par ce qu'elle entendit.

— Je n'ai que les meilleures intentions envers ta mère, disait David en réponse à une question que Sarah n'avait pas entendue.

Rachel garda le silence.

— Tu sais certainement qu'elle t'aime plus que quiconque au monde et je ne voudrais à aucun prix y mettre le moindre obstacle. J'espère seulement que tu comprends que ta mère a besoin d'une compagnie adulte. De quelqu'un capable de veiller sur elle quand tu la quitteras, ajouta-t-il après avoir marqué une pause.

Rachel se taisait toujours. Sarah l'imaginait sans peine, raide comme la justice, les bras croisés, les lèvres serrées. À l'évidence, David n'était pas intimidé car il poursuivit du même ton plaisant :

— Tu n'y as sans doute pas encore pensé, Rachel, mais tu la quitteras et peut-être plus tôt que tu ne crois. Un jour, tu mèneras ta propre vie, tu fonderas une famille. Accepterais-tu de priver Sarah de la compagnie dont je te parlais ? Imagine qu'elle me dise : « Écoutez, David, vous êtes un brave homme – et je suis un brave homme, Rachel, tu peux demander à ma mère –, mais nos rapports rendent ma fille malheureuse, donc je ne vous verrai plus pour lui faire plaisir. » Que ferais-tu ?

Sarah perçut un léger bruit, Rachel qui changeait de position sans doute, mais toujours pas de réponse. Où diable David voulait-il en venir ?

— Eh bien, cela te ferait peut-être plaisir, au moins pour le moment, non pas parce que tu es méchante mais parce qu'il est naturel que les enfants, et parfois certains parents, ne veuillent pas troubler leur vie ou leurs habitudes. Sautons donc quelques années, disons une vingtaine. Tu as une carrière – ta mère m'a raconté ton talent pour les arts graphiques – et peut-être aussi une famille. Les journées te paraissent trop courtes pour faire tout ce que tu voudrais. Et il y a ta mère. Sa propre carrière se ralentit, elle vit seule et souffre souvent de la solitude. Voudrais-tu qu'elle te téléphone trois fois par semaine pour se plaindre des sacrifices qu'elle a faits pour toi ? Qu'elle te demande de venir s'occuper d'elle toutes affaires cessantes ? Qu'elle te culpabilise à mort si tu ne peux pas ou ne veux pas faire passer ses besoins à elle avant les tiens ?

Sarah crut entendre Rachel pousser un gloussement.

— As-tu seulement envisagé tout cela ? reprit David,

encouragé par cette réaction. Comment peux-tu être une bonne petite fille juive et ne pas connaître le genre de complexe de culpabilité qu'une mère seule est capable d'infliger ?

Cette fois, Rachel éclata de rire. Elle avait trop souvent entendu les conversations téléphoniques entre Sarah et sa mère pour ne pas comprendre exactement de quoi il s'agissait. Les piteuses excuses pour le voyage en Floride décommandé à la dernière minute. Les promesses non tenues d'appeler régulièrement, de garder le contact avec de vagues cousines disséminées dans tout le pays, etc.

Intéressant, pensa Sarah. David avait réussi à exposer son point de vue sans critiquer celui de Rachel, mais en lui faisant toucher du doigt ses propres intérêts, pour ne pas dire son légitime instinct de conservation. Elle en avait assez entendu.

— Vous êtes ravissante ce soir, dit David en la voyant paraître.

Rachel resta silencieuse mais regarda longuement sa mère. En partant, David salua la jeune fille et lui souhaita une bonne soirée.

— Rachel et moi serons bientôt bons amis, assura-t-il à Sarah pendant qu'ils attendaient l'ascenseur.

— Vous paraissez bien sûr de vous.

— Un bon avocat, répondit-il en souriant, doit être sûr d'avoir gain de cause, c'est essentiel pour gagner. Il faut aussi que le dossier soit bon, ce qui est mon cas, je peux l'affirmer sans me vanter.

La soirée fut encore plus agréable que les précédentes, un dîner au Plaza, un orchestre de danse, des lumières tamisées. Sarah adorait l'ambiance romantique de l'endroit et retrouva avec joie le plaisir de danser, ce qui ne lui était pas arrivé depuis des années. David se révéla un excellent danseur, et Sarah se souvint d'un dicton selon lequel un homme qui danse bien est souvent un amant attentionné.

Mais elle s'efforça de ne plus y penser. Il était encore trop tôt. Beaucoup trop tôt.

Quand il la raccompagna chez elle, il l'embrassa devant la porte d'une manière qui lui rappela avec attendrissement les baisers de ses premiers amoureux, quand elle vivait ces brefs moments de plaisir dérobés à la vigilance des parents.

— Ce sera tout pour ce soir, murmura-t-il quand ils se séparèrent enfin, hors d'haleine comme des adolescents. Il ne faudrait pas que Rachel nous surprenne.

— Surtout pas ! renchérit Sarah en riant, bien que la perspective n'ait rien de réjouissant.

— Un de ces soirs, suggéra-t-il après une légère hésitation, nous pourrions peut-être dîner chez moi ?

Elle comprit sans peine l'allusion cachée sous la question. Bien sûr, cette question était prévisible et même normale. Sarah s'y attendait, l'espérait – et la craignait à la fois.

Mais elle répondit oui.

26

Dina manœuvrait l'aspirateur sans conviction et l'éteignit après avoir renversé un vase en équilibre instable. Elle avait cru que faire le ménage, se débarrasser de la poussière qui recouvrait tout d'une pellicule grise, aurait un effet thérapeutique. Elle se rendait compte que ce n'était qu'un travail fastidieux incapable de la détourner de ses pensées obsessionnelles. Où était Constantine en ce moment, que faisait-il, lui donnerait-il de bonnes nouvelles à son retour ? Ou lui infligerait-il une nouvelle déception, encore plus cruelle ?

Elle quitta le salon pour aspirer la moquette de l'escalier. Elle n'avait plus d'aide depuis qu'elle avait renvoyé la femme de ménage qui venait deux fois par semaine, pour la seule raison que Karim l'avait engagée. Elle ne voulait chez elle plus personne ayant eu de près ou de loin un rapport avec lui. Après la trahison de Fatma, elle craignait de faire entrer dans la maison des inconnues susceptibles de l'espionner. Elle changerait peut-être d'avis plus tard, mais pour le moment elle préférait rester seule.

— Quand la maison sera vraiment trop sale, je ferai venir un service de nettoyage, expliquait-elle à sa mère, qui s'inquiétait de la voir se surmener. Je n'ai pas grand-chose d'autre à faire, ces temps-ci. Je faxe mes dessins à Eileen, qui fait un excellent travail. Je n'ai qu'un seul rendez-vous cette semaine avec une personne du nouveau musée qui se construit dans Columbus Circle. Je pense même pouvoir faire accepter ma proposition avant la fin des travaux.

— Tant mieux, ma chérie, tu as tant de talent... tu mérites tous les succès.

Sa chère maman ! Elle dirait la même chose si ses créations étaient affreuses ou de mauvais goût. Mais c'est ainsi que les mères sont censées encourager leurs filles. Elle l'avait elle-même fait pour sa fille et le referait encore. Sa petite Suzy lui manquait plus cruellement chaque jour.

Se forçant à continuer, elle entra dans la chambre de Jordy. Il y régnait un ordre presque excessif, comme si son fils voulait lui prouver qu'il ne lui imposait pas de corvées. En passant un chiffon sur la table de travail, elle vit le coin d'une enveloppe dépasser de sous la lampe. Elle la prit, reconnut l'adresse de l'expéditeur : celle de Sarah. L'enveloppe était ouverte et Dina la regarda longuement en hésitant.

Elle n'était pas de ces parents qui fouinent dans les affaires de leurs enfants car elle pensait sincèrement qu'un enfant a le droit d'avoir une vie privée, du moins jusqu'à un certain point. Mais le monde avait changé autour d'elle, comme sa propre existence. Elle savait désormais que toutes sortes de mauvaises surprises peuvent survenir à l'improviste. Pour le bien de Jordy, jugea-t-elle, elle devait se tenir informée de ce qui le concernait. Dina ouvrit donc l'enveloppe.

Elle contenait un article sur les problèmes qu'affrontaient les homosexuels musulmans dans des sociétés qui les exécraient au point de les mettre à mort parfois. L'article citait les témoignages de jeunes hommes qui estimaient que le Prophète n'avait jamais voulu punir ou bannir les vrais croyants. Sous le couvert de l'anonymat, un imam avançait la thèse selon laquelle l'homosexualité était historiquement restée clandestine dans les pays musulmans, non par une haine particulière de ces comportements mais parce que l'islam avait toujours recommandé la discrétion sur tout ce qui touchait à la sexualité en général. L'article mentionnait également l'adresse d'une association d'assistance juridique et psychologique basée à Washington avec une antenne à New York, dont les coordonnées étaient surlignées en jaune.

L'enveloppe contenait aussi un mot de Rachel Gelman :

Cher Jordy,

Je trouve que ta situation est ignoble. Je le pensais avant même que ton père fasse ce coup fourré à ta mère et à toi. Je le pensais déjà quand il t'a expédié en pension, mais je n'ai rien voulu dire pour ne pas t'accabler encore plus. Je me suis donc contentée de vanter les mérites de ton académie, où tu pourrais te former un réseau d'amis et aller ensuite dans une université top niveau. Je me disais que quand tu serais prêt à devenir un grand journaliste, un de tes amis riches pourvu de bonnes relations pourrait t'aider à décrocher un bon job dans un journal prestigieux, comme le New York Times. *En attendant, j'ai trouvé cet article. Le lire te rendra peut-être service...*

Un grand journaliste ? s'étonna Dina. Quand Jordy avait-il dit qu'il s'intéressait au journalisme ? Jamais à elle, du moins. Il n'avait parlé que de photographie. Elle se demanda pourquoi il ne s'était pas ouvert à sa mère de ses projets ou de ses ambitions, si elles étaient réelles. Elle s'était pourtant crue très proche de son fils aîné.

Elle avait protesté lorsque Karim l'avait banni, mais sans rien faire pour l'en empêcher, c'est vrai. Jordy avait-il considéré son attitude comme une trahison ? Il s'était pourtant comporté avec elle de façon tout à fait normale depuis. Elle décida de lui demander ce qu'il avait ressenti quand elle s'était résignée à accepter la sentence de Karim.

... Autre chose qui t'intéressera peut-être, poursuivait Rachel. *J'ai rencontré à l'école un garçon dont le frère appartient à cette association. Si tu veux faire sa connaissance, dis-le-moi, je te donnerai ses coordonnées. Il s'appelle Riyad et il est vraiment sympa.*

Dina regarda de nouveau la coupure de presse : *Association de soutien des musulmans gays.* Pourquoi n'y avait-elle pas pensé ? Sans doute parce qu'elle n'avait jamais considéré Jordy comme un musulman, bien que le fils d'un musulman le soit lui-même par définition. Elle avait acheté les livres vus à la librairie pendant sa visite à Jordy, mais elle avait à peine entamé la lecture du premier. Était-ce par honte ? Pas de Jordy, mais de la situation qu'il avait précipitée ? Le déchirement de sa famille, le prétexte pour Karim d'en rejeter la responsabilité sur n'importe qui sauf sur lui-même. Un Karim qui semblait croire désormais qu'Ali constituait son seul espoir dans l'avenir.

Et pendant tout ce temps, Jordy avait été seul, reconnut-elle amèrement. Dieu bénisse Rachel. Il y avait eu au moins une personne avec qui il avait pu parler de ses parents.

Certes, elle lui avait écrit, envoyé des gâteaux confectionnés par ses soins, le genre de choses à partager avec ses nouveaux amis. Certes, elle lui avait régulièrement rendu visite – mais toujours avec des remords et l'inquiétude que ces visites provoquent une nouvelle algarade de Karim, comme si elle allait voir son amant et non son propre fils. Aussi s'était-elle toujours efforcée de faire coïncider ses absences avec les voyages d'affaires de Karim. Elle s'était crue si habile ! Fatma la traîtresse n'avait sans doute jamais manqué de rapporter ses moindres contacts avec Jordy, et les visites avaient dû figurer en bonne place dans la liste de ses crimes établie par Karim.

Tout cela me révolte. Je voudrais que Karim soit mort... L'ai-je pensé sérieusement ? se demanda-t-elle, choquée. Eh bien, oui ! Mais pas avant qu'il m'ait rendu Suzanne et Ali.

Ce soir-là, elle téléphona à Sarah.

— Savais-tu que Jordy restait en contact avec Rachel depuis son départ ? questionna-t-elle au bout de quelques minutes.

— Oui, répondit Sarah après une légère hésitation, j'étais au courant. Pourquoi ?

— Parce que je ne me doutais de rien. Je dois être idiote.

— Mais non. Ils se connaissent depuis toujours, ils se sentent en sécurité ensemble. Il n'y a pas entre eux de problèmes sexuels ou autres parce qu'ils se considèrent un peu comme frère et sœur.

— Oui, soupira Dina. Et comme nous sommes amies, ils peuvent se plaindre l'un à l'autre de leurs parents respectifs.

— C'est une bonne chose, en un sens... Écoute, Dina, je ne veux pas avoir l'air de changer de sujet, mais comment te sens-tu ? Veux-tu que nous sortions ensemble ce soir ? Dîner, voir un film ?

— Merci, Sarah, ce n'est pas la peine. Je préfère passer ma soirée à écrire à Jordy. Et puis, si tu estimes qu'elle ne le prendra pas mal, dis à Rachel de ma part qu'elle est une fille bien.

Sarah ne put retenir un petit rire amer.

— Je crains de ne pas être la bonne personne en ce moment pour lui transmettre le message.

— Pourquoi ? Qu'est-ce qui ne va pas ?

— Rachel me considère comme la pire des garces depuis que je sors avec David.

— Sarah, voyons !...

— Non, je la comprends. J'ai envie de la gifler, mais je la comprends. À un certain niveau, il s'agit d'elle plutôt que de moi. La vie que nous menons lui convient. Elle ne veut pas, ou plutôt elle a peur de voir un homme s'interposer entre nous deux et peut-être tout bouleverser.

— Tout bouleverser ? s'exclama Dina. C'est vraiment sérieux entre vous ?

— Comment veux-tu que je le sache ? Je n'ai pas encore eu le temps d'y réfléchir.

— Excuse-moi, Sarah. Ce n'est pas par curiosité malsaine...

— Je sais, Dina, je te connais trop bien. Je suis un peu sur les nerfs parce que ce ne sera pas facile de continuer à voir David. Pour ne rien arranger, je crois que Rachel raconte tout à son père et en rajoute même. Je te parie qu'il l'encourage à me rendre la vie impossible.

— Le salaud !

— Oui. Ari n'est pas invulnérable aux coups de bâton, mais si les injures pouvaient le blesser, il serait en miettes depuis longtemps.

— Excuse-moi, je...

— Ne t'excuse pas, je t'en prie. Ton problème est autrement plus grave. Embrasse Jordy de ma part quand tu lui écriras et dis-lui tout le bien que je pense de lui.

— Je n'y manquerai pas. Et je trouverai dans mon cœur les mots pour qu'il en soit certain.

27

Constantine avait l'air fatigué et, bien entendu, ne ramenait pas les enfants. Dina s'était quand même précipitée à leur rendez-vous telle une affamée se ruant sur les moindres miettes capables de tromper sa fringale.

Il l'attendait dans un typique bistrot parisien transplanté à Greenwich Village. Des plaisanteries qu'il échangeait avec le barman, Dina déduisit qu'ils se connaissaient de longue date. Pour lui, il commanda sa « potion habituelle », c'est-à-dire un double whisky irlandais, et pour Dina un verre de vin blanc. Quand ils se furent assis à une table un peu à l'écart, il lui fit son rapport.

Ce n'était guère encourageant.

— Les enfants ne sortent presque jamais de la maison. Je ne les ai aperçus que deux fois, en voiture. Une fois avec leur père, l'autre avec la belle-sœur et une femme plus âgée, probablement la nurse.

— Fatma ?

— Possible. Je ne pouvais pas me mettre en planque dans la rue. À Amman, je passe à la rigueur pour un Européen, pas pour quelqu'un du pays. La plupart du temps, j'ai dû me contenter d'observer aux jumelles depuis un petit hôtel situé sur une hauteur à quatre cents mètres de là. Seul élément positif, je n'ai relevé aucune mesure sérieuse de sécurité. Mais il règne toujours une forte activité dans la maison, des gens qui entrent, qui sortent à longueur de journée.

— La famille est très nombreuse. Karim a beaucoup de cousins.

— Ce qui nous pose un problème. Pour reprendre les enfants, il faudra attendre qu'ils soient sortis de la maison, sans autant de monde autour d'eux. D'après ce que j'ai vu, cela n'arrive pas souvent.

— Karim prend peut-être ses précautions jusqu'à ce qu'il soit sûr que je ne ferai rien. Votre ami Einhorn m'avait raconté comment il s'y était pris pour s'introduire dans une maison, ajouta-t-elle.

— Je vous l'ai déjà dit, nos méthodes de travail ne sont pas les mêmes. S'introduire en force présente trop de risques.

— Que pouvons-nous faire, alors ? demanda Dina, découragée.

— Il nous faudra le concours d'une personne à l'intérieur, qui pourra nous renseigner sur les habitudes de la maisonnée.

— Un membre de la famille ?

— Peut-être votre belle-sœur, vous m'avez dit qu'elle était la plus amicale à votre égard. Mais en réalité, je pense à vous-même. Vous êtes autorisée à rendre visite aux enfants. Vous devrez en profiter.

Un plan commença à s'esquisser. Constantine avertit Dina qu'il lui faudrait sans doute plus d'une visite pour réunir tous les éléments dont ils auraient besoin. Mais une occasion pouvait se présenter à tout moment et ils devraient rester prêts à agir vite.

— C'est sérieux, Dina, la mit-il en garde. Votre mari a des ressources dont nous ne disposons pas. Il ne s'en est pas servi jusqu'à présent, mais ne vous faites pas d'illusions, il mettra ses relations en œuvre à la première occasion. Vous devrez donc être très prudente. Je vous ai acheté un téléphone satellitaire sécurisé que vous utiliserez quand vous serez à Amman. Vous ne m'appellerez jamais directement. Nous prendrons contact par l'intermédiaire de l'ami dont je vous ai parlé – appelons-le « le Major ». En cas de besoin, je pourrai me faire assister par un ou deux hommes sûrs avec lesquels j'ai déjà travaillé.

En serait-elle capable ? se demanda Dina. Pourrait-elle voir Karim face à face et faire semblant de s'être résignée, de se satisfaire du rôle de visiteuse occasionnelle de ses propres enfants ? Pourrait-elle affronter ses beaux-parents, dont elle savait qu'ils ne l'avaient jamais aimée ni acceptée ? Et, surtout, saurait-elle obtenir les renseignements dont Constantine aurait besoin pour ramener les jumeaux au bercail ?

28

Emmeline et Sarah arrivèrent chez Dina avec des cadeaux et des mises en garde. Emmeline apportait une crème solaire spéciale censée protéger sa peau délicate des ravages du soleil jordanien, Sarah un assortiment de remèdes destinés à combattre les diverses maladies et infections proliférant dans les pays chauds.

— Alors, tu es décidée ? voulut savoir Sarah. Tu veux vraiment aller au bout de ce projet dément ?

— Oui, confirma Dina.

— Je t'ai déjà dit ce que j'en pensais et je te le répète pour la dernière fois, il ne me plaît pas. Pas du tout.

— Bien sûr qu'il ne te plaît pas, intervint Emmeline. Et alors ? Crois-tu qu'il plaise davantage à Dina ? La question n'est pas de savoir s'il plaît, mais s'il est efficace.

En réalité, elle aurait voulu accompagner Dina pour la protéger si Constantine ne se montrait pas à la hauteur.

— J'accepte un meilleur plan, si quelqu'un en a un.

Dina était elle-même assez réticente pour souhaiter que ses meilleures amies la soutiennent au lieu de la décourager.

— Justement, déclara Sarah, de quel plan parles-tu ? J'ai l'impression que vous allez foncer à l'aveuglette, ce

163

détective et toi, et improviser dans l'espoir que tout se passera bien. C'est un peu léger, si tu veux mon avis.

— C'est pourtant comme ça ! Nous ne pouvons pas mettre de plan au point sans avoir étudié les conditions sur place.

— Rien de plus logique, approuva Emmeline.

— Tu ne te rends pas compte du danger, insista Sarah. David dit que vous pourriez avoir de graves ennuis et même vous retrouver en prison. C'est un pays du Moyen-Orient !

— Je t'en prie, Sarah ! La Jordanie n'est pas l'Afghanistan.

— Et puis, renchérit Emmeline, Dina est du Moyen-Orient. Son père, je veux dire. En plus, elle a déjà été en Jordanie.

— Oui, mais avec son mari, précisa Sarah – ce qui lui valut un regard incendiaire des deux autres. Bon, je n'insiste pas. Tu le feras, je sais. Je tenais à te recommander la prudence, voilà tout.

— Cela me touche, sincèrement. Mais rassure-toi, je ne suis pas une gamine écervelée qui se jette la tête la première dans une aventure, crois-moi. Je t'avouerai même que j'ai un peu peur.

Plus qu'un peu, pensa-t-elle. Prendre l'avion le surlendemain lui faisait l'effet de sauter d'une falaise dans l'obscurité.

— C'est bien d'avoir peur, approuva Sarah. La peur t'empêchera de prendre des risques inconsidérés.

Ce fut alors au tour d'Emmeline de prêcher la prudence :

— John Constantine a l'air de n'avoir peur de rien, lui. J'espère seulement qu'il sait ce qu'il fait.

— C'est un professionnel. Je me fie à son jugement.

Et elle le pensait. Derrière ses manières parfois rudes, elle sentait un réel souci de l'essentiel : sa sécurité et celle des enfants.

— Bien, dit alors Sarah. L'important, maintenant, c'est de savoir ce que nous pouvons faire, Emmeline et moi.

— Vous pourriez commander le dîner, suggéra Dina.

— Je parle sérieusement ! s'exclama Sarah, soutenue par un regard approbateur d'Emmeline. De quoi auras-tu besoin ? D'argent, par exemple ? Ton expédition va coûter les yeux de…

— Écoute, l'interrompit Dina, voyons d'abord comment elle va se passer. Si tout va bien, pas de problème. Sinon, j'aurai besoin de vous deux plus que vous ne le croyez. En cas de pépin, j'aurai peut-être recours à votre argent ou aux services de David. Et si les choses tournaient vraiment mal, il me faudra quelqu'un pour prendre soin de Jordy.

L'une ou l'autre feraient aussi bien l'affaire. Jordy et Michael se connaissaient depuis l'enfance et, bien qu'ils ne se soient pas revus depuis un certain temps, elle savait pouvoir compter sur Michael pour redevenir un ami fidèle. Quant à Rachel, elle avait su rester proche de Jordy d'une manière dont sa propre mère n'avait pas été capable. Leur amitié était aussi forte que celle qui la liait à Sarah et à Emmeline.

— Ne dis pas des choses pareilles ! protesta Emmeline. Tu sais bien que nous ferions n'importe quoi pour toi et tes enfants ! Alors, ne nous porte pas la poisse en prévoyant le pire, tu entends ?

— J'entends. En tout cas, vous serez mes renforts en réserve. Et n'oubliez pas le décalage horaire. Si je vous appelle à trois heures du matin, ne vous affolez pas.

Elles approuvèrent d'un signe de tête. Dina commanda le dîner par téléphone. Le repas terminé, elle consulta sa montre. Il était temps de se séparer, expliqua-t-elle. Elle avait des coups de téléphone à passer, à ses parents et à Jordy. Le lendemain, elle devait rencontrer Constantine une dernière fois avant leur départ afin de s'assurer que tout était prêt.

— Et maintenant, conclut-elle en les accompagnant à la porte, les dés sont jetés. Souhaitez-moi bonne chance.

Les larmes se mêlèrent aux embrassades, aux conseils de prudence, aux promesses. Puis, d'un coup, Dina fut seule. Son voyage lui paraissait à la fois imminent et à des années-lumière, dans un avenir presque irréel. *Seigneur !* pensa-t-elle. *Que va-t-il m'arriver ? Et retrouverai-je un jour mes bébés chéris ?*

29

Son dernier entretien avec Constantine fut bref et précis.

— Je serai dans le même avion que vous, ainsi nous arriverons à Amman en même temps. Mais vous ne devrez pas me parler pendant le vol. Ne me regardez même pas. À l'arrivée, n'oubliez pas que vous avez un rôle à jouer. Votre mari a les atouts en main puisqu'il détient vos enfants. Vous ne lui demandez rien de plus que de passer quelques jours avec eux. Pour préserver cette possibilité à l'avenir, restez en bons termes avec lui. Souvenez-vous-en quand vous serez tentée de le rouer de coups de poing.

— J'essaierai de ne pas l'oublier, répondit-elle en souriant.

Constantine ne lui rendit pas son sourire. Dina en déduisit qu'il était déjà en « mode opérationnel », l'esprit concentré sur ce qu'il avait à faire, ce qui était encourageant.

— Voici le numéro de l'intermédiaire par lequel nous serons en contact, poursuivit-il en lui donnant un morceau de papier. Comme je vous l'ai dit, nous l'appellerons le Major. J'ai en lui une entière confiance. Téléphonez-lui quand vous aurez quoi que ce soit à me communiquer. Et si la moindre chance de reprendre les enfants sans problème se présentait à l'improviste, contactez-moi immédiatement. Vous en sentez-vous capable ?

— Je me sens capable de faire n'importe quoi pour récupérer mes enfants.

— Bien, dit-il en lui tendant un autre morceau de papier. Ceci est le numéro du portable ordinaire dont je me servirai là-bas. Ne l'utilisez qu'en cas d'extrême urgence.

— Je comprends.

— Bien, répéta-t-il. Avez-vous des questions de dernière minute ?

Dina allait répondre par la négative quand elle se ravisa.

— Je voudrais juste savoir... croyez-vous que nous ayons une chance de réussir ? Une chance réelle ?

Il lui serra la main, lui décocha un de ses brefs sourires en coin, mais son regard resta sérieux, presque sévère.

— Si je n'en étais pas convaincu, je ne monterais pas demain dans cet avion avec vous.

Ce n'était pas la réponse que Dina avait espérée. Elle aurait voulu qu'il la rassure, lui promette que, d'une manière ou d'une autre, il reprendrait Suzanne et Ali pour les lui rendre. Mais elle était forcée de s'en contenter.

30

De l'avion qui amorçait sa descente vers Amman, Dina eut une vue panoramique de la ville. Baptisée la Cité blanche pour ses milliers de maisons basses au crépi immaculé, la capitale de la Jordanie s'étendait sur dix-neuf collines. Quand elle l'avait vue pour la première fois au moment de son mariage, Dina avait cru entrer dans un conte de fées. Comme Grace Kelly séduite par un prince dans un décor de rêve, elle arrivait dans la ville de Lawrence d'Arabie, une ville chargée d'histoire depuis des millénaires, entourée des nombreux vestiges de brillantes civilisations disparues.

Selon les traditions occidentales, les noces auraient dû être organisées par la famille de la mariée, mais Karim et ses parents avaient tenu à ce qu'elles aient lieu en Jordanie afin que famille et amis puissent y assister sans difficulté. Dina avait réussi à convaincre ses parents qu'elle le souhaitait aussi. De fait, à l'époque, elle désirait sincèrement faire plaisir à Karim, et les festivités auxquelles le mariage avait donné lieu l'avaient enchantée. Les proches et les amis de Dina étaient logés aux frais de la famille de Karim dans les meilleurs hôtels d'Amman. Fêtes et réceptions s'étaient succédé une semaine durant, sans parler des somptueux cadeaux dont Karim l'avait couverte.

La cérémonie avait été célébrée par un imam dans la maison des Ahmad, où, selon le rite, les deux pères étaient les témoins des mariés. Dina avait accepté d'autant plus volontiers que leur mariage civil avait déjà été prononcé par un juge à New York. La réception qui avait ensuite duré plus de douze heures s'était tenue sous deux tentes dressées dans le jardin, l'une pour le dîner, l'autre pour les divertissements. Le menu était aussi international que la foule des invités, qui, outre les familles, les proches et les amis, comprenait un contingent de diplomates étrangers et plusieurs membres de la famille royale. La musique elle aussi était internationale car, en plus d'un groupe occidental célèbre, il y avait un orchestre bédouin, une danseuse orientale et deux chanteurs égyptiens renommés dans tout l'Orient.

Le conte de fées s'était poursuivi tout au long des semaines suivantes. Les nouveaux époux partageaient leur temps entre des croisières indolentes sur le yacht de Karim et de longues excursions dans le pays que Karim aimait et qu'il voulait faire aimer à Dina. À l'époque, Dina n'avait nullement l'impression de concéder quoi que ce fût à seule fin de complaire à Karim. Elle vivait une lune de miel plus merveilleuse qu'elle n'en avait jamais rêvé avec un mari passionnément amoureux, toujours plein d'attentions et de prévenances, lui répétant qu'il ne désirait que son bonheur. Plus tard, lorsque leurs rapports avaient commencé à s'altérer, il sembla vouloir alors ce qui la rendait malheureuse, du moins le contraire systématique de ce qui lui plaisait à elle. Dina soupira, se tourna vers le hublot. Suzanne et Ali étaient là, sous ses pieds...

L'appareil se posa enfin, roula vers le terminal. Une foule cosmopolite se pressait dans le hall de l'aérogare, mêlant les vêtements occidentaux, les keffiehs et quelques voiles. Karim attendait seul à la sortie du contrôle de douane et de police. Il avait prévenu qu'il n'amènerait pas les enfants, mais Dina fut quand même déçue. Il y eut un instant gênant lorsqu'il parut sur le point de l'embrasser, puis il dut se rendre compte que ce serait malvenu car ils se contentèrent d'échanger un bonjour froid. Fatiguée par le décalage horaire et la tension nerveuse, Dina le laissa porter ses deux valises et le suivit vers la sortie. Aux yeux des passants, ils n'étaient qu'un couple banal.

Dehors, il faisait tiède, le soleil brillait dans un ciel sans nuages.

— Belle journée, commenta Karim.

— Oui.

Leur conversation en resta là jusqu'à la voiture.

— Où descends-tu ? demanda Karim en s'installant au volant.

— Au Hyatt.

— J'aurais pu te trouver un hôtel moins éloigné.

Alors, pourquoi ne l'as-tu pas fait ? se retint-elle de répliquer avec aigreur. En fait, elle avait refusé de lui demander son aide et choisi seule le Hyatt parce que le nom lui était familier et que Constantine lui avait conseillé de séjourner dans un grand hôtel international où elle serait une cliente anonyme parmi d'autres. De toute façon, elle n'était pas venue en touriste.

— Je vais t'y conduire, dit Karim. Repose-toi, rafraîchis-toi, je reviendrai te chercher pour t'emmener voir les enfants.

— Je croyais que nous irions directement à la maison.

— Il vaut mieux passer d'abord à ton hôtel. Tu es fatiguée et Suzanne et Ali sont avec leur précepteur cet après-midi.

Il voulait lui montrer que c'était lui qui décidait. Soit. Inutile de se battre à ce stade. D'ailleurs, elle était trop lasse.

— Ne te donne pas la peine de venir, je prendrai un taxi.

— Les taxis coûtent cher.

— Ce n'est pas grave.

— Cela ne me dérange pas du tout, insista-t-il sans conviction.

— Non, je préfère le taxi. Quand j'aurai pris mes repères en ville, je pense même louer une voiture.

— Comme tu voudras. Je reste quand même à ta disposition.

Ils roulèrent un long moment en silence tandis que la ville s'offrait peu à peu le long de la route à mesure qu'ils s'approchaient du centre. Amman était une cité de contrastes, ses racines antiques encore visibles derrière sa façade de modernité. Les ruines romaines dominaient un centre grouillant d'activité, les immeubles récents et les villas contemporaines avoisinaient des bâtiments anciens, les boutiques de luxe concurrençaient les souks traditionnels. La ville avait beaucoup grandi et sa population visiblement augmenté depuis la dernière visite de Dina, lorsque Karim lui avait annoncé fièrement qu'elle comptait un million et demi d'habitants.

Les Américains qui questionnaient Dina sur la Jordanie s'imaginaient volontiers Amman comme une cité d'Orient aux ruelles tortueuses bordées de maisons décrépites. Mais si les principaux sites touristiques, le temple d'Hercule ou les arènes romaines par exemple, témoignaient du lointain passé de la Jordanie, l'essentiel de la ville ne datait que de quelques décennies. De fait, Amman était dans son ensemble beaucoup plus récente que New York – et souvent plus propre et mieux entretenue.

Karim se faufilait dans la circulation avec sa prudence coutumière. Dina avait l'impression déroutante de se trouver dans un rêve. Ils avaient ainsi roulé ensemble des milliers de fois – sauf que, cette fois-ci, ils n'étaient plus *ensemble*. Karim lui était devenu aussi étranger qu'un chauffeur de taxi.

Il rompit le long silence en pianotant nerveusement sur le volant, embarrassé.

— Il y a une chose dont je voudrais te parler, puisque nous avons cette occasion d'être seuls. Je n'ai pas tout dit à ma famille. En ce qui concerne le problème de Jordy, par exemple. Ni même le nôtre.

Dina attendit la suite sans ouvrir la bouche.

— Je leur ai laissé entendre que nous étions séparés, que nous avions un… différend, c'est pourquoi je suis venu avec les jumeaux pour prendre un peu de recul. Mais je n'ai rien raconté de plus précis.

— Ils pensent donc que nous essayons de régler notre « différend », comme tu le qualifies ?

— Je suis resté volontairement dans le vague. À mon avis, cela vaut mieux pour tout le monde, surtout pour Ali et Suzanne. Je ne voudrais pas qu'ils croient que nous nous faisons la guerre.

— Autrement dit, répondit Dina en ravalant sa colère avec peine, tu attends de moi que je joue mon rôle dans ta petite comédie ? Que je fasse comme si tout allait bien,

171

hormis un petit problème de rien du tout ? Seulement tu m'as abandonnée et tu m'as volé mes enfants !

— *Nos* enfants, Dina. Mais la question n'est pas là. J'estime simplement préférable que les jumeaux ne pensent pas que nous nous sautons à la gorge. D'ailleurs, ce n'est pas le cas.

— Si tu t'inquiètes tellement d'eux, tu aurais peut-être dû les laisser à la maison. Ce qui t'inquiète, en réalité, c'est ce que pourraient penser papa, maman, le petit frère, les oncles, les cousins ! Dieu fasse qu'ils ne se doutent pas que leur fils aîné chéri a plaqué sa femme et kidnappé ses propres enfants !

La mâchoire de Karim se contracta. Il ouvrit la bouche pour répliquer, mais s'arrêta et se domina au prix d'un effort visible.

— Écoute, tu m'en veux, je le sais et tu en as le droit. J'aurais préféré moi aussi que les choses se passent mieux mais, je te l'ai déjà dit, j'ai pris la décision que je considère comme la meilleure pour les enfants et je n'ai pas l'intention d'y revenir. Tu as un autre point de vue, je le comprends, seulement je ne veux pas que nos enfants en souffrent. Ma famille n'a rien à voir dans notre histoire en ce moment ; de toute façon, elle me soutiendra.

Le fait que Dina garde le silence lui fit croire qu'il avait marqué un point.

— Je te demande juste de ne pas entrer dans les détails déplaisants devant les autres, reprit-il. J'espère que tu le comprends et que tu es d'accord, sinon... Sinon, poursuivit-il après une pause, je préférerais que tu ne voies pas les enfants. Il serait dommage que tu aies fait ce voyage pour rien.

Dina le connaissait assez pour savoir qu'elle aurait beau dire, pleurer, supplier, se fâcher, rien ne le ferait changer d'avis. En plus, il détenait les deux cartes maîtresses, Suzanne et Ali.

— Sois tranquille, dit-elle sombrement, je serai la

parfaite petite épouse repentante qui n'a rien à reprocher à son cher mari. Dépose-moi à l'hôtel et indique-moi quand je pourrai rencontrer les jumeaux.

Karim ne put retenir un soupir de soulagement.

— Bien sûr, bien sûr… Un peu de repos te fera le plus grand bien, le voyage est épuisant. Tu pourrais venir dîner si tu veux, ou après le dîner si tu préfères. À toi de décider.

— Après, je crois.

Elle n'avait aucune envie de s'asseoir à la table de la tribu Ahmad, qui ne manquerait pas de l'épier ; de toute façon, la nourriture était très éloignée de ses préoccupations.

— Comme tu veux.

Avec ses palmiers et sa piscine démesurée, le Hyatt d'Amman aurait aussi bien pu se trouver à Los Angeles. Dina ne protesta pas quand Karim donna le pourboire au bagagiste. Elle n'aurait pas su quel était le montant conforme aux usages locaux, Karim se chargeant toujours de ce genre de choses quand ils voyageaient ensemble. Avant de partir, il inscrivit sur une feuille de papier, en s'appuyant sur le capot de la voiture, l'itinéraire à suivre de l'hôtel à la maison Ahmad, sans manifester l'intention d'accompagner Dina à l'intérieur. Ils se séparèrent donc à la porte et Dina entra seule.

Le marbre et l'acier inoxydable du hall lui firent presque regretter de n'avoir pas choisi un endroit plus intime ou plus pittoresque, mais au moins elle était sur place. Si le réceptionniste avait des réticences à enregistrer une voyageuse solitaire, il n'en donna aucun signe visible. Elle était en Jordanie, se rappela Dina, un pays évolué où les femmes ont des droits civiques, font des affaires et occupent même des postes de responsabilité politique.

Elle releva quelques discrètes touches de couleur locale dans sa chambre, qui sinon avait la même allure que celle d'un hôtel américain situé n'importe où dans le monde. Elle tendit au groom un pourboire du même montant que celui qu'elle avait vu Karim donner au bagagiste de l'entrée et se retrouva enfin seule.

La fenêtre donnait sur la piscine et, au-delà, une large échappée sur la ville. Le dôme bleu de la mosquée du roi Abdallah se dressait non loin. Les touristes supposaient que l'édifice datait des débuts de l'islam alors qu'en réalité il avait été terminé une dizaine d'années auparavant. Dina se rappelait même l'avoir vu en construction.

Elle referma les rideaux, s'assit sur le lit. Qu'est-ce que je fais ici ? se demanda-t-elle, soudain désorientée. Je suis venue voir mes enfants, reprendre mes enfants, bien sûr. Mais là n'était pas la question. Comment la situation a-t-elle pu évoluer de cette manière ? Comment ai-je pu en arriver là ?

Son regard se posa sur le téléphone. Le voyant rouge des messages en attente était éteint. Constantine était trop prudent pour laisser des traces aussi évidentes en terri-toire hostile. C'était donc à elle qu'il incombait de prendre contact avec l'intermédiaire, le Major. Et après... Quoi ? Elle sentit le poids du découragement.

Tout lui parut soudain absurde, irréalisable, comme si elle se retrouvait contre son gré dans le scénario d'un mauvais show télévisé. Trop lasse, trop enragée pour pleurer, elle ne put que s'étendre sur le lit et fermer les yeux.

31

À la vue de ses enfants, Dina crut défaillir de joie. Les jumeaux se précipitèrent dans ses bras tendus en criant « Maman ! » à pleins poumons et en l'étouffant sous les baisers et les caresses.

— Viens voir le portique et les agrès que papa et oncle Samir viennent d'installer dans le jardin, dit Ali en la tirant par la main sans lui laisser le temps d'entrer.

Dina prit en horreur cette installation, d'allure trop permanente à son goût. La porte franchie, sa belle-sœur, Soraya, l'accueillit par un sourire et un baiser qui la touchèrent profondément. Les autres membres de sa belle-famille firent preuve d'une courtoisie froide et compassée. Karim leur avait sans doute fait la leçon. Il n'avait cependant pas pu faire disparaître l'expression maussade de sa mère, ni ses attitudes signifiant à Dina que son arrivée suscitait autant d'enthousiasme que celle d'une épidémie de peste.

Karim débordait de gentillesse, sans doute pour lui démontrer qu'il était un modèle de raison et qu'ils étaient tous civilisés. Mais, à mesure que la soirée avançait, Dina prit conscience de la réalité derrière ces bonnes manières de façade : Karim était réellement heureux. Et les enfants aussi, se rendit-elle compte avec chagrin. Leur mère leur manquait peut-être, mais ils menaient une vie amusante dans cette belle demeure où tout le monde les choyait. Entre les promenades en poney, les pique-niques dans le grand jardin et les nombreux cousins pour compagnons de jeux, ils ne devaient plus penser à elle que de loin en loin.

— On est mieux ici qu'à New York, maman, lui déclara d'ailleurs Ali à un moment donné. Tu vas rester avec nous, cette fois ?

— Un certain temps, mon chéri, répondit-elle évasivement en remarquant la mine pincée de sa belle-mère.

Quelle autre réponse donner en présence de toute la famille de Karim ? Quelle autre réponse aurait pu satisfaire les jumeaux ? À l'évidence, ils étaient heureux ici, même sans elle.

Dina ne savait plus que faire, que penser. Venue terrasser des dragons et châtier des méchants, elle ne distinguait autour d'elle aucun dragon. Seulement des gens ordinaires qui menaient le genre d'existence paisible que Karim lui avait toujours vantée, qui prenaient le temps de vivre, de recevoir les voisins, les parents, de cajoler les enfants, de palabrer autour de la traditionnelle tasse de café trop sucré. Dans un instant de désarroi, elle se demanda si c'était elle qui avait toujours été dans l'erreur. Non ! se reprit-elle. Je ne peux pas me permettre de penser de cette manière. Je veux reprendre mes enfants et je ferai tout pour réussir. Tout.

Elle serrait les jumeaux sur son cœur quand, en levant les yeux, elle vit Karim qui les regardait en souriant avec tendresse.

— Quel beau tableau, Dina, murmura-t-il. Nos enfants et toi, c'est ainsi que ce doit être, comme je l'avais toujours espéré.

Elle aurait voulu riposter avec fureur. Mais quand elle essaya au moins de lui décocher un regard glacial, elle ne vit pas le monstre voleur d'enfants, mais l'homme dont elle était jadis tombée amoureuse, qui lui souriait avec douceur et une touche de mélancolie. Comment en étaient-ils arrivés là ? songea-t-elle tristement pour la énième fois.

Le moment venu de regagner la froideur impersonnelle de sa chambre d'hôtel, elle embrassa encore les jumeaux sans pouvoir retenir ses larmes.

— Laisse-moi te raccompagner, Dina, proposa Karim. Tu n'as sûrement pas envie d'attendre un taxi à cette heure-ci.

Elle le regarda, stupéfaite. Avait-il remarqué son chagrin, était-il devenu sensible à ses émotions ?

— Je veux bien, répondit-elle. Merci.

Il l'accompagna à la voiture, une grosse Mercedes à laquelle elle n'avait pas prêté attention à l'aéroport. Un symbole ostentatoire de son nouveau standing. Elle sentit un instant renaître son exaspération. Elle s'assit, ferma les yeux. Le silence la mettait mal à l'aise, mais elle se sentait trop abattue pour avoir envie de parler.

Karim brisa ce silence au bout de quelques minutes.

— Écoute, Dina... Cette situation t'est pénible, je sais,

176

mais ne préférerais-tu pas passer ton temps ici, avec les enfants, au lieu d'aller et venir ?

— Que veux-tu dire, au juste ?

— Ce serait plus raisonnable de t'installer à la maison plutôt que de rester à l'hôtel. La place ne manque pas et tu verrais Ali et Suzanne toute la journée au lieu de quelques heures à la fois.

Vivre sous le même toit que l'immonde Fatma et les beaux-parents, qui attendaient sans aucun doute avec impatience que Karim prenne une autre femme, digne de lui cette fois ? Et pourtant... quel meilleur moyen de saisir l'occasion quand elle se présenterait ? Elle aurait peut-être moins de facilités pour communiquer discrètement avec l'ami de Constantine, le mystérieux Major, mais elle pourrait toujours sortir dans le jardin pour lui téléphoner en prétendant appeler New York. Oui, ce serait une bonne solution.

— Tu as raison, répondit-elle enfin avec une réticence affectée. Je ne veux pas perdre du temps précieux loin de mes enfants. Merci, Karim, c'est gentil de me l'avoir proposé, se força-t-elle à ajouter.

Elle ne put voir son expression dans l'obscurité de la voiture et espéra n'avoir rien dit qui puisse éveiller ses soupçons. Elle espéra surtout s'être placée dans une meilleure position pour accomplir ce qu'elle était venue faire.

32

Le Major n'avait pas du tout l'allure à laquelle Dina s'attendait. Avec sa chevelure argentée et son épaisse moustache d'une teinte assortie, il ressemblait plus à un vieil oncle débonnaire qu'à un personnage de l'ombre exerçant les mêmes activités que Constantine. Celui-ci lui avait pourtant dit que le Major et lui avaient maintes fois collaboré, qu'ils se devaient mutuellement des services et qu'elle pouvait avoir entière confiance en lui. C'est ainsi qu'après quelques coups de téléphone prudents, elle prit place en face du Major à la table d'un petit café dans une rue tranquille à distance respectable de l'hôtel.

« Venez à pied, lui avait-il recommandé. Et ne prenez pas le chemin le plus direct. Regardez derrière vous de temps en temps de manière discrète. Si vous reconnaissez quelqu'un ou si vous croyez être suivie, retournez à votre hôtel. Si vous n'êtes pas arrivée une heure plus tard, je reprendrai contact avec vous. »

— Ainsi, dit-il quand elle se fut assise, c'est vous la femme courageuse que son mari a privée de ses enfants.

Elle avait suivi à la lettre les instructions du Major. Sûre de n'avoir pas été suivie, elle était entrée dans le café sans savoir comment le reconnaître et c'était lui qui s'était levé à son arrivée.

Étonnée d'être qualifiée de « courageuse », Dina rougit.

— Euh… oui, c'est moi.

— Courageuse et modeste, fit le Major avec un large sourire. Je comprends pourquoi notre ami vous admire.

Constantine l'admirait ? Pourquoi ? se demanda-t-elle, stupéfaite.

— Bien, reprit le Major. Expliquez-moi ce qui s'est passé depuis votre arrivée en ville.

— Je suis descendue au Hyatt, comme vous le savez déjà. Je suis allée hier soir à la maison voir mes enfants. Mon… leur père m'a invitée à y loger afin de les côtoyer plus longuement.

— Et vous avez accepté ?

— Oui.

— Bravo ! Excellente décision. Vous serez désormais en mesure de communiquer à notre ami les informations dont il aura besoin. Mais vous devrez redoubler de prudence, ajouta-t-il aussitôt. Si vous éveillez le moindre soupçon, vous compliquerez son travail et l'opération risquera d'échouer.

Comment ne pas être prudente quand on couche sous le toit de l'adversaire ?

— Je comprends, se borna-t-elle à répondre.

— Avez-vous des questions à me poser ?

— Non. Pas pour le moment, du moins.

— Que puis-je faire pour vous, ma chère dame ? En quoi pourrais-je vous être utile ?

Dina réfléchit un instant avant de répondre.

— Priez pour moi, répondit-elle enfin. Priez que Dieu me rende enfin mes enfants.

Un sourire plein de tendresse apparut sur les lèvres du Major.

— Soyez assurée que je le ferai, ma chère dame. Et de tout mon cœur.

33

En arrivant chez David, Sarah s'attendait à une soirée différente des autres. David espérait sans doute faire l'amour avec elle alors qu'elle-même n'en était pas sûre. La seule notion de sexe éveillait en elle un désir mêlé d'appréhension.

David répondit immédiatement à son coup de sonnette. Il l'accueillit par un léger baiser sur les lèvres, la fit entrer au salon et l'invita à se mettre à son aise pendant qu'il terminait les préparatifs du dîner. Il flottait dans l'air des arômes appétissants qui lui firent venir l'eau à la bouche.

Occupant un étage d'un immeuble en grès brun de 1900, une *brownstone* dans la 11ᵉ Rue Ouest, l'appartement avait une impressionnante hauteur de plafond, des lambris, des moulures, une cheminée en marbre – et une cuisine ultra-moderne. Des rayons de bibliothèque bourrés de livres créaient une ambiance encore plus chaleureuse et accueillante. Une chaîne stéréo diffusait de vieux classiques dixieland. Dans un coin de la vaste pièce, une table ronde était dressée avec des bougies et des fleurs, des verres de cristal et de la fine porcelaine. Sarah ne s'attendait pas à un tel raffinement de la part du « célibataire endurci » que David se vantait d'être. L'ensemble était en fait beaucoup plus élégant que ce qu'elle aurait été capable de réaliser à la fin d'une rude journée de travail à l'hôpital.

— Qu'est-ce qui embaume ? demanda-t-elle.

— Le célèbre poulet au cumin de ma tante Sadie.

— J'en suis impressionnée. Non, plutôt émerveillée.

— Goûtez-le d'abord pour savoir si ça vous plaît.

Sarah se régala avec d'autant plus de plaisir que, pour la première fois depuis un siècle, quelqu'un d'autre que Dina ou Emmeline s'était donné la peine de cuisiner pour elle. La manière dont David l'entourait d'attentions, guettait son verdict sur le poulet et lui laissait l'honneur de goûter le vin la flattait malgré elle.

Le dîner terminé, elle voulut l'aider à débarrasser la table.

— Mais non, laissez donc, dit-il en l'entraînant par la main.

Sur la stéréo, un slow langoureux des années quarante succéda au dixieland. David prit Sarah dans ses bras et commença à danser. Elle se sentait merveilleusement légère, presque en apesanteur. Depuis combien de temps n'avait-elle pas ressenti un tel sentiment ?

Le disque terminé, il la fit asseoir sur le canapé et alla chercher le dessert et le café, que Sarah déclara délicieux. C'est alors qu'elle sentit ses nerfs la lâcher. Elle s'efforçait de le dissimuler en affectant de rire d'une anecdote de David sur un client contrariant et en enchaînant sur le récit de ses démêlés avec un administrateur de l'hôpital quand il posa sa tasse et lui prit la main.

— Qu'est-ce qui ne va pas, Sarah ? Vous passiez un bon moment, vous étiez à votre aise depuis votre arrivée et tout à coup… vous avez changé, comme si on avait pressé un bouton.

— Vous êtes un très bon avocat, David, dit-elle en riant nerveusement. Vous savez interpréter les moindres signes.

— Pas toujours. Seulement pour les gens qui m'intéressent.

Elle prit une profonde inspiration et décida qu'il méritait d'entendre la vérité.

— Eh bien… C'est tellement gênant, je ne sais pas si je pourrai parler en vous regardant.

— Voulez-vous que j'éteigne la lumière ?

— Non ! s'exclama-t-elle d'un ton qui les fit pouffer de rire tous les deux.

— Écoutez, Sarah, je me rends compte que vous êtes énervée et mal à l'aise à cause de quelque chose que nous ferons peut-être ou peut-être pas. Mais pourquoi ? Quand nous nous sommes embrassés, l'autre soir, j'avais l'impression que vous étiez prête à pousser nos relations un peu plus loin. Si je me suis trompé, ce n'est pas grave. Nous allons finir le café, bavarder quelques instants de plus et nous dire bonsoir.

— Non, David, vous ne vous étiez pas trompé. En réalité, c'est que… je ne sais pas si j'en serai capable.

— Pourquoi ? Parce que vous n'avez rien fait depuis que vous êtes séparée de votre mari ?

— Oui… Non… Enfin, je n'ai jamais été très… douée dans ce domaine quand j'étais mariée.

— Où diable avez-vous été chercher cette idée-là ?

Sarah piqua un fard. Mais puisqu'elle avait commencé, autant aller au bout de ses aveux.

— Ari, mon ex-mari, disait que j'étais frigide.

David prit une expression scandalisée.

— Et vous l'avez cru ? Voyons, Sarah, vous êtes médecin, vous savez qu'il n'y a aucun fondement à ce genre de...

— Mais si, je le suis ! l'interrompit-elle. Je réagissais très mal.

— Si vous ne réagissiez pas à votre mari, insista David en lui prenant la main, c'était peut-être sa faute.

— Non, David, c'était la mienne. Ari a eu beaucoup d'aventures avant notre mariage alors que moi... je n'avais jamais fait l'amour.

— Et vous pensiez que la prétendue expérience d'Ari faisait de lui un bon amant ?

— Oui.

— Il ne l'était pas pour vous, en tout cas.

Sarah ne répondit pas. Combien de fois Ari l'avait-il critiquée, pour ne pas dire plus, à ce sujet ? Chaque fois, humiliée, elle ne trouvait aucun moyen de se défendre. Ari était sans doute cruel, mais il devait avoir raison. C'est pourquoi elle avait si longtemps toléré ses infidélités – grossière erreur, avait-elle compris plus tard, car elle semblait ainsi confirmer à son mari qu'elle était indifférente au côté sensuel de leur mariage. Donc à lui-même.

— Pauvre Sarah, murmura David en lui caressant les cheveux.

— Pourtant je faisais de mon mieux. Mais...

— Chut ! coupa-t-il. Le problème venait peut-être en partie du fait que vous faisiez trop d'efforts. Ce n'est plus la peine, maintenant. Quand vous vous sentirez prête, pas une minute plus tôt, nous ferons l'amour. Et je vous promets que tout se passera à merveille.

— Je voudrais pouvoir vous croire, dit-elle tristement.

— Eh bien, je vous propose une chose. Cessez de douter de vous-même et laissez-nous bâtir ensemble notre propre histoire. Vous vous en sentez capable ?

Elle s'efforça d'acquiescer par un sourire.

— Autre chose, poursuivit-il. Quelle que soit l'origine de votre problème, votre mari n'a fait que l'aggraver, c'est évident. Comment peut-on prendre du plaisir à faire l'amour quand votre partenaire passe son temps à vous critiquer ?

— Oui, mais...

— Pas de « mais », Sarah. Vous avez décidé que vous étiez seule responsable de l'échec de votre mariage. Moi, je suis tout aussi déterminé à vous convaincre qu'il faut être deux pour réussir. Ai-je bien plaidé mon dossier ?

— Peut-être, répondit-elle sans conviction.

Il se pencha vers elle et l'embrassa en lui murmurant à l'oreille :

— Une femme comme vous, Sarah, vaut la peine qu'on l'attende.

Sans réfléchir, elle lui rendit son baiser avec fougue, un baiser long, profond. Était-ce par gratitude, par un soudain élan de passion ? Peu importait, il lui fit du bien.

— Merci David, souffla-t-elle quand ils se séparèrent enfin. Et maintenant, dansons.

34

Les yeux clos, bercée par le calme de la nuit et les parfums mêlés des jacarandas et des jasmins que la brise apportait du jardin, Dina laissa les souvenirs affluer à sa mémoire.

Elle avait dormi avec Karim dans cette même chambre. Pas au cours de sa dernière visite, leurs rapports se détérioraient déjà et elle avait hâte de rentrer à New York, alors que lui se conduisait comme s'il ne voulait jamais partir. Cette chambre avait été la leur au début de leur mariage, quand ils s'aimaient à la folie et que la vie leur paraissait jonchée de pétales de rose. Ces souvenirs revenaient à la mémoire de Dina, les croisières sur le voilier de Karim, les plongées dans les eaux limpides du golfe d'Aqaba, les pique-niques de poisson tout frais pêchés, l'amour sous les étoiles.

Parce que *Lawrence d'Arabie* était un des films préférés de Dina, Karim l'avait emmenée à Wadi Rom, dont Lawrence avait longtemps fait sa base d'opérations et où avaient été tournées de nombreuses scènes du film. Les étranges formations rocheuses du djebel lui avaient laissé une impression d'autant plus inoubliable que Karim le lui avait fait visiter à dos de chameau et qu'ils avaient couché sous une tente bédouine.

Ensuite, en voiture, elle avait visité Pétra, l'antique capitale des Nabatéens, ainsi que les principaux sites archéologiques dont le pays regorge, témoignages de sa grandeur passée et de l'extraordinaire brassage de civilisations dont la région entière avait été le théâtre. Elle était fière, alors, de voir que son mari n'était pas seulement beau et séduisant, mais possesseur d'une culture étendue sur les sujets qui lui tenaient à cœur et dont il tirait une légitime fierté, sa patrie, son travail aussi. Le fossé qui s'était ensuite creusé entre eux était-il inévitable ? Fallait-il en accuser la fatalité ?

Sarah lui avait dit une fois : « La vie se charge toujours de tout gâcher. » Dina ne pouvait se résigner à ce cynisme désabusé. Elle avait sous les yeux l'exemple de ses parents, toujours heureux de vivre ensemble en dépit de la terrible maladie qui allait les séparer à jamais. Quant aux parents de Karim, Dina n'avait jamais pu dire s'ils étaient heureux ou non. Affairée en permanence, la mère de Karim claironnait que tout ce qu'elle faisait était pour sa famille, tout en imposant ses volontés à chacun, sauf à son mari bien sûr.

Hassan se comportait en despote débonnaire, se montrait généreux avec ses sujets – mais ne se privait pas de commentaires acerbes si quelque chose lui déplaisait dans la conduite de la maisonnée.

Et Soraya, sa belle-sœur ? Le frère cadet de Karim n'avait rien du charme et du physique de son aîné. Soraya était-elle heureuse avec lui ? Dina avait un jour essayé de savoir, avec force précautions oratoires, si elle se sentait bridée, si elle regrettait d'avoir échangé l'indépendance de sa vie universitaire contre l'existence relativement cloîtrée qu'elle menait. Elle ne pouvait pas se plaire, avait pensé Dina, sous l'autorité tyrannique de sa belle-mère. Pourtant, quand elle lui avait demandé si elle était heureuse, Soraya avait eu l'air réellement étonnée, avant de sourire avec l'indulgence d'une grande personne devant l'ignorance d'un enfant. « Bien sûr que je suis heureuse, avait-elle répondu. J'ai un mari fidèle, deux beaux enfants, Allah soit loué, et je vis dans une maison confortable. Quand les enfants seront grands, prêts à entrer à l'université, je reviendrai peut-être à l'enseignement, Samir m'a donné son accord sur ce point quand nous nous sommes mariés. De quoi pourrais-je me plaindre ? »

Tout était-il vraiment aussi simple ? songea Dina. Et si c'était le cas, pour quelle raison impérieuse, pour quelle cause valable avait-elle sacrifié son mariage ? C'était là une question qui n'avait pas de réponse – ou de trop nombreuses réponses.

Confortablement couchée dans le lit moelleux, entre les draps frais parfumés à l'eau de rose, elle crut soudain entendre un léger bruit à la porte. Était-ce un tour de son imagination ? Non, le bruit recommença. On frappait discrètement. Un des enfants ? Elle se leva, alla ouvrir.

C'était Karim. En hâte, elle enfila son peignoir – l'intimité s'oublie vite.

— Qu'y a-t-il ? Les jumeaux sont malades ?

185

— Non. Je voulais juste te parler seul à seule. Avec ta permission.

— Oui, oui, bien sûr.

Aurait-il des remords ? Allait-il lui proposer de lui rendre les enfants ? Elle recula quand même quand il s'avança dans la pièce. Après ce qu'il lui avait fait, s'imaginait-il encore en droit d'exiger l'exercice de ses prérogatives conjugales ? Mais Karim n'esquissa aucun geste douteux, s'assit sur une chaise et lui adressa le sourire triste qu'il arborait depuis qu'elle était arrivée.

Méfiante malgré tout, Dina prit place sur le lit à distance respectable, prête à réagir à la moindre alerte.

— Dina, soupira-t-il, n'y a-t-il vraiment aucun espoir pour nous ?

Avait-il perdu la tête ? Vivait-il dans un autre monde ? Elle parvint à dominer son premier mouvement de colère et le torrent de reproches qui lui venait aux lèvres.

— Comment peux-tu parler d'espoir quand tu m'as pris mes enfants comme un voleur ? Je te croyais prêt à consulter avec moi un conseiller conjugal. Je croyais que nous allions tenter de régler nos problèmes ensemble, alors que pendant tout ce temps tu complotais dans mon dos et tu te moquais de moi.

— Non, Dina, je ne me suis jamais moqué de toi. N'as-tu pas compris que j'avais le cœur brisé de te quitter de cette façon ? Quant à ce prétendu conseiller conjugal, ce n'était qu'une mauvaise plaisanterie. La moitié des couples de New York consultent des psys et la plupart finissent quand même par divorcer. Tu ne m'aurais pas même écouté si je t'avais dit la vérité, je le sais bien. Je veux que nos enfants deviennent des adultes honnêtes et sains, avec de solides valeurs familiales. Pas comme...

Incapable de prononcer le nom de son fils aîné, il laissa sa phrase en suspens. Dina soupira. À quoi bon tenter de raisonner Karim ? Il était buté au point que personne au

monde ne pourrait lui arracher les œillères qui l'aveu-
glaient. Constantine représentait son seul espoir.

— Nous ne pouvons rien régler maintenant, se borna-
t-elle à répondre. Laisse-moi, je te prie, j'ai vraiment besoin
de sommeil. Je veux profiter le mieux possible du temps
que je pourrai passer avec mes enfants, ajouta-t-elle plus
sèchement qu'elle ne l'aurait souhaité.

Karim rougit, se leva.

— Bien sûr, bien sûr. Je ne voulais pas troubler ton
repos.

Pourtant, après son départ, Dina eut le plus grand mal à
trouver le sommeil. Le ton implorant de Karim, son attitude contrite, sa sincérité aussi... Qu'il tienne encore à elle,
elle le croyait volontiers. Mais c'était encore pire ! Parce
que s'il tenait à elle sans se résoudre à admettre ses torts,
sans un mot d'excuse, sans seulement faire mine de revenir
sur sa décision inique, il ne restait pour elle aucun espoir.

Sauf celui que lui offrait John Constantine.

35

Karim espérait quitter la chambre de Dina sans être
remarqué. Mais à peine avait-il débouché dans la cour qu'il
tomba sur Samir.

— Eh bien, mon frère, tu ne dors pas ? le héla celui-ci
avec un sourire narquois. Je ne croyais pas que tu irais
rendre... visite à ta femme.

Il avait mis dans le mot « visite » un tel sous-entendu
obscène que Karim eut une bouffée de colère. Samir avait
plus d'une fois dépassé les bornes depuis son retour avec

les jumeaux. En tant qu'aîné, Karim avait droit au respect de son cadet. Samir cherchait-il à prendre sa place ? Ayant vécu ici pendant toutes les années passées par Karim aux États-Unis, il s'imaginait peut-être avoir acquis ses privilèges.

— Nous avions quelques questions à régler au sujet des enfants, se contenta-t-il de répondre sèchement.

— Les enfants, bien sûr, admit Samir, soudain soucieux de ne pas faire perdre la face à son frère.

Que se passerait-il, en effet, si le bruit se répandait qu'il avait été surpris à sortir en cachette de la chambre de l'épouse répudiée ?

— Veux-tu prendre une tasse de thé avec moi, mon frère ? poursuivit-il. Tu as peut-être envie de parler de choses et d'autres.

Son ton sincèrement affectueux radoucit l'humeur de Karim.

— Merci, Samir, pas ce soir. Il est temps d'aller dormir.

— Comme tu voudras, mon frère. Qu'Allah te protège.

36

Si la première journée de Dina sous le toit de sa belle-famille avait été pénible, le lendemain matin fut pire encore. La table du petit déjeuner était certes chargée, comme à l'accoutumée, de mets savoureux et de gâteaux d'une des meilleures pâtisseries d'Amman. Mais l'ambiance qui y régnait était loin d'être aussi engageante.

Après un bonjour distrait, Samir affecta d'ignorer la présence de Dina et se tourna vers Karim.

— J'ai entendu dire beaucoup de bien de toi, mon frère. Il paraît que tu as un bel avenir au ministère.

D'un sourire, Karim minimisa le compliment.

— Je ne fais que le travail pour lequel j'ai été engagé. Quant à l'avenir, Dieu seul sait ce qu'il réserve.

— Tu es trop modeste, insista Samir. Tes enfants auront de bonnes raisons d'être fiers de toi, j'en suis sûr.

— Samir a entièrement raison, intervint Maha. Toute personne un peu sensée saurait se rendre compte des qualités de notre Karim et lui manifester le respect qu'il mérite.

Dina ne put s'empêcher de rougir. La famille entière se comportait comme si elle était quantité négligeable, autant dans le présent que dans l'avenir de ses membres. À l'évidence, cette méchanceté de sa belle-mère lui était destinée.

Soraya dut en être gênée, car elle se pencha vers Dina :

— Veux-tu goûter un de ces croissants ? demanda-t-elle en souriant. Ils sont délicieux avec de la confiture.

Son bon mouvement lui valut un regard incendiaire de Samir et un coup de coude de Maha. Elle rougit à son tour et se tut.

— Non, merci, murmura Dina.

— Les femmes occidentales ne savent pas apprécier les bonnes choses que Dieu nous donne, commenta Maha. Ce n'est pas seulement anormal, c'est une sorte de maladie.

Soraya parut sur le point de riposter, mais elle garda le silence de peur d'être accusée de prendre parti pour Dina. Quant à Fatma, qui allait et venait entre la cuisine et la salle à manger, elle jetait à Dina des regards de mépris qu'elle n'aurait pas osé se permettre à New York.

Aussitôt qu'elle le put sans provoquer une scène, Dina se leva de table et alla s'occuper de ses enfants. Seule leur présence était capable de la retenir dans cette maison hostile. Bronzés, en pleine santé, ils se disputaient le plaisir de lui raconter leurs aventures avec leurs cousins, de décrire les cadeaux dont ils étaient comblés, les endroits qu'ils avaient visités et les nombreuses merveilles qu'ils y avaient découvertes.

Plus d'une fois, Dina sentit vaciller sa détermination. Elle voulait reprendre ses enfants et était prête à tout pour y parvenir. Mais après ? Qu'avait-elle à leur offrir pour concurrencer l'enfance idyllique que leur assurait la famille Ahmad ? Ce fut Suzanne qui, bien involontairement, lui fournit la réponse.

Dina brossait les cheveux de sa fille en savourant chaque seconde de cette intimité retrouvée quand Suzanne leva vers elle un regard soudain sérieux.

— Dis, maman, pourquoi as-tu laissé Jordy devenir anormal ?

Horrifiée par une telle question dans la bouche d'une fillette de huit ans, Dina la dévisagea, bouche bée. De quelle infâme propagande lui avait-on bourré le cerveau ? Avant même qu'elle ait été en état d'imaginer une réponse, Ali renchérit en déclarant avec conviction qu'il aimerait mieux être mort que ressembler à son frère aîné.

Non, pensa Dina, un endroit où ils apprenaient à mépriser et à haïr leur propre frère n'est pas un lieu où laisser des enfants. Mais une petite voix intérieure intervint alors pour lui demander s'il valait mieux qu'ils grandissent dans un pays haïssant et méprisant leur père.

La réponse ne tarda pas : *Cela ne vaut peut-être pas mieux mais, au moins, ils seront avec moi.*

37

Le bouquet de pivoines arriva à cinq heures de l'après-midi. Emmeline prenait le thé en attendant des nouvelles de Sean ; ce dernier avait rendez-vous avec un nouvel agent qui, espérait-elle, lui apporterait enfin la chance. Dieu sait s'il en avait besoin.

Sean avait déjà changé deux fois d'agent en autant d'années, ce qui en soit n'était pas une bonne chose. Emmeline l'avait mis en contact avec cette jeune femme, énergique et ambitieuse, dont elle avait fait la connaissance à un événement des médias. Quand Emmeline lui avait parlé d'un de ses bons amis, un jeune et talentueux acteur souhaitant trouver l'occasion de prouver sa valeur, elle s'était montrée intéressée. Et maintenant, ces fleurs ! Sean s'était-il souvenu de son anniversaire ? Elle avait toujours été discrète devant lui à ce sujet, mais Michael le lui avait peut-être rappelé.

Si Emmeline ne manquait jamais de fêter l'anniversaire des autres, elle passait généralement le sien sous silence – habitude de son enfance où l'argent manquait pour le superflu. Depuis, elle avait appris à ne rien espérer, meilleur moyen de ne pas être déçue. Et s'il lui arrivait une surprise de temps en temps, celle-ci était d'autant meilleure qu'elle était inattendue.

Avait-elle, par hasard, mentionné devant Sean que les pivoines étaient ses fleurs préférées ? Le bouquet était énorme et visiblement coûteux, ce qui la toucha car Sean n'avait guère les moyens d'une telle extravagance. Aucune carte n'accompagnait les fleurs, omission romantique au possible.

Sean téléphona une heure plus tard pour annoncer que le nouvel agent avait accepté de s'occuper de lui.

— Merci, Emmeline, ajouta-t-il. Je te suis très

reconnaissant de me l'avoir présentée. Avec elle, ça marchera, j'en suis convaincu.

— C'est plutôt à moi de te remercier pour les fleurs, Sean, elles sont superbes. C'est trop gentil de t'être souvenu de mon anniversaire.

Il y eut un long silence à l'autre bout du fil.

— Je ne t'ai pas envoyé de fleurs, Em. Et je le regrette, crois-moi. J'avais oublié ton anniversaire. Mais puisque maintenant je le sais, je t'invite à dîner en ville ce soir. Un endroit vraiment chic. Je passerai te chercher à sept heures.

Après avoir raccroché, Emmeline contempla son bouquet. Qui l'avait envoyé ? Michael ? Pourtant, quand il revint de l'école, il admit avec regret n'être pour rien dans l'envoi des pivoines et lui offrit un ravissant flacon de parfum ancien pour sa collection en la taquinant sur la générosité de son admirateur trop discret.

— Sean va être jaloux, conclut-il en riant.

Sean ne manifesta cependant aucune jalousie, ce qui agaça Emmeline. S'il tenait à elle, il aurait dû être jaloux. Ou au moins faire preuve d'un peu de curiosité. Le mystérieux bouquet plana donc telle une ombre pendant le dîner – Sean s'était mis en frais, comme il l'avait promis – et resta dans l'esprit d'Emmeline quand ils firent l'amour plus tard.

Le lendemain matin, elle appela Eileen, l'assistante de Dina.

— Désolée de te déranger, mon chou, je sais que tu es débordée pendant l'absence de Dina. Mais j'ai reçu hier des fleurs sans carte de l'expéditeur et je meurs d'envie de savoir d'où elles viennent. Elles sont passées par le réseau Interflora. Si je te donne le nom du fleuriste qui les a livrées, pourrais-tu retrouver qui les a commandées ?

Eileen le pouvait, personne ne lui refusait rien. Elle rappela Emmeline moins d'une heure plus tard.

— Les fleurs, annonça-t-elle, ont été envoyées par M. Gabriel LeBlanc. La commande a été passée par téléphone de Houston, Texas.

Ainsi, c'était Gabe. Au bout de tout ce temps, il s'était rappelé son anniversaire. Fallait-il croire aux miracles ou avait-il encore quelque chose à se faire pardonner ?

38

Lorsque Dina et Suzanne entrèrent à la cuisine, Soraya et sa belle-mère parlaient avec animation. Elles stoppèrent net à la vue de Dina, Maha lui décocha un regard dur et quitta la pièce sans un mot. Soraya parut gênée par cette inconvenance de sa belle-mère – dans le monde arabe, en effet, la courtoisie dans la vie quotidienne est une règle inculquée dès le plus jeune âge.

— Veux-tu du café ? proposa-t-elle à Dina d'un ton poli mais impersonnel, de peur sans doute que Maha l'entende et lui reproche d'être trop aimable avec sa belle-sœur.

— Non merci, juste un verre d'eau. Mais Suzanne aimerait bien grignoter quelque chose.

— Je peux avoir une Pop-Tart ? précisa Suzanne.

— Si tu veux, répondit Soraya.

— Et une aussi pour Lina ?

— Bien sûr. Et pour les garçons ?

— Non, ils jouent avec l'ordinateur, ils poisseraient la souris.

Soraya inséra en riant deux tartelettes dans le toaster. Dina s'étonna de trouver un produit aussi typiquement américain à Amman, mais elle s'abstint de le mentionner, craignant que Soraya puisse croire qu'elle prenait la Jordanie pour un pays sous-développé.

— J'ai vu un grand supermarché en venant de l'aéroport, se borna-t-elle à dire. Tu y fais tes courses ?

193

— Oui, quelquefois. C'est une succursale de celui que vous appelez Safeway en Amérique, je crois.

Le mystère des Pop-Tarts était ainsi éclairci. La Jordanie s'était décidément occidentalisée depuis la dernière visite de Dina.

— Elles ont l'air de bien s'entendre, dit Dina pour briser le silence embarrassé qui était retombé après le départ de Suzanne.

— Suzanne et Lina ? Oui, très bien. Les garçons aussi.

— Tant mieux.

Dina ne sut qu'ajouter. Mieux valait, en effet, que les jumeaux s'accordent bien avec leurs cousins. Au fond de son cœur, elle aurait préféré qu'ils soient désespérément malheureux et la supplient de les emmener. Mais leur seule question avait été de savoir si elle allait désormais vivre ici avec eux, à quoi elle avait répondu que c'était impossible.

— Alors, on prendra souvent l'avion ? avait demandé Ali. Pour aller chez toi et chez papa, comme mon ami Kyle ?

Kyle était un camarade d'école d'Ali dont les parents étaient divorcés – ainsi que ceux d'une bonne moitié de la classe.

— Non, pas tout à fait. Papa et moi ne sommes pas... divorcés, avait-elle répondu en retenant de justesse le mot « encore ». De toute façon, nous avons quelques questions à régler entre nous et, pour le moment, c'est moi qui viendrai vous voir ici.

À sa profonde désolation, Ali avait paru s'en satisfaire. Bien entendu, elle ne pouvait pas le dire à Soraya, qui venait de lui poser une question à laquelle elle n'avait pas prêté attention.

— Excuse-moi, que demandais-tu ?

— Combien de temps vas-tu rester ? Karim disait que tu devais repartir dans quelques jours.

— Je compte rester au moins une semaine.

Tout en parlant, Soraya touillait dans une grande

marmite d'où s'échappaient des odeurs appétissantes. Elle baissa la flamme et alla rincer des ustensiles dans l'évier.

— Les enfants me supplient de les emmener au zoo, dit-elle sans se retourner. Puisque tu ne seras pas avec eux très longtemps, tu pourrais nous y accompagner.

L'invitation manquait de conviction, mais Dina ne pouvait se permettre de refuser.

— Avec plaisir. J'ignorais qu'il y avait un zoo à Amman.

— Il existe depuis peu de temps. Je ne l'ai encore jamais visité, mais il paraît qu'il est très réussi.

Dina prit soudain conscience de l'occasion : une sortie loin de la maison, sans Karim et les autres hommes de la famille. Il n'y aurait qu'elle, les enfants et Soraya. Exactement le genre de situation que souhaitait Constantine !

— Merci, fit-elle du ton le plus détaché dont elle était capable, cela me fera grand plaisir. Quand l'as-tu prévu ?

— Dimanche peut-être, répondit Soraya en se détournant enfin de ses tâches ménagères. Mais tu préférerais peut-être avoir tes enfants pour toi seule ce jour-là ?

— La sortie au zoo est une excellente idée. De toute façon, je serai avec eux.

Soraya observa Dina d'un air inquisiteur et parut se satisfaire de la mine innocente qu'elle affichait.

— Tu ne te contenteras quand même pas d'un verre d'eau. Prends du thé glacé, j'ai en d'ailleurs envie moi aussi.

Le thé était aromatisé au citron et à la rose et sucré au miel.

— Délicieux, commenta Dina en le goûtant.

— Allons donc le boire au jardin. Il fait beau dehors et j'en ai assez d'être enfermée dans cette cuisine.

Dina l'avait-elle imaginé ou Soraya avait-elle lancé un regard vers la porte par laquelle Maha était sortie ? Leur belle-mère épiait-elle leur conversation ? Dina ne serait donc pas la seule bru de la famille ayant des difficultés avec la tyrannique matriarche…

195

Il y avait un banc près de la fontaine au centre du jardin. Soraya fit signe à Dina d'y prendre place et s'assit sur la margelle, comme si elle craignait qu'on la sache trop proche de sa belle-sœur.

— Les fleurs sont superbes, affirma Dina en espérant que ce début anodin permettrait de donner à la conversation un tour plus personnel. Celle-ci est une variété d'hibiscus.

— Je n'y connais rien en jardinage, je l'avoue. Un homme vient s'en occuper une fois par semaine.

Avec la maturité, remarqua Dina, Soraya était devenue très belle. Quand elle l'avait vue pour la première fois, le jour de son mariage avec Samir, elle n'avait pas vingt ans. C'était encore une toute jeune fille, potelée et souriante, visiblement intimidée par son jeune et beau mari. Maintenant Samir s'empâtait alors que Soraya était fine, élancée, sûre d'elle. Dina ne l'avait pourtant pas vue souvent sourire depuis son arrivée.

— Je me souviens très bien de notre première rencontre, lui dit Soraya comme si elle avait lu dans ses pensées. Je t'ai tout de suite aimée. Je t'admirais, aussi. Je voulais devenir comme toi. Que s'est-il passé ?

— Entre Karim et moi ?

— Oui, si tu veux bien en parler. J'ai cru comprendre que vous aviez des... problèmes. Ce que je n'arrive pas à concevoir, c'est comment tu peux, comment n'importe quelle femme pourrait se séparer ainsi de ses enfants. Est-ce quelque chose dans le caractère américain ?

Dina en resta stupéfaite. Elle aurait voulu hurler qu'elle ne voulait sous aucun prétexte se séparer de ses enfants et n'aspirait qu'à les reprendre, mais si par malheur ses paroles revenaient aux oreilles de Karim, elle ne les reverrait peut-être plus jamais.

— Non, ce n'est pas cela du tout, se borna-t-elle à répondre. J'espère toujours que... que les choses s'arrangeront.

— Comment crois-tu y arriver ?

— Franchement, je n'en sais rien.

La conversation prenait une tournure dangereuse. Dina redoubla de prudence.

— Peux-tu au moins me parler un peu des problèmes entre vous, quels qu'ils soient ?

— Ils ne sont pas du genre qu'on s'imagine souvent, je ne sais pas quoi te dire plus. Nous n'avons ni l'un ni l'autre quelqu'un d'autre dans notre vie. Pour moi, au moins, j'en suis sûre et je crois que ce n'est pas non plus le cas pour Karim.

— Quoi, alors ?

— Je ne peux vraiment pas te l'expliquer. Nous avons laissé un fossé se creuser entre nous, c'est la formule habituelle en pareil cas. Je ne m'en étais pas rendu compte jusqu'à ce que Karim veuille revenir ici... un certain temps. Avec les jumeaux.

— C'est justement ce que je ne m'explique pas.

— Moi non plus, si tu veux la vérité. Cela m'a fait un choc. Tout n'était pas idéal entre nous, nous avions nos désaccords sur certains sujets, mais je ne pouvais pas m'imaginer qu'ils étaient graves au point de...

Elle laissa sa phrase en suspens. Comment en apprendre plus à Soraya sans trahir sa promesse à Karim de ne rien dévoiler à la famille ?

— Bref, reprit-elle, j'espère encore que tout s'arrangera.

— Je ne connais pas bien Karim, fit Soraya tristement. Pas beaucoup mieux que je te connais, en tout cas. Mais d'après ses paroles, je ne pense pas qu'il soit aussi... optimiste que toi.

— Non, certainement pas, lâcha Dina avec amertume.

— Je me demande ce que tu pourras ou voudras faire en ce qui concerne les enfants.

Tu le découvriras bientôt, s'abstint de répondre Dina.

— Ce sont mes enfants, se borna-t-elle à dire. Je les

aime, je veux être avec eux. Je fais de mon mieux, voilà tout.

Soraya ne répondit pas, le silence dura un moment.

— Et toi, es-tu heureuse ici ? s'enquit Dina en lançant un regard expressif vers la porte de la cuisine.

— Nul ne peut s'attendre à mener une vie idéale, soupira Soraya. Allah nous impose certains fardeaux afin de nous éprouver, nous devons les accepter. Rentrons, poursuivit-elle en se levant. Maha va sans doute m'appeler d'une minute à l'autre pour me reprocher de laisser brûler le poulet.

— Pardonne-moi d'avoir répondu comme une idiote. Et merci de m'avoir écoutée.

— Tu es ma belle-sœur. Pourquoi ne t'écouterais-je pas ?

— À propos de cette visite au zoo, elle me fera vraiment plaisir. Pouvons-nous la décider maintenant ?

— Il faut d'abord que je vérifie avec Samir s'il n'a pas prévu autre chose dimanche. Dans ce cas, nous pourrons y aller un autre jour.

— Bien sûr. Tiens-moi au courant.

Elle se retint d'ajouter « le plus vite possible ». Elle n'était après tout qu'une mère venue voir ses enfants, sans emploi du temps minuté ni obligation pressante. Toute hâte paraîtrait suspecte.

Il lui restait maintenant à se ménager quelques instants de solitude pour appeler le Major et lui demander ses instructions.

39

Le téléphone de Dina sonna dans son sac pendant le petit déjeuner. Elle s'excusa, quitta la table et attendit d'être dans la pièce voisine pour établir la communication.

— Madame Ahmad ? Vous reconnaissez ma voix, je pense.

C'était celle du Major.

— Oui.

— Faites semblant de parler à une de vos amies de New York.

— Emmeline, c'est toi ? La communication est si mauvaise, je n'étais pas sûre de te reconnaître.

— Très bien. Allez faire des courses aujourd'hui au grand Safeway. Vous savez où il est ?

— Oui.

— Dites-moi s'il vous est possible de vous y rendre. Dans l'après-midi, à n'importe quelle heure.

— Oui, bien sûr ! Nous sommes en train de prendre le petit déjeuner. Quelle heure est-il, là-bas ?

— Quelqu'un vous contactera pour vous donner quelque chose. Si vous n'êtes pas seule, arrangez-vous pour vous isoler une minute, il ne faudra pas plus longtemps. Pourrez-vous faire cela ?

— Mais oui ! Ici, tout se passe très bien, les jumeaux sont en pleine forme.

— Si, pour une raison ou une autre, vous ne pouvez pas y aller, nous trouverons un autre moyen. Mais il vaudrait mieux procéder comme je viens de vous l'expliquer.

— Bien sûr, bien sûr.

— Le plan de notre ami est très simple. Quand vous serez au zoo, votre belle-sœur aura un léger malaise. Vous appellerez au secours, les gens accourront, la confusion régnera le temps qu'il vous faudra pour vous éclipser avec vos enfants. Notre ami sera sur place afin de vous prêter main-forte.

— Tant mieux !

— Ce qu'on vous donnera aujourd'hui au supermarché provoquera l'évanouissement de votre belle-sœur. C'est un produit sans danger. Elle ne s'évanouira pas vraiment, elle s'endormira, mais vous ferez comme si elle était évanouie. Vous comprenez ?

— Oui, je crois, répondit Dina, qui s'efforçait de tout assimiler.

— Vous pique-niquerez au zoo, je suppose ? Dans ce cas, glissez le contenu de la fiole dans sa boisson. Ne l'oubliez pas, c'est essentiel pour la neutraliser, elle sera la seule personne susceptible de donner l'alarme.

Par la porte de la salle à manger, Dina voyait Karim la regarder d'un air excédé ou soupçonneux – ou les deux à la fois.

— Tu me manques aussi, mon chou. Mais je reviens bientôt.

— Un avion privé sera prêt à décoller. Vous y embarquerez sans délais ni formalités. Lorsque votre belle-sœur sera sortie de son assoupissement, vous serez déjà loin.

— Oui, je te rapporterai un souvenir. Mais je ne sais pas si j'aurai le temps de faire des courses.

— Notre ami avertira la personne avec qui vous êtes censée parler en ce moment, dans l'éventualité où quelqu'un lui demanderait confirmation de cette conversation.

— Parfait !

— Effacez ce numéro de la mémoire de votre appareil. Discrètement, bien entendu.

— Mais oui, j'y penserai !

— Au supermarché, la personne qui vous remettra le paquet vous donnera aussi un numéro de téléphone dont vous vous servirez seulement en cas d'urgence. Apprenez-le par cœur. Au revoir, madame Ahmad.

— À bientôt, mon chou… Allô ? Allô ?

D'un air perplexe, Dina revint dans la salle à manger en pianotant sur tous les boutons de son téléphone.

— La barbe ! La communication a été coupée, dit-elle en se rasseyant. J'avais pourtant encore une ou deux choses à lui dire.

— Qui était-ce ? voulut savoir Karim.

— Emmeline.

Il lâcha un grognement réprobateur. Emmeline n'avait jamais été une de ses préférées.

— Qu'est-ce qu'elle voulait ?

— M'annoncer que Sean a enfin décroché un spot publicitaire. Ils faisaient une petite fête, pour lui c'est important.

Karim la dévisagea en secouant la tête d'un air incrédule.

— Dans certains milieux, une publicité représente en effet quelque chose d'important. Allons, poursuivit-il en se levant, il est l'heure pour moi de partir au bureau. Je vous souhaite à tous de prendre du bon temps pendant que je travaillerai pour le bien de notre patrie, ajouta-t-il avec un sourire qui faillit faire s'étrangler Dina sur une gorgée de café.

— Nous autres femmes avons bien de la chance de n'avoir pas besoin de travailler, commenta Soraya en adressant un discret clin d'œil à Dina.

Dina attendit qu'il soit treize heures avant de mentionner son intention d'aller au supermarché.

— Pourquoi donc ? s'étonna Soraya. Nous avons ici tout ce qu'il faut pour nourrir une armée.

— Je voudrais juste acheter aux enfants quelques horreurs typiquement américaines qu'ils trouveront après mon départ. Et puis peut-être deux ou trois choses pour le pique-nique.

Elle était honteuse de mentir à Soraya et, plus encore, de comploter pour la droguer. Sa belle-sœur ne le méritait certes pas, mais Dina ne voyait aucun moyen de s'y prendre autrement.

— Comment iras-tu ? Il faut que je sorte, je te l'avais dit.

Soraya l'avait en effet prévenue qu'elle devait assister à deux heures à une réunion d'une œuvre caritative dont elle s'occupait. C'était même la raison pour laquelle Dina avait parlé aussi tardivement de son désir de se rendre au supermarché.

— Ne t'inquiète pas, je prendrai un taxi.

— Pas question, voyons. Samir te conduira.

Samir avait passé la matinée à tourner dans la maison comme un ours en cage. Il prétendait avoir droit à un congé, mais Dina soupçonnait Karim de lui avoir assigné la mission de la surveiller.

— Mais non, je prendrai un taxi, c'est le plus simple.

— Absolument pas, ce serait contraire à toutes les règles de l'hospitalité. Samir te conduira. N'est-ce pas, Samir ?

Ainsi mis au pied du mur, Samir grogna un vague acquiescement. À l'évidence, il aurait préféré être ailleurs à ce moment-là. Dina comprit qu'elle ne pouvait pas reculer, les autres se demanderaient les raisons d'un nouveau refus.

— Eh bien, d'accord. Merci beaucoup, Samir.

Une demi-heure plus tard, ils arrivèrent dans le parking du supermarché, qui, à quelques détails près, aurait pu se trouver au beau milieu du New Jersey.

— Je n'en ai pas pour longtemps, dit Dina en mettant pied à terre.

— Je vais avec vous.

— C'est inutile.

— Si, je vous aiderai à porter les paquets.

— Ils ne seront pas très lourds.

— Je vous accompagne, insista-t-il.

La dernière chose que voulait Dina, c'était bien d'avoir Samir sur ses talons pendant qu'elle cherchait à prendre contact avec une personne inconnue devant lui remettre Dieu sait quoi.

— Vous avez raison, après tout. Je ne serai pas très chargée, mais il faut que j'achète des Maxi-Pads. C'est un gros paquet encombrant, vous m'aiderez à le porter.

— Maxi-Pads ? Qu'est-ce que c'est ?

— Pour les femmes. Vous savez, le moment... délicat du mois.

Samir pâlit. Il n'avait certainement jamais porté d'objets pareils pour Soraya ni n'en avait même discuté avec elle.

— Bon, répondit-il en hâte. Si vous dites que ce n'est pas lourd, je vous attendrai ici.

À l'intérieur, Dina se sentit encore moins dépaysée que sur le parking. Elle se dirigea directement vers le rayon des bonbons et mit dans son panier un assortiment de M & M, Fruit Loops et autres sucreries que les dentistes réprouvent mais dont les enfants raffolent. Jusque-là, aucun contact. Personne ne paraissait faire attention à elle. En prenant son temps, elle alla ensuite choisir quelques pommes pour le pique-nique. C'est au rayon des fruits et légumes qu'elle remarqua un homme occupé à tâter des avocats pour vérifier leur maturité. Il avait une quarantaine d'années, portait un strict costume-cravate d'homme d'affaires et semblait s'intéresser à elle plus qu'aux avocats. Était-ce lui son contact ? Dina attendit. L'homme lui sourit mais ne s'approcha pas. Dina s'éloigna lentement du comptoir. L'homme la suivit en restant à distance respectable.

Alors, était-ce lui son mystérieux contact ou seulement quelque mâle esseulé en quête de bonne fortune qu'elle avait encouragé malgré elle par son attitude ? Elle en avait presque oublié les Maxi-Pads. Contact ou pas, elle était obligée d'en acheter afin de ne pas éveiller la méfiance de Samir. Elle enfila quelques allées au hasard jusqu'à tomber sur celle des produits d'hygiène. L'homme la suivait toujours. S'il était chargé de lui glisser un paquet, il allait devoir se décider rapidement.

— Vous, là, dites-moi !

Dina se retourna, désarçonnée. Une femme d'âge mûr en longue robe, la tête dissimulée sous un foulard, considérait d'un air réprobateur la tenue occidentale de Dina en brandissant une boîte de Pampers.

— Dites-moi, reprit-elle, est-ce que c'est les choses dont on se sert aujourd'hui pour les bébés ? Ma petite-fille m'a demandé d'en acheter pour mon arrière-petite-fille.

— Oui, répondit Dina. Oui, c'est bien pour les bébés.

— Ah, bon.

La femme lança un regard incendiaire derrière Dina, qui se retourna à temps pour voir l'homme disparaître derrière une tête de gondole.

— Je m'appelle Alia. Je suis venue parce qu'un homme me l'a demandé. S'il ne me l'avait pas demandé ou si un autre me l'avait demandé, j'aurais dit non, laissez les Américains s'arranger entre eux.

C'est donc elle mon contact ? se demanda Dina, perplexe. La femme lui saisit le poignet.

— Merci, ma fille, reprit-elle d'un ton normal en lui glissant un objet dans la main. Ne regardez pas. Cachez-le vite. Maintenant, regardez ceci, poursuivit-elle en chuchotant.

Elle leva le paquet de Pampers, sur lequel était collé un Post-it où était inscrit un numéro de téléphone.

— Apprenez-le par cœur, tout de suite, ordonna Alia, toujours à voix basse. Ne vous en servez qu'en cas d'urgence, si vous ne pouvez pas réussir votre projet. Vous comprenez ?

Alia la dévisageait d'un air agacé, comme si ses paroles étaient hors de portée de l'intellect d'une Américaine.

— Oui, je comprends.

— Vous avez retenu le numéro ?

— Oui, je crois.

Alia décolla le Post-it, le froissa en une minuscule boulette.

— Utilisez le flacon entier, reprit-elle. Il est sans danger. Il provoquera le sommeil en cinq minutes, pas plus.

— Vous êtes sûre qu'il n'y a aucun risque ?

— Vous n'écoutez pas ? Encore une chose. Portez des lunettes noires. La personne que vous devez rencontrer en portera aussi. Si vous ou lui pensez qu'il y a le moindre problème, relevez les lunettes sur le front pour annuler l'opération.

Alia porta rapidement la main à sa bouche. Dina comprit qu'elle avalait le Post-it.

— Merci encore, ma fille, reprit Alia d'une voix normale. Qu'Allah vous donne à vous aussi beaucoup d'arrière-petits-enfants.

Sur quoi, elle tourna les talons et s'éloigna.

Dina marcha jusqu'au coin de l'allée, s'assura que personne ne la regardait et glissa l'objet sous la ceinture de sa jupe en constatant que c'était une petite fiole de verre remplie d'un liquide incolore. Elle alla ensuite à la caisse payer ses achats, puis sortit du magasin. Sur le parking, la voiture était vide. Où était passé Samir ? Il aurait dû rester l'attendre ici. Elle avait pourtant été prudente. Avait-il réussi à la suivre en se cachant ? Avait-il surpris sa brève rencontre avec Alia ?

La portière n'étant pas verrouillée, Dina posa ses paquets sur le siège arrière et s'assit à l'avant en s'efforçant de garder son calme. Où diable Samir était-il ? Devait-elle appeler le Major, l'avertir de ce problème imprévu ? Elle allait céder à la panique quand elle vit son beau-frère revenir sans se presser, un cornet de glace à la main.

— Prêt à rentrer à la maison ? dit-elle en se forçant à sourire.

Il répondit par un vague grognement avant de mordre dans sa glace.

— Vous l'avez achetée où ? demanda-t-elle. Je ne vous ai pas vu à l'intérieur.

Sans répondre, Samir démarra et le trajet de retour se fit en silence.

Dès qu'elle put s'isoler quelques instants, Dina appela le Major pour lui relater l'épisode du supermarché.

— Je vais avertir notre ami, répondit-il. Quand il aura décidé quoi faire, je vous rappellerai.

Dina se força à se comporter normalement. Elle offrit même à Maha de l'aider à la cuisine, mais sa belle-mère la fusilla du regard comme si elle proposait d'empoisonner toute la famille.

— Non, déclara-t-elle sèchement. Allez dehors attendre Karim.

En sortant, elle croisa Soraya qui revenait de sa réunion.

— Tu as trouvé ce que tu voulais ? lui demanda sa belle-sœur.

— Oui, merci.

— Qu'est-ce qui ne va pas ? Tu as l'air troublée.

Dina ne pouvait pas se permettre de trahir sa nervosité.

— Vraiment ? Ce doit être à cause de notre chère belle-mère. Quand je lui ai proposé de l'aider, elle m'a jetée dehors.

Soraya leva les yeux au ciel et prit la main de Dina en souriant.

— N'y fais pas attention. Repose-toi donc un moment et laisse-moi aller aider notre *chère* belle-mère.

Dina lui rendit son sourire. Dans cette maison, une personne au moins ne lui était pas hostile.

Le coup de téléphone du Major survint au moment où la famille se mettait à table. Des regards unanimement réprobateurs se tournèrent vers elle.

— Excusez-moi, fit Dina en se levant précipitamment. Il faut que je réponde, c'est peut-être un problème dans mon affaire.

Elle se hâta de se rendre au jardin et pressa le bouton de l'appareil.

— Notre ami procédera comme prévu, l'informa le Major. Vous devrez tous les deux vous montrer très prudents. Vous vous servirez de vos lunettes noires en cas de besoin.

— Il est sûr ?

— Il m'a dit, chère madame, qu'il ne veut pas négliger une telle occasion et que vous et vos enfants ne courrez aucun risque.

Nous, peut-être. Mais lui ? se demanda-t-elle après avoir coupé la communication.

Des regards encore plus réprobateurs saluèrent son retour à la salle à manger.

— Nous ne téléphonons pas pendant les repas, déclara Hassan.

— Je sais, je vous prie de m'excuser. Mais cet appel était vraiment important.

— Sean a une nouvelle publicité ? s'enquit Karim d'un ton sarcastique.

— Non, il s'agit de Jordy, improvisa Dina. Il avait la grippe quand je suis partie, j'avais chargé Sarah de veiller sur lui. Elle m'a appelée pour me dire qu'il est complètement guéri.

— Allah soit loué ! commenta avec ferveur Hassan, qui aimait son petit-fils autant que l'avait aimé Karim. J'espère qu'il viendra nous voir aussitôt après ses classes.

Dina vit Karim se figer.

— Si Karim le souhaite aussi, dit-elle, je suis sûre que Jordy sera heureux de venir embrasser son grand-père.

— Je m'en réjouis d'avance, approuva Hassan.

Karim ne desserra plus les dents jusqu'à la fin du repas et Dina se félicita d'avoir réussi à le mettre dans l'embarras. Une humble victoire, mais une victoire quand même.

40

Quand Sarah ouvrit sa porte, elle trouva l'appartement vide. Un petit mot l'attendait sur la table de la cuisine : Rachel dînait chez une amie et rentrerait « plus tard », formule on ne peut plus vague.

Sarah feuilleta les menus « à emporter » qu'elle gardait dans un tiroir, se décida pour le cheese-burger et les frites graisseuses du traiteur le plus proche et passa commande par téléphone. Elle irait manger dans sa chambre en regardant l'un des programmes que lui proposaient le câble et le satellite jusqu'à ce que le sommeil la terrasse. Ce ne serait ni très sain ni très distrayant, tout au plus un avant-goût de l'existence qui serait bientôt la sienne. Une fois Rachel partie à l'université, toutes ses soirées, tous ses week-ends se dérouleraient de la même manière, perspective fort peu réjouissante.

Elle ne savait pas encore sur quoi déboucheraient ses relations avec David, mais ce qu'elle en savait jusqu'à présent lui plaisait infiniment et la poussait à continuer. Elle devait pourtant redoubler de prudence vis-à-vis de Rachel, qui lui avait une fois de plus décoché des réflexions acerbes sur sa dernière sortie avec David.

Sarah n'avait pas besoin d'être psychologue de profession pour comprendre que sa vie quasi monacale des deux dernières années convenait tout à fait à Rachel, qui n'avait aucune raison d'admettre un tiers dans le cocon douillet de leur quotidien. Les dîners en ville en tête à tête, les soirées devant des cassettes vidéo avec un grand bol de popcorn, les dimanches matin aux puces de Chelsea où Rachel traquait les nippes *vintage* pendant que Sarah chinait des antiquités étaient trop confortables pour accepter d'en être privée.

Bien sûr, Rachel avait des amis, parmi lesquels Jordy

Ahmad. Elle avait des sorties, des soirées dansantes, des coups de téléphone par dizaines, sans parler des e-mails qui l'occupaient des heures. Elle n'ignorait donc pas grand-chose des problèmes de ses amis et amies avec leurs beaux-parents ou autres pièces rapportées. Sarah le savait, mais cela ne facilitait en rien ses rapports avec sa fille. Il faut lui donner du temps, se disait-elle. Nous avons tous besoin de temps pour nous ajuster à une situation nouvelle. Sa séparation d'avec Ari ne l'avait-elle pas démolie, quand bien même c'était elle qui avait demandé le divorce ? Du temps, voilà ce qu'il leur fallait à tous. À Rachel et elle. À David et elle.

Quand le téléphone sonna, elle espéra que c'était David.

— Sarah, déclara une voix autoritaire.

— Oui, Ari, soupira-t-elle.

— Je me suis renseigné sur le problème de ton amie.

— Vraiment ? Qu'as-tu appris ?

— Quoi, pas une amabilité ? Pas même « comment vas-tu, Ari ? ». Il faut en venir tout de suite au fait, c'est ça ?

— Je t'en prie, Ari, la journée était longue et je suis fatiguée.

— Bon, d'accord, maugréa-t-il. Je me suis donc renseigné comme je te l'avais promis. Mes contacts connaissent de réputation Karim Ahmad, ils m'ont dit que sa position sociale est trop forte. À moins d'y aller avec un commando et de kidnapper les enfants, ton amie Dina n'a aucune chance, conclut-il avec une évidente satisfaction.

Son enquête n'avait mené à rien, au point que Sarah se demanda s'il avait même levé le petit doigt. Mais cela n'avait plus d'importance. Dina et son mercenaire étaient déjà sur place, de sorte que l'aide, ou plutôt la mauvaise volonté, d'Ari était désormais sans objet.

— Merci, répondit-elle quand même. Si c'est tout ce que tu avais à me dire, je dois vraiment aller me…

— Non, ce n'est pas tout, Sarah ! Je désire depuis un bon moment te parler de tes fréquentations.

Elle se redressa, l'attention en alerte.

— Mes « fréquentations » ? Qu'est-ce que cela signifie, je te prie ?

— Je veux parler de l'homme avec qui tu sors.

— Et en quoi cela te regarde-t-il ? répliqua-t-elle en se retenant de lui lancer « Tu ne manques pas de culot, coureur de jupons ! ».

— Cela me regarde en ce que ta conduite affecte ma fille.

Sarah sentit monter une bouffée de fureur. Rachel la cafardait donc à son père, comme elle l'en soupçonnait ! Il lui fallut faire appel à toute sa volonté pour ne pas exploser.

— Rachel n'aime pas cet individu. Un séfarade, paraît-il, précisa Ari comme s'il s'agissait d'une tare honteuse. Tu pourrais quand même trouver mieux, ajouta-t-il d'un ton impliquant que Sarah était vraiment tombée bien bas.

Elle aurait voulu lui crier que David valait cent mille fois mieux que lui, mais à quoi bon se battre avec Ari au point où ils en étaient ?

— Ce n'est ni l'affaire de Rachel ni la tienne de me dire avec qui je peux ou ne peux pas sortir, se contenta-t-elle de répliquer sèchement.

— Fais attention, Sarah, si tu veux que je t'accorde ce *get*, tu devrais être plus prudente.

Un éclat de rire grinçant lui échappa.

— Vas-y, Ari ! Qu'attends-tu pour prétendre que tu es la bonté même ? Si je fais tout ce que tu veux, tu auras l'insigne générosité de me le donner, c'est ça ?

Le timbre de l'interphone vibra à ce moment-là et la voix du portier annonça l'arrivée du traiteur.

— Il faut que je raccroche, déclara-t-elle fermement, j'attendais une livraison.

— Attention Sarah, je te le répète, eut-il le temps de lui

décocher. Si tu ne te soignes pas sérieusement, tu ne seras pas non plus heureuse avec ce type.

Espère d'infâme salaud ! gronda-t-elle entre ses dents. Il fallait que tu remettes ça ! Si, je serai heureuse avec David. Je serai mille fois plus heureuse que je ne l'ai jamais été.

L'appétit coupé, elle grignota à peine le cheese-burger, en laissa plus de la moitié. Mieux valait que Rachel soit sortie, pensa-t-elle. Il y aurait eu une scène, il n'en serait rien sorti de bon pour elles deux. Ce n'est encore qu'une gamine, se força-t-elle à se rappeler. Elle est frustrante, exaspérante, elle me rend malade, mais elle n'est qu'une enfant. Une enfant que j'aime, même quand j'ai envie de lui flanquer une fessée.

Il faudrait bien que tout finisse par s'arranger, sinon personne au monde ne survivrait à l'épreuve que constituait le fait d'élever des enfants.

41

Il faisait un temps superbe le dimanche matin. Angoissée par les événements des heures à venir, Dina avala son petit déjeuner à grand-peine. Le plan avait été décidé, il pouvait – non, il *devait* réussir. En attendant, elle ne pouvait rien faire d'autre que s'efforcer de sauver les apparences, sourire et prier.

Soraya sortit quelques instants. Quand elle revint, elle avait l'air soucieux.

— Il va faire très chaud, aujourd'hui. Le soleil tape déjà fort. Nous devrions peut-être remettre à un autre jour cette visite au zoo.

— Non ! laissa échapper Dina, qui se reprit aussitôt.

Je veux dire, les enfants seraient trop déçus si nous ne tenions pas notre promesse. Et puis, pour une fois que nous serons entre nous…

Soraya la dévisagea avec une évidente méfiance. Sa réaction excessive avait-elle éveillé les soupçons de sa belle-sœur ? s'inquiéta Dina.

— Bon, soupira-t-elle, je pense que tout ira bien si les enfants ne se fatiguent pas trop. Aide-moi à préparer le pique-nique.

Dina accepta volontiers ce dérivatif à sa nervosité. Le moment du départ arriva enfin et les enfants, surexcités, s'entassèrent dans la Land Rover de Samir.

La construction du zoo d'Amman n'était visiblement pas encore achevée, mais les sections ouvertes au public étaient d'une remarquable qualité. Pour le moment, les grands félins tels les lions et les tigres, qui tenaient la vedette, suffisaient à faire oublier aux enfants l'absence temporaire de spécimens plus rares.

En passant devant leurs habitats scientifiquement recréés, Dina s'intéressait toutefois plus aux humains qu'aux animaux. Dans la foule des visiteurs, elle ne reconnaissait nulle part Constantine et, en un sens, en était presque soulagée. Sa présence signifierait que l'opération était imminente alors que, jusqu'à présent, elle restait théorique dans son esprit, presque irréelle.

Dina sentait la panique la gagner. Peut-être avait-elle eu tort de se lancer dans une pareille aventure. Il devait y avoir une autre méthode, moins dangereuse, pour arriver à ses fins. En tentant de garder son calme, elle se dit que si elle se sentait incapable d'aller au bout, elle avait toujours la possibilité d'annuler l'opération en relevant ses lunettes sur son front, ce qu'elle était tentée de faire. Le dicton « On ne gagne rien sans peine » lui trottait cependant dans la tête. C'est idiot ! pensa-t-elle. L'entraîneur de l'équipe d'athlétisme à l'école de Jordy le lui serinait dix fois par jour. Une brute que Jordy détestait.

Après les grands félins, ils passèrent devant les antilopes et les gazelles, que les enfants jugeaient moins captivantes. On approchait de midi, la chaleur devenait de plus en plus lourde. Soraya suggéra de s'arrêter pour déjeuner. Les enfants approuvèrent avec enthousiasme. Dina se demanda si elle parviendrait à avaler quelque chose.

Ils se dirigèrent vers une aire de repos équipée de manèges et de toboggans pour les enfants, de tables pour les pique-niqueurs. Des femmes disposaient des provisions tirées des paniers. Il y avait aussi beaucoup d'hommes seuls avec leurs enfants. En Amérique, remarqua Dina, il s'agirait sans doute de maris divorcés ou séparés dont c'était le jour de garde. La situation était différente ici, où les pères consacraient davantage de temps à leurs enfants.

Pendant que Soraya étalait une nappe sur une table à l'ombre, Ali et Suzanne se précipitèrent vers un manège, bientôt rejoints par leurs cousins, Lina et Nasser. Dina ouvrit le panier et commença à le vider. Le joli petit jardin ombragé lui faisait l'effet d'un champ de bataille, la table en teck et ses bancs, d'une sorte de blockhaus. C'est ici que tout va se passer, pensait-elle en tremblant de la peur de casser une assiette. Et il faudra que ce soit très bientôt.

Elle chercha une fois de plus Constantine du regard et le repéra enfin. Il devait même être là depuis un certain temps. Il lui fallut un moment pour comprendre pourquoi elle ne l'avait pas remarqué plus tôt. Sans être déguisé à proprement parler, il avait une allure très différente. Les cheveux plaqués, une veste de sport en soie sauvage, une chemise d'aspect tout aussi coûteux dont le col ouvert dévoilait une chaîne d'or, une caméra vidéo dernier modèle à la main, il donnait l'impression d'un homme d'affaires prospère, d'origine méditerranéenne indéterminée, ayant troqué son strict complet habituel pour une tenue décontractée. Mais ce qui déconcerta le plus Dina, c'était la présence à côté de lui d'un garçonnet de douze ou treize ans, en blouson et baskets, qui aurait pu être son fils. C'est d'ailleurs ainsi qu'elle les avait vus, un père et un fils passant, comme tant d'autres dans la foule, quelques heures agréables au zoo. Dina se demanda qui était le jeune garçon, un membre de la famille du Major ou un gamin des rues, trop content de jouer un rôle pendant une heure en échange d'un blouson et de baskets à la dernière mode.

Sa surprise fut telle qu'il fallut à Dina plus d'une minute pour prendre conscience que le moment était venu de mettre le plan à exécution. Elle avait les mains glacées, la tête lui tournait. Ressaisis-toi ! s'ordonna-t-elle. Ce n'est pas le moment de t'évanouir ! Elle lança un nouveau coup d'œil à Constantine dans l'espoir de... de quoi, au juste ? Un signal ? Un ordre ? Elle ne savait qu'attendre de lui. Il bavardait gaiement avec le jeune garçon sans même regarder dans sa direction. Mais ses lunettes noires étaient sur ses yeux.

Machinalement, comme branchée sur un pilote automatique, Dina plongea la main dans sa poche, y prit la petite fiole.

— Veux-tu quelque chose à boire, Soraya ? s'entendit-elle demander sans reconnaître sa propre voix.

— Volontiers, je meurs de soif. Un Coca.

— Tout de suite.

Les bouteilles étaient au frais dans une petite glacière. Dina la posa sur la table, souleva le couvercle de manière à cacher ses mains. Elle allait d'abord décapsuler la bouteille avant d'y verser le contenu de la fiole. Juste avant, par acquit de conscience, elle regarda Constantine.

Il était en train de montrer à son jeune compagnon comment se servir de la caméra. Le garçon appliqua son œil au viseur, balaya l'aire de jeu d'un lent panoramique pendant que Constantine suivait le mouvement de l'objectif pour vérifier la manœuvre. Un instant plus tard, il rit d'un air approbateur, posa une main sur l'épaule du garçon en bon père fier de son fils, reprit la caméra et rajusta un bouton... en relevant ses lunettes sur son front comme pour mieux voir ce qu'il faisait avant de s'éloigner d'une démarche nonchalante.

Une fois encore, Dina ne réagit pas aussitôt. Elle tenait la fiole d'une main, le Coca-Cola de Soraya dans l'autre. Le moment crucial était venu et Constantine semblait l'abandonner. Que faisait-il ? Devait-elle agir seule, n'interviendrait-il que plus tard ?

Non ! Les lunettes relevées, le signal ! Il y avait un problème, l'opération était annulée.

Mais quel problème ?

Dissimulant de son mieux son affolement par un sourire, elle observa Constantine qui s'éloignait avec le jeune garçon – et c'est alors qu'elle reconnut l'homme. L'un des deux qu'elle voyait dans une voiture garée en permanence devant la maison. Derrière ses lunettes noires, il la surveillait sans doute depuis un long moment. À quelques pas de là, elle repéra son acolyte qui suivait des yeux Constantine et le jeune garçon, déjà presque fondus dans la foule.

Se doutaient-ils de ce qui avait été sur le point de se produire ? Ou se bornaient-ils à la surveiller, elle et tous ceux qui faisaient mine de l'approcher ?

— Eh bien, Dina, que fais-tu ? la héla Soraya en riant. Ne me dis pas qu'une Américaine ne sait pas déboucher une bouteille de Coca !

Dina lui tendit la bouteille en réussissant à sourire. Elle devait à tout prix vider la fiole compromettante. Mais, dans les circonstances présentes, un flacon vide pouvait aussi bien la trahir par les résidus de produit chimique. Elle n'avait pourtant pas le choix.

Elle en dévissait le bouchon quand retentit un cri qu'elle aurait reconnu à l'autre bout du monde. Ali ! Elle pivota sur ses talons à temps pour le voir qui se relevait près du manège en se tenant un bras. Il pleurait, Suzanne pleurait aussi, non parce qu'elle s'était fait mal mais par empathie envers son frère jumeau. Le sang suintait d'une estafilade au milieu de son bras.

Dina s'était à peine agenouillée près de son fils quand elle vit le premier homme s'approcher à grands pas. Avait-il vu ce qu'elle faisait, ou deviné ce qu'elle s'apprêtait à faire ? La fiole était encore au creux de sa main. Elle n'osa pas la remettre dans sa poche sous les yeux du gorille qui épiait ses moindres gestes. L'autre arrivait à son tour. Soraya était maintenant juste derrière elle.

— C'est grave ? demanda sa belle-sœur avec inquiétude.

— Non, je ne crois pas. Une égratignure, mais il saigne.

Dina supportait le bras d'Ali de sa main libre et, de celle qui tenait encore la fiole, serrait Suzanne contre elle pour la consoler. La petite foule de badauds amassée autour de leur groupe formait un écran qui ne tarderait pas à se disperser. D'un rapide tour de poignet dans le dos de Suzanne, Dina jeta la fiole sous le manège.

— Il est blessé, madame Ahmad ? s'enquit une voix en arabe.

Dina leva les yeux. Le premier garde s'adressait à Soraya tout en regardant fixement Dina. L'autre était à deux pas derrière lui. Si l'un ou l'autre l'avait vue prendre la fiole dans sa poche avant de décapsuler la bouteille... Dina exhiba sa main vide de la manière la plus naturelle possible.

— Non, ce n'est pas très grave, répondit Soraya. Mais que faites-vous ici, Khalid ?

L'interpellé se dandina un instant avec embarras.

— M. Karim nous a demandé d'aller voir si vous n'aviez besoin de rien.

Soraya poussa un soupir agacé.

— Ce dont nous avons besoin, répliqua-t-elle sèchement, c'est d'un bandage et d'une pommade antiseptique pour Ali. Mais je suppose que vous n'avez rien d'utile à nous proposer. Nous allons rentrer à la maison et nous nous passerons de vos services, merci.

Khalid dévisagea un instant Dina, qui soutint son regard.

— Comme vous voudrez, madame Ahmad, dit-il enfin avec un geste fataliste. Nous n'avons fait qu'obéir aux souhaits de M. Ahmad.

Sur quoi, les deux hommes s'éloignèrent du même pas.

— N'est-ce pas les deux individus qui passent leur temps à surveiller la maison ? questionna Dina de son air le plus innocent.

Soraya lui décocha un regard mi-méfiant mi-accusateur.

— Tu sais très bien qui ils sont. Ce que je voudrais savoir, c'est la raison pour laquelle ton mari... Karim, se corrigea-t-elle, leur a donné l'ordre de nous suivre jusqu'ici. Pourquoi, Dina ? Tu le sais ?

— Je n'en ai aucune idée. Cette histoire est absurde.

Elle ne mentait pas. Qu'était-il passé par la tête de Karim pour la faire espionner de la sorte ? Il ne pouvait se douter de rien.

Soraya ne la lâchait pas des yeux. Un moment plus tard, elle haussa les épaules.

— Peu importe. De toute façon, la journée est gâchée, ramenons notre petit blessé à la maison. Lina, apporte-moi une serviette propre pour lui faire un pansement.

Ali ne pleurait plus. Suzanne et lui examinaient sa blessure comme s'il s'agissait d'un insecte bizarre découvert sur une pelouse de Central Park. Dina les sépara le temps de laver la plaie avec de l'eau minérale et de l'entourer avec la serviette en guise de pansement. Puis, après avoir remballé les affaires du pique-nique, ils regagnèrent tous les six la Land Rover dans le parking.

Juste avant de monter en voiture, Dina crut apercevoir dans la foule le blouson du jeune compagnon de Constantine, mais elle n'en était pas sûre. Ce dont elle était certaine, en revanche, c'est qu'aucun avion ne l'emporterait ce jour-là vers New York avec ses enfants. Ni ce jour-là ni, peut-être, jamais plus.

De retour à la maison, les enfants étaient fatigués et énervés. Si Ali affectait la bravoure d'un soldat blessé, Suzanne pleurnichait à sa place. Pendant qu'elle soignait Ali, Dina la persuada d'aller faire la sieste et leur promit à tous les deux, sans savoir encore laquelle, une surprise pour plus tard tout en réfléchissant à la manière d'appeler discrètement le Major.

Après avoir quitté les enfants, elle traversa la cour pour se rendre à la cuisine rejoindre Soraya. Elle n'avait pas fait la moitié du chemin quand Samir lui barra le passage.

— Vous devez partir aujourd'hui, Dina, déclara-t-il avec une évidente satisfaction.

— Quoi ? Qu'est-ce que vous dites ?

— Je dis que vous devez quitter la maison. Faites vos valises, je vous appellerai un taxi quand vous serez prête.

— Mais pourquoi ? demanda-t-elle en jouant l'innocente. C'est Karim qui m'a invitée à rester. Il…

— J'ai parlé à Karim. Il veut que vous partiez.

Dina comprit qu'il serait inutile de discuter. Karim n'avait même pas eu le courage de le lui annoncer lui-même, il avait préféré confier la sale besogne à son frère.

Maintenant, pensa-t-elle tristement, c'est fini et bien fini.

42

À peine arrivée à l'hôtel, Dina appela le Major. Pas de réponse.

Que s'était-il passé ? Qu'est-ce qui avait éveillé les soupçons de Karim au point d'envoyer ses gorilles au zoo ? Samir l'avait-il mis en garde après sa visite au supermarché ou se méfiait-il d'elle depuis le premier jour ? Dina tournait en rond dans sa chambre, allumait la télévision, l'éteignait. Devait-elle appeler Constantine sur son appareil spécial dont elle n'était censée se servir qu'en cas d'urgence ? Il avait été très clair sur ce dernier point. La situation actuelle constituait-elle un cas d'urgence ? Après avoir réfléchi, elle décida de le laisser prendre l'initiative de la contacter. C'était lui l'expert, elle devait se fier à lui et suivre ses instructions à la lettre.

Il était près de deux heures de l'après-midi quand, au bout de la vingtième tentative infructueuse d'appeler le Major, elle raccrocha, en proie au découragement. Mais elle venait de reposer l'appareil lorsque la sonnerie retentit.

— Vous allez bien ? demanda la voix du Major.

— Oui.

— Vous êtes seule ?

— Oui.

— J'ai essayé trois fois de vous appeler, mais la ligne était toujours occupée.

— Je tentais de vous joindre. Il y a eu un problème...

— Vous m'en parlerez un peu plus tard. Vous avez eu une matinée difficile, je pense, et vous devez avoir faim.

— Je n'y pensais même pas ! Ce dont j'aurais vraiment besoin en ce moment, c'est d'une cigarette.

— Ils en vendent sûrement à votre hôtel.

— Je me suis arrêtée de fumer il y a vingt ans.

— Vraiment ? dit le Major en riant. Vous devez quand même vous alimenter. Je connais un très bon endroit encore inconnu des touristes. Voulez-vous venir m'y rejoindre ?

Dina comprit enfin que son insistance à vouloir la nourrir ne partait pas seulement d'un souci d'altruisme.

— Euh... oui, bien sûr. Où est-ce ?

Il indiqua le carrefour de deux rues dans le quartier Est. Pas d'adresse, rien que le nom de l'intersection.

— C'est noté. Quand ?

— Prenez donc un taxi dans un petit quart d'heure, ce n'est pas très loin.

— D'accord.

— Je serai enchanté de vous revoir, chère madame, fit-il avant de raccrocher.

Dina alla regarder par la fenêtre le panorama d'Amman. Rien ne lui parut réel. Que faisait-elle ici ? Elle n'accomplissait rien. Si le plan avait réussi, si tout s'était déroulé comme Constantine l'avait prévu, elle serait déjà dans un avion avec Ali et Suzanne. Et s'il avait échoué, où serait-elle ? En prison, probablement. Expulsée, au mieux. Et sans aucun espoir de jamais pouvoir reprendre ses enfants. De toute façon, ce dernier espoir paraissait condamné.

Elle se fit un discret raccord de maquillage, chaussa ses lunettes noires. Dans le hall, elle laissa le portier héler un taxi. Le chauffeur, un homme corpulent mais non sans distinction, lui fit du charme par principe, de la manière subtile propre aux Jordaniens – subtilité à laquelle elle ne trouvait plus aucun attrait –, sans autrement s'intéresser à elle ou à sa destination dans un des beaux quartiers de la ville. La circulation des voitures et des piétons y était assez dense. Dina se sentit gênée de se retrouver ensuite seule dans la rue, où personne ne l'attendait. Elle commençait à remarquer les regards intrigués des passants quand un autre taxi s'arrêta à sa hauteur.

— C'est vous la dame américaine ? demanda le chauffeur. Le Major m'a envoyé vous chercher. Montez, s'il vous plaît.

— Le Major ?

— Oui, lui-même.

Le chauffeur était jeune, souriant. Dina hésita une seconde. Devait-elle lui faire confiance ? Oui, décida-t-elle, elle ne pouvait pas se permettre à ce stade le luxe d'être paranoïaque.

Quelques minutes plus tard, ils traversèrent le campus de l'université et le taxi s'arrêta le long d'un trottoir où le

Major attendait. Il échangea quelques mots avec le jeune chauffeur et lui donna une somme sensiblement supérieure au montant de la course.

— Bonjour, chère madame, déclara-t-il en se tournant vers Dina. Une journée bien décevante, n'est-ce pas ? Mon ami Nouri m'a dit que vous n'avez pas été suivie depuis votre départ de l'hôtel. Sauf par lui, bien sûr.

— Tant mieux, répondit Dina qui ne sut que dire d'autre.

Elle appréciait que le Major prenne autant de précautions, tout en se demandant si elles étaient encore nécessaires puisque l'occasion de reprendre les enfants était perdue. Peut-être était-ce de sa part une habitude due à sa profession, se dit-elle.

Ils marchaient dans une allée bordée d'arbres entre les bâtiments de l'université. Situé dans un agréable site vallonné, le campus était moderne et bien entretenu. Sans les physionomies typiquement orientales qu'ils croisaient, ils auraient pu se croire en Californie.

— Alors, que s'est-il passé ? demanda le Major en souriant, comme s'ils se parlaient du beau temps.

— Je ne sais pas. Karim a dû soupçonner quelque chose ou peut-être se méfie-t-il de moi quand je suis avec les enfants. Notre ami était là, il me paraissait prêt à... enfin, vous savez. Et tout à coup, il a battu en retraite. C'est alors que j'ai vu les deux gardes du corps. Juste après, Ali est tombé du manège et tout était fini avant même d'avoir commencé. Je me suis rendu compte ensuite que Karim nous avait fait suivre par ses sbires depuis la maison.

— C'est aussi ce que pense notre ami. Il avait remarqué les deux individus qui vous épiaient. Pouvez-vous me les décrire ?

Dina le fit de son mieux.

— Manifestement, votre mari vous soupçonne de ne pas être venue dans le seul but de voir vos enfants, commenta le Major.

— J'en ai l'impression. Je crois aussi qu'il m'a fait suivre quand je suis allée au supermarché. Vous ai-je dit que c'est son frère qui m'y a conduite ? Après mes achats, il n'était pas dans la voiture où il devait m'attendre. J'ignore totalement s'il est entré au supermarché lui aussi et a observé ma... rencontre. Autre chose, dont j'aurais dû vous informer avant. Un homme m'a suivie entre les rayons. J'ai d'abord cru que c'était lui la personne que je devais rencontrer et puis j'ai pensé qu'il essayait simplement de me... draguer, dit-elle en rougissant. Mais maintenant, je me demande si ce n'était pas un des hommes de Karim que Samir avait chargé de me surveiller.

— Qui sait ? répondit le Major avec un sourire encourageant. Les choses les mieux préparées tournent parfois mal sans que nous sachions exactement pourquoi. Cela arrive, voilà tout.

De toute façon, pensa Dina avec fatalisme, quelle importance, puisque c'est fini ?

— Je vous emmène au restaurant universitaire, dit le Major en lui montrant un bâtiment dont ils s'approchaient. La cuisine est conforme à ce qu'on peut attendre de ce genre d'endroits, mais l'atmosphère y est très agréable.

L'endroit parut à Dina sensiblement supérieur à ses homologues des États-Unis. Elle se rendit compte aussi que le campus représentait un lieu de rencontre idéal. Comme toutes les grandes universités, celle-ci rassemblait une foule cosmopolite où elle passait inaperçue. Hommes et femmes, étudiants et professeurs s'y mêlaient sans contrainte et parlaient librement. Elle prit un café et une salade, sur l'insistance du Major, qui se contenta de thé.

— Répétez-moi en détail ce qui s'est passé ce matin, dit-il quand ils se furent assis.

Une fois de plus, elle lui fit le récit des événements du zoo et répondit aux questions qu'il lui posait de temps à autre.

— Rien jusqu'à aujourd'hui ? demanda-t-il quand elle eut terminé. Rien qui puisse laisser prévoir un problème ?

— Pas vraiment, mais c'est difficile à dire avec certitude, car la famille de Karim me manifeste de la froideur et de la méfiance depuis le jour de mon arrivée.

Le Major se borna à hocher la tête sans répondre.

— Alors, qu'allons-nous faire ? demanda Dina.

— Il ne m'appartient pas de vous le dire, chère madame. Je répéterai tout ce que vous m'avez dit à notre ami. En dehors de cela, je ne peux rien faire. C'est à vous deux de décider.

— Je ne lui ai pas dit un mot depuis mon arrivée. Comment pouvons-nous décider quoi que ce soit sans nous parler ?

— Je lui transmettrai votre observation. Il souhaitera sans doute vous rencontrer... Ce serait d'ailleurs une bonne chose si toutes les précautions sont prises, mais cette opération n'est pas de mon ressort.

Deux étudiants vinrent prendre place à la table à côté de la leur.

— Votre salade vous a plu ? demanda le Major avec une désinvolture affectée. Désirez-vous un autre café ?

— Rien, merci. C'était délicieux.

— Dans ce cas, répondit-il en consultant sa montre, il est temps que nous partions.

Dehors, un taxi attendait. Dina reconnut le jeune chauffeur qui l'avait amenée. À l'évidence, le Major veillait aux détails.

— Vous ne resterez plus longtemps ici, je pense ? demanda le Major en lui ouvrant la portière.

— Non.

— Alors, cette rencontre est peut-être notre dernière. Selon, bien entendu, ce qu'aura décidé notre ami.

— Je le regretterai sincèrement. Le seul fait de vous savoir ici...

— Je le regretterai aussi. Quand notre ami m'a contacté,

je ne savais pas à quoi m'attendre et j'ai accepté de collaborer par amitié pour lui. Mais pendant le peu de temps où nous nous sommes connus, je suis arrivé à... comment dire ? Prendre fait et cause pour vous.

Ces paroles touchèrent profondément Dina. Il était réconfortant de savoir qu'au moins une personne en Jordanie la soutenait.

— Merci. Mille fois merci.

— Nouri sera à votre service, reprit le Major en désignant le chauffeur. Il vous conduira où et quand vous le souhaiterez. Il a déjà travaillé pour moi, vous pouvez lui faire confiance.

— Merci, répéta-t-elle.

— Même si je ne vous revois plus, chère madame, sachez que je continuerai à prier Dieu que vous retrouviez vos enfants. Le plus tôt possible, Inch Allah.

Sur le chemin de retour à l'hôtel, Nouri sourit à Dina dans le rétroviseur puis lui tendit sa carte.

— Mes numéros de téléphone, précisa-t-il. Celui du bas, c'est mon portable. Quand vous les saurez par cœur, jetez la carte, d'accord ?

— Bien sûr, répondit Dina en se demandant quel genre d'opérations secrètes Nouri et le Major avaient déjà réalisées ensemble.

— Vous pouvez m'appeler n'importe quand. Le Colonel est un homme brave et bon. Il m'a dit de prendre bien soin de vous.

Il fallut à Dina quelques secondes pour comprendre que le « Colonel » désignait le Major.

— De toute façon, poursuivit Nouri, j'aurais bien pris soin de vous. J'aime les Américains, moi. J'ai vécu deux ans aux États-Unis, à l'université de Floride. J'étudiais pour devenir ingénieur chimiste. Je voudrais bien retourner là-bas. Mais ce n'est pas facile maintenant, ajouta-t-il avec une pointe de tristesse. C'est même très difficile.

Dina laissa échapper un soupir qui ressemblait à un sanglot.

— Eh ? J'ai dit quelque chose qu'il ne fallait pas ? s'inquiéta Nouri.

— Non, rien. Je pense seulement que le monde devient si... si terrible.

Le jeune chauffeur acquiesça avec le plus grand sérieux. Mais le sourire lui revint vite.

— Il n'est pourtant pas toujours aussi terrible, non ?

Son sourire était si communicatif que Dina le lui rendit de bon cœur et s'essuya les yeux.

— Pas toujours, c'est vrai. Il y a parfois de bons moments.

43

De retour à l'hôtel, Dina se sentit prisonnière d'une cage dorée où le téléphone la retenait comme une chaîne. Elle espérait recevoir d'une minute à l'autre un appel du Major ou de Constantine, mais deux heures passèrent, puis trois. Toujours rien. Son abattement cédait peu à peu devant la rage. La situation avait tourné au désastre... et que diable faisait Constantine ? N'avait-il pas encore compris qu'elle avait le plus pressant besoin de lui parler ?

Elle essayait depuis une heure de trouver le courage d'appeler la maison. Sa fureur croissante finit par la décider. Manque de chance, ce fut Fatma qui répondit.

— Passez-moi Ali ou Suzanne, je vous prie.

— Ils ne sont pas là. Ils sont... au cinéma.

— Quand reviendront-ils ?

— Je ne sais pas. Plus tard.

— Alors, passez-moi Soraya.

— Elle est sortie.

— Et mon mari ?

— Il n'est pas encore rentré.

Fatma mentait effrontément. Dina tenta de dominer sa colère.

— Quand l'un ou l'autre rentrera, dites-lui de m'appeler.

Fatma ne répondit pas. Dina entendit des murmures.

— Ne téléphonez plus ! aboya alors Maha. Vous êtes mauvaise pour Karim et pour ses enfants. Rentrez à New York et restez-y avec les gens de votre espèce.

— Quoi ? Écoutez-moi, vieille sorcière…

Maha avait déjà raccroché. Dina reposa le combiné, empoigna la lampe de chevet et la jeta de toutes ses forces contre le mur en lâchant une bordée de jurons. Elle se doutait qu'ils lui interdiraient l'accès de la maison, mais pas qu'ils iraient jusqu'à l'empêcher de parler à ses enfants !

Du calme, Dina. T'énerver ne t'avance à rien. Elle se souvint avec amertume de son état d'esprit débordant d'optimisme en débarquant de l'avion, moins d'une semaine plus tôt. Quelle naïveté ! Quelle impardonnable sottise ! Elle avait désespérément besoin d'entendre une voix amie, Sarah, Emmeline, ou les deux. Elle tendit la main vers le téléphone, mais se rappela le décalage horaire. De toute façon, que pourrait-elle leur dire ?

Dans de telles circonstances, il ne lui restait qu'une solution. Elle se fit couler un bain brûlant, déversa dans l'eau un assortiment des sels aromatisés et des huiles généreusement fournis par la direction de l'hôtel. Pendant que la baignoire finissait de se remplir, elle se versa un verre du cognac pris dans le minibar richement garni et laissa la bienfaisante conjugaison de l'eau chaude et de l'alcool fort estomper ses frustrations, ses déceptions et ses craintes.

Elle se rendit compte qu'elle s'était assoupie en se réveillant dans une eau à peine tiède. Le verre de cognac était vide. Elle sortit de la baignoire, se sécha sommairement avant de s'envelopper dans le peignoir en moelleux tissu-éponge fourni, lui aussi, par l'hôtel. Derrière la baie vitrée de la chambre, elle vit que la nuit tombait et que les lumières de la ville s'allumaient. Peut-être allait-elle commander un dîner léger au service d'étage et se coucher de bonne heure...

Un cri de frayeur lui échappa soudain et elle recula en hâte vers la porte de la salle de bains : la silhouette d'un homme assis sur le canapé se détachait en ombre chinoise contre la vitre. Il se leva aussitôt. La lumière de la salle de bains lui éclaira le visage.

— Espèce d'imbécile ! s'exclama-t-elle. Vous m'avez fait une de ces peurs !

— Désolé, répondit John Constantine.

Dina alluma le plafonnier. Malgré sa peau basanée, il avait pris un léger coup de soleil, sans doute pendant sa sortie au zoo, et paraissait fatigué. Jamais elle n'avait été aussi heureuse de voir quelqu'un – ni aussi folle de rage.

— Qu'est-ce que vous faites ici ? Comment êtes-vous entré ?

— Une vieille ruse d'Indien, se borna-t-il à expliquer. Vous dormiez, j'ai donc attendu votre réveil. J'ai dû m'endormir moi aussi.

Dina se sentit rougir. L'avait-il vue nue dans son bain ?

— Les téléphones fonctionnent dans ce pays, vous savez !

— Je sais. Trop bien, même. C'est sans doute ce qui a rendu Karim soupçonneux.

— Vous croyez que ?...

— Qui sait ? L'appareil que je vous ai donné n'est peut-être pas aussi sûr qu'on me l'avait affirmé. Dans ce cas, un bon scanner a pu suffire à capter vos conversations.

— Zut ! Vous voulez dire que depuis le début ?...

— Je n'en suis pas sûr, l'interrompit-il à nouveau. Il peut s'agir de n'importe lequel des incidents que vous avez rapportés au Major. Le type du supermarché, Samir, autre chose. Tout ce dont je suis certain, c'est qu'il s'est douté d'un coup fourré. J'ai reconnu au zoo les deux gorilles qui montent la garde devant la maison. L'un des deux au moins est armé. Autant que je puisse m'en rendre compte, poursuivit-il, Karim s'en tient encore à une tactique défensive. Je ne crois pas qu'il ait lancé un de ses sbires à vos trousses. J'ai passé plus d'une heure à vérifier la rue et le hall de l'hôtel. Rien de suspect. Il n'y a pas non plus de micros dans la chambre, je m'en suis assuré pendant que vous faisiez la sieste.

Dina se sentit de nouveau rougir.

— Alors, qu'allons-nous faire maintenant ? s'enquit-elle.

— Rien, répondit-il en se rasseyant sur le canapé. Arrêtons les frais. Nous n'avions pas prévu cette situation et nous n'avons pas les ressources nécessaires pour la contrer.

— Tout laisser tomber ?

Elle se retint de dire : « Laisser tomber mes enfants ? »

— Non. Opérer un repli stratégique, regrouper nos forces et formuler un nouveau plan, plus efficace. Vous reviendrez rendre visite à vos enfants et, d'après ce que vous m'avez expliqué sur leur père, je ne pense pas qu'il vous en empêchera. Pour le moment, il est enragé, mais quand il sera calmé il trouvera un moyen de laisser les enfants voir leur mère tout en les protégeant de vos tentatives pour les reprendre. Tôt ou tard, peut-être dans quelques mois, l'occasion d'agir se représentera. Ou alors les choses s'arrangeront d'une manière ou d'une autre.

Il parlait d'une voix sourde et paraissait réellement épuisé. Jusqu'à cet instant, Dina ne s'était pas rendu compte à quel point John Constantine avait pris sa mission à cœur. Elle voulut lui remonter le moral, le consoler d'un échec qui semblait l'affecter plus qu'elle.

— Allons, ça ira, dit-elle en posant une main sur son épaule.

Il lui serra brièvement la main, retira aussitôt la sienne.

— Non, ça ne va pas. C'est rageant.

— Qu'allons-nous faire ? répéta-t-elle. Tant que nous sommes ici, du moins.

La question parut l'étonner.

— Je pense que vous voudrez revoir vos enfants. Vous comptez toujours reprendre l'avion samedi ?

— Oui.

— Je resterai jusque-là pour être sûr que vous partirez sans problème.

— Non, ce n'est pas la peine. Rentrez demain si vous voulez, répondit-elle malgré elle.

— Je préfère rester. Jouer les touristes, boire un verre près de la piscine, me détendre. Mais à partir de maintenant, ce sera à mes frais.

Savoir qu'il resterait la soulagea.

— Je me demande s'il me permettra d'approcher Ali et Suzanne. Toute la famille est contre moi, dit-elle en lui relatant son dernier coup de téléphone à la maison.

— Il l'autorisera, affirma-t-il. Ne serait-ce que pour leur faire vos adieux. De toute façon, vous devez jouer le jeu. Si vous battiez en retraite maintenant, vous confirmeriez ses soupçons.

— Vous avez raison, je n'y avais pas pensé.

Il y eut un silence. Constantine le rompit :

— Je peux avoir quelque chose à boire ?

— Mon Dieu, où ai-je la tête ? Bien sûr.

— Et vous ? questionna-t-il en ouvrant le minibar.

— Je ne sais pas. De l'eau minérale.

Il lui servit un verre d'eau et se versa un scotch-soda – beaucoup de scotch et très peu de soda, observa-t-elle.

— À une meilleure chance la prochaine fois, fit-il en touchant le verre de Dina avec le sien.

— Meilleure chance la prochaine fois.

Une phrase creuse, déprimante.

— Je me demande ce qui a pu le mettre sur ses gardes, dit-il après avoir bu une gorgée.

— Je voudrais bien savoir si c'était ma faute ou... le hasard. Mais nous ferons mieux la prochaine fois, n'est-ce pas ? ajouta-t-elle sans conviction.

Les toasts et les vœux pieux n'avaient aucun pouvoir magique. Il n'y aurait sans doute même pas de prochaine fois. Si la situation devait se régler, ce serait selon toute vraisemblance par un long et frustrant parcours du combattant à travers Dieu sait combien de tribunaux.

Constantine vida son verre, le posa sur la table basse.

— Il faut que je m'en aille. Selon moi, il n'y a pas de danger, mais il est inutile de prendre des risques. Il faut aussi que je mange quelque chose, je n'ai rien avalé depuis ce matin.

— Je peux appeler le service d'étage.

— Pour vous, oui. Mais ça paraîtrait louche de faire apporter deux repas.

— Vous avez sans doute raison. Un peu paranoïaque, mais...

— Il est bon quelquefois d'être paranoïaque.

Ils se levèrent. Dina n'eut tout à coup plus envie qu'il s'éloigne. Passer la nuit seule dans une chambre d'hôtel impersonnelle, si loin de chez elle et de toutes ses habitudes, lui faisait l'effet d'un interminable tunnel obscur. Elle prenait surtout conscience qu'elle avait besoin de John Constantine et plaçait en lui tous ses espoirs, si minces soient-ils. La confiance était un sentiment qu'elle se croyait incapable d'éprouver à nouveau – envers un homme, en tout cas. Pourtant, elle était là devant cet homme grand et fort, au regard si souvent doux et bon, le seul sur qui elle voulait s'appuyer.

— Je peux commander un repas pour une seule personne. Vous le mangerez, je n'ai vraiment pas faim.

— Non, pas la peine. La journée a été longue pour moi

aussi. Je trouverai un sandwich ou un snack en rentrant chez moi.

— Ne... ne partez pas tout de suite, murmura-t-elle.

Il la regarda d'un air interrogateur.

— Prenez-moi dans vos bras une seconde. Juste une seconde. Je... simplement, je...

Il n'attendit pas la fin de sa phrase pour la serrer contre lui, lui caresser les cheveux, la joue. Sa main était douce et forte à la fois, son contact apaisant. Dina se sentit vaciller et elle sut que si elle se laissait aller, il ne la lâcherait pas. Restez, pensa-t-elle. Restez plus, beaucoup plus d'une seconde...

Déjà, il s'écartait et la dévisageait. Elle lut de la tristesse dans son regard. Du désir, aussi. Oui, il la désirait. Mais elle ? Le désirait-elle ici, maintenant ? Au beau milieu de ce terrible gâchis ?...

Elle cherchait une réponse quand le téléphone sonna.

— Une visiteuse vous demande, madame Ahmad, l'informa la réception. Mme Soraya Ahmad. Dois-je la faire monter ?

— Soraya ? Mais... oui, bien sûr. Dites-lui de monter.

Constantine leva un sourcil interrogateur.

— Ma belle-sœur, lui expliqua Dina. Je n'ai aucune idée de ce qu'elle vient faire ici.

— Bien. Vous ne m'avez jamais vu.

Il prit son verre vide, le mit dans le minibar et se dirigea rapidement vers la porte.

— Vous m'appellerez demain ?

— Je garderai le contact d'une manière ou d'une autre.

Il avait déjà disparu.

Une minute plus tard, Soraya frappa à la porte. Dina alla ouvrir. Avant d'entrer, la jeune femme scruta les deux bouts du couloir, sans doute par crainte d'être vue. Dina remarqua qu'elle était habillée comme pour se rendre à une réunion officielle.

— Je reviens d'une séance du conseil d'administration

de la Fondation de la reine Alia, annonça-t-elle en regardant la chambre avec curiosité.

— Quelle bonne surprise ! Assieds-toi.

Soraya s'assit mais sans retirer son léger manteau.

— Je ne peux rester qu'une minute. Je voulais juste te dire... je suis vraiment désolée pour ce matin, pour la manière dont Samir t'a parlé. J'ignore ce qui s'est passé. Les hommes, tu sais...

— Oui, je sais.

— C'est un bon hôtel. Tu es bien installée ?

— Oui, très bien. Écoute, pour ce matin, ce n'est pas grave. Je ne voudrais surtout pas te causer des ennuis. Mais j'ai *besoin* de voir mes enfants, tu comprends ?

— Je comprends. Mais...

Dina décida qu'elle devait se confier davantage.

— Si je te dis quelque chose, Soraya, me promets-tu de n'en parler à personne ? Surtout pas à Samir. Ni à Maha ou Hassan.

Soraya hésita. Elle avait déjà pris un risque en venant voir Dina. Son secret aurait peut-être pour elle des conséquences fâcheuses.

— Il n'y a rien de mal, je t'assure. Il s'agit simplement de quelque chose que Karim ne veut pas que je révèle à sa famille.

La curiosité, ou peut-être sa sympathie pour Dina, parut vaincre les réticences de Soraya.

— Quoi ?

— Je n'ai jamais abandonné mes enfants, Soraya. Karim les a enlevés pendant que j'étais à mon travail. Je suis rentrée ce soir-là comme à la fin d'une journée normale et j'ai trouvé la maison vide, et une lettre de Karim m'annonçant qu'il était parti, qu'il avait emmené les enfants et n'avait pas l'intention de me les rendre. Jamais.

Soraya eut l'air frappée de stupeur.

— Mon Dieu ! Comment peut-on faire une chose pareille ?

Peut-être se rendait-elle compte que cela pouvait lui arriver à elle aussi, supposa Dina. Que si une Américaine, avec les droits et les privilèges dont elle dispose, peut en être victime, que dire de son cas à elle ?

— Je veux, j'ai *besoin* de voir mes enfants, Soraya. Crois-tu que je pourrais passer demain ? Quand j'ai téléphoné cet après-midi, Maha m'a insultée.

— Oh, elle…, fit Soraya avec une grimace expressive.

Elle réfléchit un instant, prit son courage à deux mains.

— Viens demain. Je te ferai entrer.

— Je ne veux pas te causer des ennuis, Soraya.

— Eh bien… Tu pourrais appeler d'abord Karim à son bureau. Il ne refusera pas de te parler. Comme sa secrétaire répondra, cela lui ferait perdre la face.

— C'est une idée. Je le ferai peut-être.

— Il est temps que je parte, dit Soraya en se levant. Maha s'étonnerait que je sois sortie aussi longtemps et elle raconterait je ne sais quoi à Samir. Alors, ajouta-t-elle en s'approchant de la porte, je te verrai demain ?

— Je l'espère.

— Quel dommage, ce matin ! Les enfants s'amusaient si bien. Les miens et les tiens sont si heureux ensemble.

Soraya avait la main sur la poignée de la porte quand elle se retourna :

— Il faudrait que tu saches quelque chose, Dina.

— Quoi ?

— Si Karim le permet, tu verras tes enfants les jours prochains. Mais ils seront partis vendredi. Karim les emmène à Aqaba, où il garde son bateau. Tu sais, à la marina Royal Palms. Les jumeaux sont ravis.

— Ils sont déjà allés sur le bateau il y a quelques années, nous y étions même tous ensemble.

— Oui, je m'en souviens. Mais pas depuis.

— Non, c'est exact.

— As-tu compris ce que je t'ai dit, Dina ? insista Soraya en fixant sur elle un regard pénétrant.

233

— Que je ne pourrai plus voir les enfants après vendredi ?

— Oui. Ils doivent partir vendredi, passer la nuit à l'hôtel et embarquer samedi pour être de retour dimanche. Ils ne seront que tous les trois, ou peut-être un homme en plus pour aider Karim à manœuvrer le bateau. Il n'y aura personne d'autre à bord.

Dina comprit enfin et Soraya fit un léger signe de tête comme pour confirmer la portée de ses paroles.

— Je me demande pourquoi je te le dis, ajouta-t-elle. C'est juste… enfin, pour les enfants.

Et elle partit avant que Dina trouve les mots pour la remercier.

44

— Ne me dis pas que tu te mets au jogging ! s'exclama Celia en voyant les baskets flambant neuves d'Emmeline.

— Non, à la marche. Il faut que je fasse de l'exercice.

— Depuis quand ?

— Hier.

— Je te donne huit jours. Dix maxi.

Emmeline pouffa de rire en se promettant de donner tort à son assistante. Une fois l'habitude prise, elle ferait peut-être même le trajet à pied à l'aller et au retour. Une perte de temps, bien sûr, mais pas plus que les séances à la salle de sport. Et puis, en marchant, on pouvait croiser des gens, découvrir des choses intéressantes pouvant donner une idée d'émission, alors qu'au club on ne voyait que des cuisses bouffies de cellulite et des abdominaux en déroute.

— Je ferme ou tu veux le faire toi-même ? demanda Celia en faisant tinter le trousseau de clefs.

— Ferme, je suis déjà partie.

— Ne te surmène pas en marchant.

— Pas de danger. À demain.

Dans la rue, Emmeline adopta une allure qui, sans être olympique à proprement parler, manifestait une certaine vivacité. La journée avait été bonne, partagée entre de nouvelles rencontres, des réunions, la préparation des prochaines émissions. Un couple invité, un auteur de romans policiers dont l'héroïne était une anthropologue et une véritable anthropologue, promettait un débat animé.

Entre-temps, son comptable l'avait appelée pour lui parler non pas d'un problème fiscal, mais d'une villa les pieds dans l'eau à Fire Island. Le propriétaire, un autre de ses clients, avait un urgent besoin de la louer et en demandait un loyer raisonnable. C'était juste ce qu'il lui fallait, avait-elle aussitôt pensé. Une retraite où passer un week-end de temps en temps, où emmener Michael et certains de ses amis. Dina aussi, bien sûr, quand elle serait revenue. Ses enfants et elle auraient besoin d'un endroit tranquille pour se détendre et revenir à une vie normale.

Oui, dans l'ensemble la journée s'était bien déroulée. Sauf que, sans savoir quand ni comment, elle avait attrapé une bonne migraine. Avec la pollution ambiante et les gaz d'échappement des autobus, marcher dans les rues de New York aux heures de pointe n'était peut-être pas une idée géniale. Ou alors elle avait besoin de lunettes. Ce serait le bouquet ! Elle était trop jeune pour ça, bon sang !

Un Pakistanais qui baissait le rideau de fer d'une boutique d'électronique portait une calotte blanche islamique, ce qui ramena Dina au premier plan de ses pensées. Elle n'en avait d'ailleurs jamais été très éloignée depuis son départ pour la Jordanie. Que diable se passait-il là-bas ? se demanda une fois de plus Emmeline. À part un bref coup de téléphone le jour de son arrivée, rien. Pas un mot. John

Constantine savait sans doute ce qu'il faisait, mais il exagé-
rait en matière de sécurité ! Si Constantine passait à
l'action, ce devait être très bientôt, ou c'était peut-être déjà
fait puisque Dina était censée rentrer vers la fin de la
semaine.

Aurait-elle été dans le voisinage d'une église catholique,
Emmeline y serait entrée faire une prière pour son amie et
allumer un cierge. Dina et ses jumeaux retrouvés, Constantine en vaillant chevalier blanc, quelle belle émission elle
pourrait en faire ! Mais Dina y mettrait sûrement son veto,
elle avait horreur de la téléréalité. Quoi de plus réel, pourtant, que de voir kidnapper ses enfants et d'aller les récupérer soi-même ?

Elle tournait le coin de sa rue en se hâtant vers son
rendez-vous avec une double dose d'aspirine quand elle
remarqua du coin de l'œil un homme qui traversait dans
sa direction comme pour lui barrer le passage. Par réflexe
de New-Yorkaise aguerrie, elle évita le contact visuel, se
redressa, affermit sa démarche, projeta l'image d'une
femme grande et forte à laquelle il serait imprudent de
chercher noise.

— Emmeline !

Un fan ? Non, cette voix… Elle stoppa, se tourna vers
l'intrus. Jésus, Marie, Joseph, pour une surprise, c'était une
surprise !

— Gabe !

Il éclata du vieux rire de Gabriel LeBlanc, celui qui vous
liquéfie les intérieurs.

— Lui-même. Et toi, tu es toujours toi à ce que je vois.

— Qu'est-ce que tu fabriques ici ? voulut-elle savoir en
regrettant de n'avoir pas trouvé mieux.

— Oh ! Je suis en ville pour deux ou trois jours. Je me
disais que je passerais bien te faire un petit coucou.

Emmeline commençait à se remettre du choc.

— L'envie t'en prend tous les combien ? Tous les quinze
ans ?

— Je sais, je sais...

Il baissa les yeux comme un gamin, de trente-sept ans et d'un mètre quatre-vingt-dix, surpris la main dans le pot de confiture.

— Et tu comptais monter frapper à ma porte ? Sans même un coup de fil avant ?

Il leva les mains en un geste plein d'innocence.

— Je passais dans le quartier, alors...

Emmeline le toisa d'un regard critique. Elle s'était souvent demandé comment il avait encaissé le passage des ans et elle était forcée d'admettre que le temps lui avait réussi. Elle gardait le souvenir d'un grand jeune homme, maigre plutôt que mince, aux traits presque trop jolis. Il avait forci, pris une carrure d'athlète. Son menton s'était affermi, les deux petites fossettes qu'elle avait adorées s'étaient accusées. Le grand dadais monté en graine était devenu un homme. Et un homme prospère, observa-t-elle en notant sa veste de sport impeccablement coupée et ses mocassins italiens sans doute hors de prix.

— Alors, c'est ici chez toi ? demanda-t-il avec l'accent du Sud profond qu'il était capable de prendre et de quitter à volonté.

Une fraction de seconde, Emmeline fut tentée de répondre non, mais elle se ravisa. À l'évidence, il le savait déjà sinon il ne serait pas là.

— Pas tout l'immeuble, répondit-elle d'un ton sarcastique. Juste un appartement. Un loft, plutôt.

— J'imagine que tu ne vas pas m'inviter à entrer.

Elle n'y avait pas pensé, mais évidemment il n'en était pas question. Elle ne voulait à aucun prix faire à Michael la mauvaise surprise d'exhiber son père tel un diable sortant d'une boîte. Ni d'ailleurs à Sean, s'il était là.

— Sûrement pas !

— Je m'y attendais, soupira-t-il avec résignation.

— Je l'espère bien, Gabe ! J'espère aussi que tu ne t'attendais pas à revenir dans ma vie aussi facilement ! Si tu veux me parler, à moi ou à ton fils, décroche le téléphone ou écris une lettre. Mais n'aie pas le culot de frapper à ma porte comme si tu étais sorti cinq minutes plus tôt t'acheter un paquet de cigarettes.

— J'ai arrêté de fumer, répondit-il d'un air piteux.

— Tant mieux pour toi, fit-elle sèchement.

Visiblement mal à l'aise, Gabriel dessinait du bout du pied sur le trottoir des signes cabalistiques. Emmeline revit en un éclair le même geste de nervosité qu'il faisait avec ses vieilles baskets dans la poussière d'un terrain vague de Grosse-Tête.

— Tu sais, dit-il à voix presque basse, je crois qu'il n'y a pas eu un jour, pas un seul, sans que je pense à toi d'une manière ou d'une autre.

C'était le genre de propos qu'elle ne voulait pas entendre – ou peut-être le souhaitait-elle au plus profond de son subconscient. Mais à quoi bon, de toute façon ? Le passé était le passé et Gabriel LeBlanc, de l'histoire ancienne. Qu'il soit là, devant elle, avait quelque chose de surréaliste. Les bras croisés, elle le toisa avec un dédain affecté.

— Ne va pas croire que..., commença-t-il à expliquer.

— Qu'est-ce que tu t'imagines ? Où as-tu pris l'idée stupide que je te tomberais dans les bras en te voyant débarquer comme un joli cœur au bout de quinze ans avec des belles paroles bien creuses ? Quinze ans, Gabriel ! Quinze ans que tu m'as laissée tomber ! Alors enfonce-toi ça dans le crâne, mon bonhomme : la partie est finie. Je ne joue plus, moi ! Je ne joue plus depuis longtemps, si longtemps que j'ai même oublié comment jouer à ce petit jeu !

— Je sais, je sais. Simplement, je...

Il s'interrompit. Emmeline savait que Gabe n'avait jamais été doué pour les mots – sauf quand il les chantait. Elle attendit.

— Bon, eh bien..., je suis content de t'avoir revue, Em. Tu es toujours aussi belle.

— Merci. Tu m'as l'air en forme, toi aussi. Alors, c'est

tout ? poursuivit-elle. On s'en tient là ? Tu ne m'expliques pas pourquoi tu es venu ?

Les yeux baissés, il ne répondit pas ni ne fit mine de s'éloigner.

— Bon, eh bien, ravie de t'avoir revu, Gabe. Recommençons dans une quinzaine d'années, d'accord ?

Son ton était odieux, elle en avait conscience. Mais après tout, elle en avait le droit, pensa-t-elle en se tournant vers sa porte.

— Em, attends !

Elle s'arrêta.

— Écoute, chou, venir comme ça était idiot de ma part, je sais. Mais vois-tu, ce n'était pas... enfin, pas simplement pour te dire bonjour et filer tout de suite après. Cela fait deux heures que je marche de long en large ici, peut-être même plus. Je m'étonne d'ailleurs que personne n'ait appelé les flics. Chaque fois que j'arrivais au bout de la rue, je me disais : « Laisse tomber, va-t'en, tu n'as rien à faire ici. » Et puis je me disais, non, un tour de plus. Peut-être que je te verrais sortir de chez toi, ou regarder par la fenêtre, ou tourner le coin comme tu viens de le faire. Ou peut-être que le petit rentrera de l'école. Je me demandais si je le reconnaîtrais.

Emmeline garda le silence.

— Tu sais, chou, j'avais envie de te revoir. Mais je voulais surtout te... te demander...

Il leva les yeux, la regarda comme pour l'implorer de l'aider à formuler sa phrase. Puis, constatant qu'elle restait de glace, il baissa de nouveau les yeux.

— Les gens changent, tu sais, reprit-il. Les temps changent, même si rien d'autre ne change. C'est vrai, j'ai perdu la main et la partie est finie. Pour moi, en tout cas. Mais Michael a son propre jeu à jouer et la partie commence à peine, pour lui.

Emmeline écoutait, étonnée. Ce discours était le plus

long qu'elle lui ait jamais entendu prononcer sans plusieurs bières dans le corps.

— Ce que je veux dire, c'est que je ne peux pas être un vrai, un bon père pour lui, je sais. Mais je voulais te demander si je peux quand même être... quelque chose pour lui. Qu'en penses-tu, toi ? Crois-tu qu'il soit trop tard pour ça aussi ?

Étrangement, Emmeline se rappela une de ses émissions, consacrée à des mères qui revoyaient des années plus tard des enfants à qui elles avaient renoncé pour les donner à adopter. L'une d'elles avait prononcé presque textuellement les mêmes paroles.

— Je n'en sais rien, sincèrement. Tu ferais mieux d'en parler à Michael lui-même, à mon avis.

Cette réponse lui fit un plaisir si intense, si touchant, qu'il était presque douloureux à voir.

— Tu crois que je pourrais lui parler ? Pas tout de suite, bien sûr. Je vous dérangerais tous les deux. Mais bientôt ?

Emmeline se surprit à fondre en larmes.

— Bon Dieu, Gabriel, pourquoi me fais-tu un coup pareil ? Pourquoi ce... ce numéro ?

Il la regarda en ayant l'air de se poser la même question.

— Je ne sais pas, chou. Peut-être que pour une fois, tu sais... eh bien, j'essaie de faire ce qu'il faut.

— Faire ce qu'il faut ? Bravo ! Vraiment, je n'ai ni besoin ni envie de ce genre de baratin. Tu ferais mieux de me laisser tranquille. De t'en aller à Grosse-Tête ou ailleurs.

— Désolé, Em. Excuse-moi.

Comme il ne bougeait toujours pas, elle lui tourna le dos et fouilla dans son sac à la recherche de ses clefs.

— Bon, d'accord ! lâcha-t-elle en se retournant vers lui. J'y réfléchirai. Mais je ne te promets rien.

— C'est tout ce que je voulais te demander. Merci, Em.

— Ne me remercie pas. Je n'ai encore rien fait et je ne sais même pas si je ferai quelque chose.

— C'est déjà plus que ce que je mérite. Je te laisse juge. Tu décideras pour le mieux.

— Non, Michael et moi déciderons. En supposant que je décide d'abord de lui raconter ta visite.

— Bien sûr.

— Tu veux vraiment le voir ? Lui parler ?

— S'il veut bien, oui.

— Tu m'as dit tout à l'heure que tu n'étais en ville que pour deux ou trois jours.

— Cette fois-ci, oui. Mais je peux revenir plus souvent. Si, je t'assure. Je prévoyais même de le faire, au cas où... ça s'arrangerait.

Il fallut à Emmeline un moment pour assimiler cette dernière repartie. L'idée de Gabriel LeBlanc « prévoyant » quoi que ce soit était totalement étrangère à son expérience.

— Je vais y réfléchir.

— Veux-tu que je t'appelle ? Demain, par exemple ?

— Non. Où es-tu descendu ?

— Dans le quartier, au Holiday Inn. J'ai des rendez-vous, je sors dans la journée, mais tu pourras m'y trouver le soir.

— Bien, je t'appellerai.

— Merci, Em.

— Sache que, quoi qu'il arrive, tu ne feras pas à Michael plus de mal que tu lui en as déjà fait. Est-ce bien compris ?

— J'ai compris.

— Et je te répète que je ne te promets rien.

— Je sais.

— Bon. Nous sommes donc d'accord.

Pour la première fois depuis le début de la rencontre, Gabriel sourit. Il avait toujours eu un sourire irrésistible.

— Merci encore, chou. Je le pense sincèrement. Et je le pensais aussi sincèrement en te disant que j'étais content de te revoir et que tu étais toujours aussi belle.

— Merci quand même. Ne laisse pas tout tomber, cette fois-ci.

Il ne la quitta pas des yeux jusqu'à ce qu'elle ait ouvert la porte et disparu à l'intérieur.

L'appartement était vide. Michael avait laissé un mot : il travaillait chez son ami Brendan et resterait peut-être dîner. Rien de Sean, pas de message au répondeur. Situation normale, en somme. Emmeline se sentit l'urgent besoin d'un verre de vin. Non, d'alcool fort. Elle oubliait quelque chose. Quoi donc, déjà ? Ah, oui. L'aspirine.

Mais pour une raison inexplicable, sa migraine avait disparu.

45

Depuis qu'elle fréquentait David, Sarah s'étonnait de ses propres réactions. Qu'elle se soit attachée à lui ne présageait en rien de la manière dont leurs rapports évolueraient. Elle n'avait donc aucune raison sérieuse de faire la connaissance de sa famille. Et pourtant, elle était à côté de lui dans le petit roadster rouge qu'il appelait sa « voiture d'été », en route pour le New Jersey et la villa de son cousin Simon le designer – car David désignait ses parents par leur profession : Harry le docteur, Herbert l'expert-comptable, etc.

Malgré ses solides principes, elle s'était laissé convaincre que le médecin le plus dévoué avait le droit de quitter son poste un peu plus d'une journée à la fois et qu'aucune loi morale ne s'opposait à ce que Rachel séjourne pendant ce temps chez son père.

Pour elle, c'était une aventure amusante, mais elle s'efforçait aussi de comprendre pourquoi elle s'y était laissé entraîner aussi vite et de prévoir jusqu'où elle irait. Devenait-elle amoureuse de David ? Elle n'avait aucun souvenir de ce qui s'était passé entre Ari et elle. Les débuts devaient avoir été exceptionnels, sinon elle ne l'aurait pas épousé. Mais à quoi bon s'attarder sur ce passé révolu ? Heureuse du moment présent, elle était déterminée à en profiter au mieux.

Cette question ainsi réglée, elle en aborda une autre qui, depuis un bon moment, piquait sa curiosité.

— Comment faites-vous pour avoir deux voitures en ville, une d'été et une d'hiver ? Avec une seule, je m'en sors uniquement grâce à mon caducée sur le pare-brise et à la chance d'avoir trouvé un parking pas trop ruineux.

— Ce n'est pas facile, c'est vrai. Mais quand j'étais gamin, je rêvais d'avoir une Thunderbird, le modèle classique de 1957. Et puis, lorsque des années plus tard j'ai eu les moyens de m'en offrir une, je n'en avais plus envie, ce qui m'a paru triste. Alors, depuis, je me fais plaisir en me passant mes caprices de jeunesse. Quand ils restent dans le domaine du possible, ajouta-t-il d'un ton qui la fit pouffer de rire.

Ils quittèrent bientôt l'autoroute et, quelques minutes plus tard, Sarah sentit une agréable fraîcheur succéder à la chaleur lourde, et la douce odeur de l'herbe coupée remplaça l'âcreté des gaz d'échappement. De chaque côté apparaissaient de belles et vastes maisons entourées de jardins fleuris. Des cris d'admiration lui échappèrent quand ils s'engagèrent dans Ocean Avenue.

— Il y a toujours eu d'imposantes demeures ici, expliqua David, mais la côte était plus belle du temps de ma jeunesse. Nous avions de sublimes pâtisseries victoriennes, des villas méditerranéennes de toute beauté. Beaucoup ont été rasées pour faire place à des bâtisses neuves qui se contentent d'être... voyantes.

— Et celle de votre cousin ?

— C'est une des plus réussies.

Il avait raison. La villa de Simon Kallas était neuve, mais superbe. D'une architecture d'avant-garde aux harmonieuses proportions, toute en verre et en matériaux d'une blancheur immaculée, elle se dressait au sommet d'une éminence qui dominait l'océan et dévoilait des vues panoramiques jusqu'à l'horizon. Elle comportait une piscine olympique du côté mer et un court de tennis du côté terre.

Le cousin Simon l'accueillit par un débordement d'effusions auxquelles, gênée, Sarah ne sut que répondre.

— Ne vous laissez pas impressionner, commenta David en riant, il adore séduire les gens et il en rajoute à chaque fois. C'est comme cela qu'il a toujours obtenu tout ce qu'il voulait.

À peu près de l'âge de David, Simon avait une allure encore plus juvénile. Les hommes de cette famille étaient-ils tous pareils ? se demanda Sarah, amusée. Mince, vêtu de soie blanche de la tête aux pieds à l'exception d'un ruban cramoisi retenant son catogan, il avait des yeux verts d'une nuance tellement vive qu'elle soupçonna la présence de lentilles de contact. Sarah le remercia de son accueil chaleureux.

— J'adore que ma maison soit toujours pleine ! déclarat-il. David est un de mes cousins préférés, ses amis sont donc les miens.

Sur quoi, il invoqua des coups de téléphone à donner, des clients à éblouir et conféra à David le rôle de maître de maison pour installer Sarah dans la chambre d'amis.

David se chargea de son sac de voyage et entraîna Sarah vers un escalier que Scarlett O'Hara aurait été fière de descendre. Quant à la chambre d'amis, elle était digne d'un palace de charme, avec des meubles anciens, un lit immense et des tapis d'Orient apportant d'indispensables touches de couleur à un décor uniformément blanc.

— Votre cousin semble aimer le blanc, observa-t-elle. Je ne m'en plains pas, remarquez, c'est beaucoup plus beau que chez moi.

— Simon a toujours eu des goûts changeants. Pour le moment, en effet, il a la folie du blanc. Avant, il ne jurait que par le vert céladon et, avant le vert, il n'admettait qu'une nuance de beige sable. En tout cas, je suis content que la chambre vous plaise. Voulez-vous vous mettre à votre aise et me rejoindre en bas dans une petite heure ?

Sarah commença par ranger ses quelques vêtements dans une penderie d'un luxe auquel elle n'était pas accoutumée. Puis, résistant à la tentation de se plonger tout de suite dans la baignoire, aux dimensions elles aussi olympiques et équipée d'un jacuzzi, elle se contenta de se rafraîchir dans le lavabo de marbre et de se faire un raccord de maquillage avant d'enfiler une tenue décontractée et de descendre retrouver David comme convenu.

Il s'était changé lui aussi et, en léger pantalon beige et chemisette de golf, avait une allure encore plus jeune. Il paraissait surtout détendu, heureux et, de le voir ainsi, Sarah se sentit gagnée par son humeur. Simon n'avait toujours pas reparu.

— Sommes-nous les seuls invités ce week-end ? demanda-t-elle.

— Patience ! répondit-il en riant. À l'heure du dîner, la maison sera pleine. D'ici là, profitons du calme. Venez, je vais vous faire visiter les environs. Ce sera une bonne occasion de conduire ma voiture.

Ils suivirent la route côtière en traversant des stations balnéaires plus charmantes les unes que les autres, en longeant des plages de sable fin, des dunes, des sites où la nature était encore à l'état sauvage.

— Tout est ravissant, commenta Sarah. Je ne me doutais pas qu'il y avait tant d'endroits aussi beaux dans le New Jersey.

— Vous n'êtes pas la seule, répliqua David en riant. Des millions de gens s'imaginent qu'on trouve dans le New Jersey uniquement des usines chimiques puantes, des décharges et des lotissements en béton. Demain, je vous emmènerai plus loin vers le sud, vous découvrirez des endroits à couper le souffle.

Le mot « demain » plut à Sarah. Quant à avoir le souffle coupé, elle en eut un avant-goût à l'heure du dîner lorsque tante Effie, la mère de Simon, arriva de Brooklyn. Arriver, dans son cas, était d'ailleurs un euphémisme, on aurait plutôt cru le passage d'un cyclone. Si Simon, selon David, aimait en rajouter dans le domaine des compliments et du charme, sa mère le surclassait de très loin dans celui du mélodrame. Elle éructa des récriminations aussi bruyantes que passionnées sur l'anarchie de la circulation, la mauvaise qualité des produits qu'elle apportait du marché, du pain fourni par son boulanger, et conclut en exprimant sa certitude que son dîner serait un désastre.

David fit signe à Sarah de laisser passer la tornade. Quand, un long moment plus tard, Effie fut enfin à bout de souffle, elle tourna son attention vers son neveu et sa tendre amie :

— Alors, ma chère petite, vous aimez bien notre David ?

On ne pouvait être plus direct.

— David est s... formidable, répondit Sarah, qui s'était retenue de justesse de lâcher le qualificatif de « sympathique », notoirement insuffisant.

— Bien entendu, déclara Effie comme si Sarah devait être assez simple d'esprit pour en avoir douté. Et vous, ma petite, êtes-vous séf vous aussi ? Je ne crois pas connaître votre famille.

Sarah resta interloquée. David vola à son secours.

— Non, tante Effie, Sarah est juive mais pas séfarade. Sa famille habitait près d'Eastern Parkway.

— Ah ! soupira Effie en mettant dans cette simple interjection un monde de significations. Enfin, ajouta-t-elle un instant plus tard avec résignation, au moins elle est juive.

Sarah se serait vexée de tels propos dans la bouche de n'importe qui d'autre, mais Effie était si manifestement une force de la nature qu'on devait pardonner ses excès.

Tout en parlant, Effie déballait des quantités impressionnantes de paquets, boîtes, saladiers et autres récipients jusqu'à ce que la moindre surface de la cuisine, pourtant spacieuse, ait disparu sous assez de provisions pour nourrir une armée en campagne.

— Elle a apporté tout cela de Brooklyn ? chuchota Sarah, effarée, à l'oreille de David.

— Tante Effie a des principes très stricts en matière de cuisine. Elle a ses fournisseurs attitrés, qui, non pas par hasard, se trouvent tous à Brooklyn. Donc, dans ses moindres déplacements, elle emporte tout le quartier avec elle. Attendez la suite, ajouta-t-il en voyant la mine de Sarah. Tante Effie ne fait jamais rien à moitié.

À la fois spectaculaire et pantagruélique, le dîner fut visiblement apprécié comme il le méritait par la foule des parents et amis débarqués entre-temps et qui se serraient autour de la table. Sarah prit autant de plaisir à cette savoureuse cuisine d'un exotisme de bon aloi qu'à la compagnie chaleureuse de ces gens exubérants, qui éprouvaient les uns pour les autres une affection sincère et riaient de bon cœur à tout propos. Elle comprenait pourquoi, élevé dans une telle atmosphère, David était un homme aussi gentil, toujours à l'écoute des autres.

David toucha à peine aux desserts et se pencha vers Sarah :

— Partons, murmura-t-il. Je vais toujours m'acheter un cornet de glace quand je viens ici.

— Quoi ? fit-elle, incrédule. Vous n'avez pas assez dîné ?

— Si, mais je n'ai pas eu de glace à la pistache. C'est ma drogue.

S'excuser de leur départ était apparemment inutile, les convives allaient et venaient à leur gré sans cérémonie. Sur le front de mer, ils firent la queue devant le glacier le plus réputé du lieu et Sarah commanda elle aussi une glace à la pistache – qu'elle fut stupéfaite de dévorer jusqu'à s'en lécher les doigts.

Quand il eut terminé la sienne, David poussa un soupir de contentement. Il est trop mignon, pensa-t-elle. Comme un petit garçon qui a reçu une récompense... Du bout des doigts, elle lui essuya un peu de glace au coin des lèvres. Il lui prit la main, l'embrassa. Un long moment, ils se regardèrent dans les yeux.

— Voulez-vous aller quelque part boire un verre en écoutant de la musique ? Il y a de bonnes boîtes dans les environs.

— Non, je suis heureuse ici. En ville, je passe mon temps à courir. Il est bon de ne rien faire, de temps en temps.

Ils remontèrent en voiture, regagnèrent la villa et s'assirent dans le jardin. Il faisait doux, un croissant de lune se reflétait sur l'océan. Ce fut au tour de Sarah de pousser un soupir de contentement.

— Je me suis renseigné au sujet de votre *get*, dit David en lui prenant la main. Mais avant d'en parler, je voudrais votre autorisation.

— Pourquoi ?

— Parce que je crois que nous devrions faire une petite enquête en Israël. Mon cousin Abraham le rabbin y a beaucoup de relations et accepte de se renseigner en votre nom.

Sarah fit une moue dubitative.

— Vous m'avez dit qu'Ari faisait des affaires en Israël, reprit David. Abe et moi pensons pouvoir trouver là-bas quelqu'un ayant de l'influence sur lui. Au point où vous en êtes, la meilleure solution consisterait à exercer sur Ari des pressions capables de lui faire changer d'attitude, ou négocier son accord contre quelque chose, un avantage par exemple.

— Vous croyez vraiment que cela marcherait ? demanda Sarah.

— C'est une chance à tenter. Je ferai tout pour réussir, Sarah.

Il l'attira contre lui, l'embrassa. Elle lui rendit son baiser avec tant d'ardeur que ce fut David qui s'écarta le premier.

— Ce serait gênant que ma famille nous surprenne en flagrant délit, fit-il en riant.

Il émanait de la maison le bruit des rires et des conversations. Sarah dut convenir que ce n'était en effet ni le lieu ni le moment pour se laisser aller à un tel comportement. Ils décidèrent d'aller plutôt se promener sur la plage.

Moins d'un quart d'heure plus tard, après la plus symbolique des promenades, ils étaient étendus sur le sable et se caressaient avec la frénésie d'adolescents se livrant à leur première expérience amoureuse.

— Ce n'est pas comme cela que je l'avais vu pour nous, Sarah, lui murmura-t-il à l'oreille.

Elle se serra plus fort contre lui avec un désir redoublé.

— Je sais.

Elle laissa échapper un soupir de plaisir. À son étonnement croissant, elle sentait son corps répondre à ses caresses légères mais expertes. Tu fais une folie, entendit-elle reprocher sa voix intérieure, mais elle ne l'écouta pas. C'était trop bon d'être serrée dans des bras d'homme, caressée, embrassée – désirée. Et elle s'entendit murmurer « Oui ! » avec avidité lorsque David lui écarta les cuisses avec douceur sans cesser de la caresser comme s'il savait exactement ce qui lui donnerait un plaisir renouvelé.

Comment, pourquoi l'avait-elle elle-même ignoré ? eut-elle encore la lucidité de se demander. Était-ce de savoir que David n'exigeait rien d'elle qui avait libéré ses instincts endormis ? Était-ce le plaisir défendu de faire l'amour sur une plage, sous les étoiles ? Elle ne se posa bientôt plus de questions et s'abandonna sans retenue à l'orgasme qu'elle sentait monter en elle, étreindre chaque cellule de son corps, et qui la laissa pantelante, étourdie et si comblée d'un bonheur inconnu... qu'elle éclata d'un rire incontrôlable.

Désarçonné, David se laissa vite gagner par cette joyeuse hilarité.

— Je crois, dit-il enfin, que nous ferions mieux de rester ici jusqu'à ce que les autres soient partis ou couchés. S'ils nous voyaient maintenant, ils n'auraient aucun doute sur ce que nous avons fait.

— Oui, répondit-elle en riant de plus belle, aucun doute.

46

Constantine rappela Dina aussitôt après avoir vérifié le numéro d'appel sur le cadran de son portable.

— Il y a du nouveau ? demanda-t-il d'entrée.

— Oui, peut-être. Il faut que nous en parlions. Pouvez-vous venir à l'hôtel ?

— Ce ne serait pas une bonne idée. Mais s'il y a du nouveau...

— Voulez-vous que je vous en touche deux mots ?

— Pas au téléphone. Pouvez-vous attendre demain ?

— C'est pourtant très... intéressant.

— Nous ne pouvons rien faire ce soir, n'est-ce pas ?

Pourquoi paraissait-il s'en désintéresser ? Lui en voulait-il d'avoir commis une erreur à un moment ou à un autre ? Peut-être était-il tout simplement fatigué. D'après sa voix, en effet, il avait l'air épuisé.

— Non, bien sûr. Mais il ne faut pas attendre trop longtemps.

— Demain matin de bonne heure. Sortez faire un peu de marche à pied, c'est un excellent exercice.

— À un endroit précis ?

— Non. Marchez, c'est tout.

— Compris.

— Avez-vous autre chose à me dire ?

— Non, rien.

— Bien. À demain.

À son étonnement, l'attente ne lui apporta pas l'angoisse qu'elle redoutait moins d'une heure plus tôt. Elle commanda son dîner au service d'étage et se sentit agréablement glisser dans le sommeil avant même de l'avoir terminé. Lorsqu'elle se coucha entre les draps frais, la pensée confuse lui vint que le changement représentait l'espoir. D'abord accablée par sa défaite, elle retrouvait une chance inattendue de reprendre ses enfants. Et sa dernière image consciente fut celle des yeux noirs et pensifs de John Constantine fixés sur les siens.

Le soleil était déjà haut lorsque Dina se réveilla. Un instant affolée par crainte d'avoir manqué son mystérieux rendez-vous avec Constantine, elle endossa à la hâte la tenue de jogging dont elle n'avait pas encore eu l'occasion de se servir, se coiffa d'une casquette de base-ball à l'emblème des Mets et mit ses lunettes noires.

Dans le hall, elle écarta le portier qui lui offrait de héler un taxi.

— Non, non ! Marcher ! Exercice !

L'homme parut sérieusement inquiet. Elle avait dû mettre trop de véhémence dans son refus, se reprocha-t-elle.

Dehors, la matinée était splendide. Le soleil brillait dans un ciel pur, mais il faisait encore assez frais pour qu'elle ne regrette pas les manches longues de son survêtement. Elle descendit d'un bon pas la rampe en demi-lune de l'hôtel et s'engagea dans l'avenue. Trois rues plus loin, elle se rendit compte qu'une voiture la suivait. Elle parvint à dominer son bref accès de panique en se rappelant qu'elle était dans une grande artère passante et en plein jour. Sans ralentir, elle tourna la tête pour essayer de voir qui la suivait et reconnut le taxi de Nouri.

— Bonjour, madame l'Américaine, lui dit-il quand elle fut installée à l'arrière. Nous n'allons pas très loin. J'aime bien votre casquette.

Elle l'enleva, la lui tendit.

— Elle est à vous.

— C'est vrai ? Ça alors !

Il se confondait encore en remerciements quand il s'arrêta devant l'entrée de l'amphithéâtre romain. Le site grouillait déjà de touristes.

— Il y a du monde, aujourd'hui, observa-t-il.

— C'est ici que nous allons ? s'étonna Dina.

— Il y a un belvédère tout en haut. Vous aurez une belle vue. Je vous attendrai.

Dina descendit de voiture, escalada les gradins. Les visiteurs étaient en majorité des Allemands. Aucun ne fit attention à elle.

Au sommet du monument, un petit observatoire était aménagé avec une table d'orientation et des longues-vues. L'homme qui regardait dans l'une d'elles n'était autre que Constantine. Dina s'en approcha.

— Vous voulez de la monnaie ? dit-il en insérant des pièces dans la fente. Regardez et expliquez-moi de quoi il s'agit.

Dina feignit de contempler le panorama et lui rapporta à mi-voix ce que lui avait appris Soraya.

— C'est tout ? demanda-t-il quand elle eut terminé.

— Oui. Qu'en pensez-vous ? Avons-nous une chance ?

Son manque évident d'enthousiasme la déçut.

— Hmm... Un bateau, dites-vous ?

Suivit une série de questions : de quelles dimensions ? Vingt-huit pieds. Karim était-il un navigateur expérimenté ou un amateur ? Assez bon marin, estimait-elle, mais pas un régatier. Qui était l'autre homme susceptible de le seconder ? Elle l'ignorait. Karim avait-il une arme à bord ? Elle ne le pensait pas, sauf peut-être un pistolet lanceur de fusées d'alarme.

— De toute façon, si l'autre est un garde du corps, ils peuvent embarquer avec des armes, commenta-t-il. Marchons un peu.

Ils parcoururent le monument en flânant. Rien ne les distinguait des autres couples d'Occidentaux admirant les vestiges d'une civilisation beaucoup plus ancienne que la leur. Constantine s'était même muni d'un Camescope pour parfaire son personnage de touriste.

— Je rêve peut-être, soupira Dina. C'est sans doute une folie.

Le scepticisme de Constantine jetait une douche froide sur son optimisme. Et ses questions sur les armes lui rappelaient la réalité du danger auquel Suzanne et Ali seraient exposés. Comment avait-elle pu négliger cette éventualité ?

L'air sombre, Constantine gardait le silence. Était-il fâché qu'elle l'ait attiré ici pour ce qu'il jugeait comme un simple caprice voué à l'échec ? Au bout d'un moment, toutefois, il reprit la parole.

— Je vois plusieurs manières de s'y prendre. Mais cela ne me plaît guère et il faut que j'y réfléchisse. Il faut aussi que je me rende à Aqaba pour jeter un coup d'œil à ce port de plaisance. Entre-temps, allez voir vos enfants. Si vous n'y allez pas, vous paraîtrez coupable. Comportez-vous normalement, comme s'il ne s'était rien passé. Niez avoir tenté quoi que ce soit. Apprenez tout ce que vous pourrez mais, pour l'amour du ciel, ne posez pas de questions. Pas une seule, vous avez compris ?

— Je ne sais même pas s'ils me laisseront entrer dans la maison.

— Trouvez un moyen. Ne faites pas de scène, mais allez-y.

— D'accord, soupira-t-elle.

— Autre chose : si cela se passe comme je l'imagine, il faudra dépenser plus que ce que nous... que ce que j'avais prévu. Nous aurons besoin de nous adjoindre un spécialiste.

— Combien en plus ?

— Pour le type auquel je pense, dans les vingt mille. Et quelques milliers de plus pour les autres frais.

— D'accord.

Elle se dépouillerait de son dernier sou s'il le fallait.

— Bien. Voici donc ce que nous allons faire. Rendez visite aux enfants pendant que je pousse une reconnaissance à Aqaba. Si cela me paraît jouable, je contacte mon type et nous faisons le nécessaire. De toute manière, vous serez samedi dans l'avion. Vous serez déjà partie quand l'opération aura lieu – si elle a lieu.

— Une minute ! protesta Dina. Vous n'espérez pas me laisser dans l'ignorance de ce qui se passera ?

— Je serai de retour demain ou après-demain. Nous nous rencontrerons. Vous me donnerez l'argent à ce moment-là. Le type dont je vous parle ne sera payé qu'après, mais j'aurai besoin de fonds le plus tôt possible. Faites-vous virer par câble, disons, sept mille cinq cents ou huit mille dollars. Avec un peu de chance, nous n'aurons peut-être pas besoin du tout, mais il faut que j'aie l'argent à ma disposition si nécessaire.

— Où nous rencontrerons-nous ?

— Je vous le ferai savoir en temps utile.

Il avait repris son humeur froide, précise, efficace. Celle, précisément, pour laquelle elle l'avait engagé. Leur bref instant d'intimité s'était évaporé. Tout en parlant, ils s'étaient rapprochés de la sortie. Dina repéra le taxi de Nouri dans le parking.

— Je suis inquiète, dit-elle. Tout cela me fait peur. C'est trop rapide, comme si nous nous précipitions sur la première occasion venue.

— Elle ne me plaît pas non plus. J'aime avoir le temps de monter une opération avec soin. Mais parfois les événements commandent.

— Quoi qu'il arrive, je ne veux pas que Suzanne et Ali courent le moindre risque.

— Dina, répondit-il d'un ton radouci, presque tendre, je le sais et je l'ai compris depuis le premier jour. Écoutez, je vais vérifier de mon mieux si c'est possible et je vous donnerai mon avis. Dans tous les cas, les risques seront calculés au minimum. C'est vous qui déciderez en dernier ressort. Ou bien, ajouta-t-il après avoir marqué une pause, nous pouvons laisser tomber, rentrer chez nous et regrouper nos forces, comme je vous l'avais dit. Que préférez-vous ?

Dina réfléchit un instant. Un complément d'information ne pouvait de toute façon pas faire de mal.

— Allez à Aqaba.

— Bien. À bientôt, donc.

— À bientôt.

Il se retourna, s'éloigna d'un pas, s'arrêta, lui prit la main.

— Tout se passera bien, Dina, je vous le promets. Je n'ai aucune intention de mener une opération de commando dans le style d'Einhorn. Passez un bon moment avec vos enfants et ne vous inquiétez de rien.

Quelques secondes plus tard, elle le vit se fondre dans un flot d'Allemands qui débarquaient d'un autocar.

47

Quand elle ouvrit sa porte, Emmeline entendit le téléphone sonner et réussit à décrocher avant le répondeur. Sarah avait des nouvelles de Dina. Il devait y avoir du nouveau à Amman : Dina demandait à David de lui faire virer d'urgence de l'argent.

— Pourquoi en a-t-elle besoin ?

— Si je le savais !

Aussi inquiète l'une que l'autre, elles essayèrent d'en deviner la raison. Afin de soudoyer quelqu'un ? De payer un avocat ? Ou pour un motif plus sinistre ? En tout cas, quelque chose était sur le point de se produire et ce quelque chose pouvait être dangereux.

Lorsqu'elles finirent par raccrocher en s'étant promis de se tenir au courant dès l'instant où l'une d'elles apprendrait quoi que ce soit, l'aventure de Dina avait pris dans l'esprit d'Emmeline une nouvelle réalité. Jusqu'à présent, à part l'indignation et le dégoût que lui avait inspirés le coup de force de Karim, elle avait considéré les préparatifs secrets et les conciliabules mystérieux entre Dina et son homme de main comme une sorte de jeu de l'esprit, incapable de déboucher sur un résultat concret. Maintenant que cela semblait devenir sérieux, elle éprouvait l'angoisse du spectateur impuissant. Alors même qu'elle y pensait, la police jordanienne était peut-être en train d'emmener Dina dans la nuit, menottes aux poignets… Allons, ma fille ! se reprit-elle. Ne prévois pas toujours le pire. Tu te seras fait du mauvais sang pour rien, si tout se passe bien.

L'appartement était tranquille. C'était le soir du cours de théâtre de Sean, qui prolongerait comme d'habitude la soirée avec ses camarades, trop tard en tout cas pour elle, qui était plutôt du matin. Il y avait le petit mot habituel de Michael sorti chez son ami Brendan. Emmeline se demanda si elle devait lui parler à nouveau de la réapparition de Gabriel. Il avait appris la nouvelle avec un calme étonnant.

« Tu veux que je le voie, maman ? » s'était-il borné à demander après avoir digéré le récit qu'elle lui en avait fait. Comme elle lui avait répondu que c'était à lui seul d'en décider, il avait dit qu'il y réfléchirait. Puis, quelques minutes plus tard, il lui avait demandé le numéro de téléphone de Gabe et s'était enfermé dans sa chambre pour l'appeler. Emmeline ne lui avait pas demandé comment l'entretien s'était passé. Michael s'était borné à lui apprendre qu'il avait accepté de rencontrer son père.

Elle sortit du frigo un bocal de sauce marinara. Avec des spaghettis et des champignons, elle se préparerait un petit festin, regarderait la télé ou ouvrirait peut-être un livre en faisant de son mieux pour ne plus s'inquiéter à propos de Dina. Peut-être rappellerait-elle Sarah plus tard.

Elle mettait l'eau à bouillir quand le téléphone sonna.

— Bonsoir, ma beauté, commença Sean. Tu as envie de sortir ?

— Tu n'es pas à ton cours ?

— J'ai laissé tomber pour ce soir. Il faut que je te parle. Dîner à l'Orchidée, ça te plairait ?

L'Orchidée était un petit restaurant italien de l'East Side où ils aimaient se retrouver depuis qu'ils se connaissaient. Ils n'y étaient pas retournés depuis des mois.

— Pas ce soir. La journée a été longue, j'ai envie de me reposer.

— Allons ! un petit effort. Je passe te chercher dans vingt minutes.

Sean insista tellement qu'elle finit par accepter, au moins par curiosité. Aurait-il enfin décroché le grand rôle qu'il attendait depuis toujours ? Elle s'en réjouirait pour lui. Pour lui, ajouta-t-elle. Pas pour nous. Au fait, se demanda-t-elle tout à coup avec un frisson d'horreur, il n'allait quand même pas lui poser la question de confiance et lui demander de l'épouser ? Il n'avait pourtant pas l'air d'avoir bu...

Dans le taxi, il refusa de lui révéler son secret. Il débordait de charme et d'amabilité, mais Emmeline le connaissait trop bien pour ne pas déceler autour de ses sourires professionnels des petites rides d'anxiété qui ne réussissaient qu'à le vieillir.

À l'apéritif, Sean commanda un scotch pour lui et un verre de vin blanc pour Emmeline.

— Alors, c'est quoi ta grande nouvelle ? voulut-elle savoir après que le serveur eut noté la commande.

— Tout à l'heure, ma beauté.

Les consommations arrivèrent.

— Portons un toast, dit Sean en levant son verre. À nous deux !

Méfiante, Emmeline trinqua et but une gorgée de vin blanc. La cave de l'Orchidée n'avait jamais brillé par sa qualité.

— Écoute, Sean, j'aime bien faire durer une bonne histoire, mais cela devient franchement ridicule. Vas-tu parler, à la fin ?

Il pouffa de rire, mais les plis aux coins de ses lèvres ne s'étaient toujours pas effacés.

— Bon, eh bien, voilà. Nous parlons depuis longtemps de vivre ensemble, comme tu le sais...

Emmeline ne savait rien de semblable. La seule fois où la question avait été soulevée, elle en avait gentiment mais fermement écarté l'éventualité. Elle ne voulait à aucun prix d'un homme en permanence chez elle – tant que Michael y vivrait en tout cas.

— Faisons-le, reprit Sean avec conviction. Il est temps que nous nous engagions l'un envers l'autre, tu ne crois pas ? Moi, si.

— C'est tout ce que tu avais à me dire ?

Sean accusa le coup, mais se reprit très vite.

— C'est quand même important ! Je croyais que tu le

voulais, toi aussi. C'est une décision logique, après tout. Puisque nous nous aimons, pourquoi ne pas vivre ensemble ?

Souhaitait-elle que Sean s'installe chez elle, même sans la présence de son fils ? La réponse lui vint, catégorique : non. Le voir deux ou trois fois par semaine, faire l'amour de temps en temps, d'accord. Mais l'évidence s'imposait maintenant, sinon depuis quelques mois : Sean n'était pas l'homme de sa vie. Elle ne pouvait pourtant pas le lui dire aussi crûment. L'exécuter de sang-froid serait cruel.

C'est alors qu'un soupçon qui sommeillait depuis un moment fit surface dans son esprit :

— Dis-moi la vérité, Sean. Tu ne me parles pas de cela à cause du renouvellement de ton bail, par hasard ?

Depuis des semaines, Sean récriminait contre son propriétaire qui voulait augmenter le loyer à l'expiration imminente du bail. Avec la participation de son colocataire Dean Crosser, acteur besogneux d'une trentaine d'années lui aussi, Sean pouvait y faire face. Mais c'était le principe qu'il n'admettait pas. Payer un loyer l'ulcérait.

— Le bail ? protesta-t-il du ton de l'innocence outragée. Sûrement pas, voyons ! Je n'y pensais même pas. Mais, puisque tu en parles, ma foi, ce serait logique de ne pas renouveler ce bail qui me coincerait deux ans de plus. Autant profiter de l'occasion, non ?

C'était donc bien le bail, en partie du moins, qui inspirait ses belles déclarations d'amour et son idée de vie commune. Emmeline commença à sentir la colère la gagner.

— Sean ! Comment va, vieille crapule ?

Celui qui interpellait Sean était un de ses amis, acteur comme lui, dont Emmeline se rappelait vaguement qu'il s'appelait Brad. Il était accompagné d'une jolie blonde pulpeuse au regard inexpressif.

— Bradley ! Qu'est-ce que tu viens faire ici ?

— C'est un restaurant, il faut bien se nourrir, non ? Dis

donc, l'ami Dino, qu'est-ce que tu en penses ? Quel coup de pot !

— Oui, c'est quelque chose, hein ? Et toi, tout va bien ? Présente-nous donc à cette ravissante créature.

Emmeline se rendit compte que Sean s'efforçait de changer de sujet. Elle aurait même juré le voir lancer à son ami Bradley des signes désespérés.

— Dino ? demanda-t-elle à Brad. Vous parlez de Dean, je suppose ? Qu'est-ce qu'il lui arrive ?

Soit Brad n'avait pas remarqué les signaux de détresse de Sean, soit il les ignora délibérément.

— Vous n'êtes pas au courant ? Si Sean ne vous en a pas parlé, c'est qu'il doit être jaloux parce que Dean a décroché la timbale. Il a eu le rôle de l'agent du FBI dans le prochain film de Ron Howard et le voilà maintenant à Hollywood.

— Dean part à Hollywood ?

— Il doit même déjà être parti, n'est-ce pas Sean ? Il faudrait être fou pour ne pas sauter sur une chance pareille !

— En effet, approuva Emmeline.

Tel était donc le fin mot de l'histoire. Elle attendit que Brad et sa blonde se soient éloignés pour prendre son sac.

— Voilà pour le verre de vin, dit-elle en posant un billet sur la table. Ne te donne pas la peine de venir demain.

— Allons, Em, tu fais tout un plat pour rien ! Je t'aurais parlé de Dean, bien sûr, mais c'est sans intérêt. Je veux dire, c'est un coup de veine pour lui, mais cela ne me concerne pas. Je suis capable de payer le loyer tout seul.

Il ne pouvait même pas le payer à l'ancien tarif sans un colocataire. Si Emmeline voulait bien lui donner un coup de main de temps en temps, elle n'envisageait sûrement pas de l'entretenir jusqu'à la fin de ses jours.

— Ah, inutile de me téléphoner. Il y a quelques affaires à toi dans ma penderie, je te les ferai porter demain par quelqu'un du studio. Adieu, Sean.

Elle sortit. Il la suivit jusque sur le trottoir en la suppliant de l'écouter.

— Fiche-moi la paix ou je fais un scandale, Sean. Tu me connais, j'en suis capable !

La chance voulut qu'un taxi apparaisse à ce moment-là. Ils étaient pourtant rares dans le quartier. Emmeline s'y engouffra.

Elle ne pleura qu'une fois rentrée chez elle.

48

— Les enfants ne sont pas là. Ils suivent un cours de langue spécial pour les étrangers.

Fatma mentait. Dina était certaine d'avoir entendu la voix d'Ali à l'arrière-plan et personne n'avait jamais parlé de ce cours d'arabe.

— Quand vont-ils rentrer ?

— Je ne sais pas. Plus tard.

— Sale garce, grommela Dina en raccrochant.

Trop, c'est trop, se dit-elle. Elle subissait assez de mensonges et de faux-fuyants depuis trois jours, elle ne les supporterait pas une minute de plus. Bouillant intérieurement, elle chercha dans son carnet d'adresses le numéro de téléphone du bureau de Karim. La secrétaire qui décrocha demanda qui était en ligne.

— Madame Ahmad.

— Un instant, s'il vous plaît.

Une longue minute s'écoula avant qu'elle revienne.

— M. Ahmad n'est pas dans son bureau. Voulez-vous lui laisser un message ?

Dina estima que la plaisanterie n'avait que trop duré.

— Demandez donc à M. Ahmad s'il connaît les mesures prévues par vos employeurs quand l'épouse d'un membre du personnel vient faire un scandale au bureau. Parce que c'est exactement ce que j'ai l'intention de faire si vous ne me le passez pas sur-le-champ !

L'attente, cette fois, fut sensiblement plus longue. Mais ce fut la voix de Karim qu'elle entendit.

— Dina, lâcha-t-il avec froideur, ton attitude est totalement déplacée.

— Ne me donne pas du « déplacé », Karim ! Je suis venue jusqu'en Jordanie dans le seul but de voir mes enfants, pas pour passer mes journées devant la télévision dans une chambre d'hôtel ! Tu appelles la maison immédiatement et tu préviens cette garce de Fatma, et tes sbires chargés de garder la porte, que je vais arriver et qu'ils ont intérêt à m'ouvrir si tu ne veux pas que j'aille poursuivre cette conversation dans ton bureau en présence de tes collègues !

Elle l'entendit presque se demander si elle bluffait.

— Bien. Une fois encore, j'accéderai à tes désirs.

— Merci quand même.

— Mais les enfants ne devront sous aucun prétexte sortir de la maison avec toi. Ni avec quiconque.

— Pourquoi, je te prie ?

— Tu le sais très bien.

— Non, Karim, je n'en sais strictement rien. Dis-moi pourquoi.

Il y eut une nouvelle pause. Sans doute ne voulait-il pas lui avouer qu'il avait fait espionner ses moindres mouvements. Tant mieux, pensa-t-elle, un point pour moi.

— Eh bien, je t'écoute ! reprit-elle.

— Suzanne et Ali sont aussi mes enfants, Dina. Cette maison est la mienne et j'ai le droit d'en dicter les règles. Je veux bien aller jusqu'à autoriser ta visite, mais je n'irai pas plus loin.

— Merci, se borna-t-elle à répondre.

Il était inutile d'insister, elle avait obtenu ce qu'elle voulait.

Elle se rendit à la maison après le déjeuner. Les deux hommes dont lui avait parlé Constantine montaient la garde en voiture devant la porte et Dina reconnut ceux du zoo. Ils ne réagirent pas quand ils la virent descendre du taxi de Nouri.

Elle passa l'après-midi avec les enfants pour le seul bonheur d'être avec eux, de les toucher, les embrasser, les voir, les écouter. Les aimer de tout son cœur en haïssant leur père de l'avoir mise dans une situation aussi fausse et aussi cruelle. Soraya, polie mais réservée, leur prépara du thé et des sandwichs. Dina ne voulut pas engager sa belle-sœur dans une conversation personnelle de peur de lui causer des ennuis. Ni Fatma ni sa belle-mère ne se montrèrent. Dina se demanda si elles se cachaient d'elle pour ne pas attraper la peste.

— On va aller samedi sur le bateau de papa, annonça Suzanne à un moment. Tu veux venir avec nous ?

Dina et Soraya échangèrent un bref regard.

— Non, ma chérie, je ne peux pas. Il faut que je rentre à New York samedi, je te l'ai déjà dit.

— Pourquoi tu ne restes pas avec nous ? demanda la fillette avec une moue de tristesse.

— Je dois rentrer pour mes affaires, tu le sais bien.

— Quand vas-tu revenir, alors ?

— Je ne sais pas encore, ma chérie. Bientôt, je te le promets.

L'après-midi passa trop vite. Dina venait d'appeler Nouri quand Karim arriva du bureau plus tôt qu'à l'accoutumée.

— Ah, Dina ! Je suis content d'être ici avant ton départ. Pouvons-nous parler une minute ?

— Si tu y tiens.

Elle le suivit au salon, attendit.

— J'emmène les enfants faire une promenade en mer.

— Je sais, samedi. Suzanne me l'a dit.

Il parut étonné. S'attendait-il vraiment que les enfants n'en discutent pas avec leur mère ?

— C'est exact, admit-il.

— Je ne pourrai donc pas leur dire au revoir samedi à l'aéroport comme convenu ?

— Non, nous partons vendredi. Demain sera le dernier jour où tu pourras les voir.

— C'est inadmissible, Karim ! Tu aurais pu les emmener après mon départ !

Son indignation, espéra-t-elle, devait suffire à dissimuler le fait qu'elle était déjà au courant de ses projets.

— C'est le seul moment de liberté dont je dispose. Désolé, je ne peux rien y changer.

— Je n'en crois pas un mot ! Tu le fais exprès !

— Crois ce que tu veux. Ne rendons pas cette conversation plus déplaisante encore, je t'en prie. Viens demain passer la journée. Ensuite, si tu veux, nous dînerons ensemble, juste nous quatre. Tu les auras à toi seule toute la journée. Je regrette, mais je ne peux pas faire mieux.

Dina feignit de réfléchir. Elle redoutait de se retrouver en territoire hostile, mais puisqu'il avait dit « juste nous quatre », la situation serait plus gérable.

— Tu ne me laisses pas le choix, souffla-t-elle enfin.

— À demain, donc. Je m'en réjouis. Ton taxi est arrivé, ajouta-t-il en regardant par la fenêtre.

Les deux cerbères en voiture la regardèrent partir. Arrivée à l'hôtel, Dina alla dans le centre de communication réservé à la clientèle et envoya un e-mail à David Kallas pour qu'il l'appelle et lui confirme, le plus discrètement possible, que le virement avait été effectué. Elle lui avait demandé la veille de virer sept mille cinq cents dollars au compte ouvert à cet effet par Constantine dans une banque d'Amman. Elle voulait être sûre que l'argent serait disponible le lendemain jeudi, car les banques fermaient le vendredi.

Avec le décalage horaire, il était l'heure du déjeuner à New York. Les quelques avocats qu'elle avait rencontrés passaient volontiers deux heures à table, sinon davantage, dans des restaurants à la mode dont ils pouvaient imputer les coûteuses additions au compte d'un client. D'après Sarah, David n'entrait pas dans cette catégorie. Était-il un de ces drogués du travail qui se contentent d'un sandwich au bureau pour ne pas perdre une seconde de leur précieux temps ? Elle eut une soudaine envie d'un gros sandwich au corned-beef ou d'un hot-dog sur un épais lit de choucroute, envie d'autant plus inattendue qu'elle n'en mangeait quasiment jamais. Ce qu'elle voulait, en réalité, c'était être à New York – avec ses enfants. Ces pensées lui rappelèrent qu'elle avait faim, mais elle ne mangerait pas, une fois de plus, une version jordanienne du ragoût de mouton.

Au restaurant de l'hôtel, elle comprit le regard réprobateur du maître d'hôtel. Dans la plupart des restaurants de la ville, la présence d'une femme seule était impensable, voire prohibée. Aussi se trouva-t-elle reléguée dans la salle dite « familiale », où on la fit asseoir sans difficulté. Pour un établissement destiné à la clientèle internationale, c'était la moindre des choses. De toute façon, dans l'humeur où elle était, l'opinion des gens du cru lui importait peu.

Faute de sandwichs new-yorkais, elle commanda un steak – l'article le plus cher de la carte – et du vin français, lui aussi hors de prix. Après avoir fait virer l'essentiel de ses économies à une banque étrangère pour Dieu sait quel usage, elle ne pensa même pas aux ravages qu'elle infligeait ainsi à sa carte de crédit.

Elle se demanda ce que faisait Constantine au même moment. Était-il à Aqaba comme il le lui avait annoncé ? Elle se représenta un bar louche sur les quais, comme dans les vieux films de Bogart, où Constantine palabrait en termes sibyllins avec des personnages aux mines patibulaires. Il devait sans doute se livrer souvent à des activités

265

de ce genre, risquer sa vie, peut-être même y prendre un certain plaisir. Et elle chassa de son esprit le souvenir des rares instants d'intimité qu'ils avaient partagés. Ce n'était pas le moment d'y penser.

Après avoir mangé la salade, elle écorna la pomme de terre au four, entama à peine le steak gigantesque, dont elle ne put mastiquer que deux ou trois bouchées. Elle se rattrapa en revanche sur le vin, qui la détendit un peu. Elle pensait aux enfants, évitait de penser aux enfants, pensait à eux quand même… Pourquoi ne pouvait-elle pas dire tout simplement à Suzanne et à Ali : « Prenez vos affaires, nous partons » et sauter avec eux dans le taxi de Nouri pour aller à l'aéroport ?

— Pas beaucoup mangé, lui fit observer avec un large sourire le serveur venu débarrasser la table. Dessert ? Café ?

Dina refusa, lui rendit son sourire, régla l'addition. Dans sa chambre, le voyant des messages clignotait sur le téléphone. Elle avait reçu un appel de David Kallas : « Bonjour, Dina. La transaction dont vous m'avez parlé s'est déroulée comme convenu. J'espère que tout va bien, ajouta-t-il après avoir marqué une pause comme s'il cherchait des mots anodins. Je me réjouis de vous revoir bientôt. » C'était tout.

Elle se rendrait à la banque le lendemain matin. Mais que faire de tout cet argent liquide ? Le trimbaler dans son sac ? Le cacher ? Elle fut tentée d'appeler Constantine, se ravisa : s'il se trouvait dans un bar louche avec des personnages patibulaires, actionner le vibreur de son appareil pourrait avoir des conséquences fâcheuses pour lui.

Jamais elle ne s'était sentie si seule. Elle aurait voulu parler à Sarah ou à Emmeline, mais elles devaient être au travail à cette heure. Après avoir réfléchi, elle appela sa mère. Le son de sa voix la réconforta, mais les mots eux-mêmes étaient trop familiers pour lui apporter le secours moral dont elle avait besoin. Bien sûr, sa mère ignorait qu'elle était en Jordanie avec d'autres projets que de simplement revoir ses enfants. Qu'elle espère encore une solution raisonnable, voire une réconciliation, était donc compréhensible.

— Souviens-toi, Dina : tout n'a pas toujours été idéal entre ton père et moi. Karim finira peut-être par comprendre son erreur…

Pour Dina, c'était aussi déconcertant que de tenter de suivre deux films en même temps. Ne pouvant rien avouer de sa situation réelle, elle demanda des nouvelles de son père.

— Toujours pareil. Il me parlait justement de toi tout à l'heure.

— Dis-lui que je l'aime et que je rentrerai le plus tôt possible.

Son père ne savait pas que Dina était en Jordanie. Sa mère et elle avaient échafaudé un pieux mensonge pour lui éviter de s'inquiéter : Dina avait dû aller au siège d'une grande société d'édition de disques à Los Angeles pour organiser un banquet devant avoir lieu à New York. L'histoire était improbable, mais Dina n'avait rien trouvé de mieux. Dieu sait s'il est difficile de soutenir un mensonge ! Comment Karim avait-il réussi à lui mentir des semaines, des mois peut-être, pendant qu'il se préparait à enlever les enfants ?

Invoquant le coût de la communication, elle raccrocha assez vite. Elle alluma la télévision, l'éteignit cinq minutes plus tard, essaya en vain de poursuivre la lecture du mauvais roman policier qu'elle avait acheté à New York avant de prendre l'avion. De guerre lasse, elle avala un somnifère et se coucha. La journée du lendemain promettait d'être longue et pénible, elle avait besoin de repos.

— J'ai de bonnes nouvelles pour toi, Sarah !

— Hein ? De quoi parles-tu ?

À sept heures du matin, Sarah était encore abrutie de sommeil. Si le coup de téléphone de David ne l'avait pas réveillée en sursaut, elle serait volontiers restée quelques heures de plus dans le monde des rêves, où les urgences et les tours de garde n'existaient pas. L'annonce d'une bonne nouvelle lui fit toutefois l'effet d'une tasse de café fort et elle put se redresser sur un coude.

— Je parle de mon cousin Abe le rabbin. Il a des renseignements qui pourraient t'être utiles.

Sarah était maintenant tout à fait réveillée.

— Utiles ? Quels renseignements ?

— Sur les activités d'Ari en Israël.

— Des activités… illégales ?

Sarah était à la fois ravie et inquiète. Si elle ne souhaitait pas qu'il arrive de trop sérieux ennuis au père de Rachel, elle se réjouirait cependant de le voir en butte au même genre de tracasseries qu'il lui infligeait depuis leur divorce.

— Non, pas du tout. Écoute, rejoins-moi pour le petit déjeuner, je te le dirai de vive voix. Tu décideras ensuite ce que tu voudras faire.

Une heure plus tard, Sarah s'assit en face de David à une table du petit traiteur grec qui lui livrait la plupart de ses dîners.

— Maintenant, parle, ordonna-t-elle.

— Puis-je commencer par te dire que tu es ravissante ce matin ? demanda-t-il en souriant.

— Non, tu ne peux pas. Tu ne m'as pas arrachée du lit mon seul jour de repos pour me faire des compliments.

— Je croyais que c'était pourtant une bonne manière de commencer la journée, fit-il d'un air peiné.

— Arrête de tourner autour du pot. Des faits !

— Eh bien, il semble que ton cher ex mène une double vie. Il serait fiancé, officieusement du moins, mais l'élue aurait la conviction que c'est officiel. Disposant paraît-il de relations politiques et sociales haut placées, elle a déjà rendu à Ari de grands services dans ses affaires. Et elle exige le mariage. Lui en revanche ne semble pas emballé par l'idée.

Sarah hocha la tête. Exactement le genre de femme dont Ari avait toujours rêvé, à la fois utile et décorative.

— Alors ?

— D'après certains amis de cette femme, Ari prétend que son divorce se heurte à des obstacles. Surtout de la part d'une épouse odieuse et jalouse qui refuse de le lâcher.

Sarah éclata d'un rire quasi hystérique.

— Il m'enchaîne depuis trois ans et raconte à l'autre que c'est moi qui le tiens ? C'est bien ça ?

— C'est bien ça, confirma David.

Elle se pencha au-dessus de la table et donna à David un gros baiser sonore sur la bouche.

— David, je t'adore ! J'adore ton cousin Abe le rabbin et j'adore cette femme en Israël. Cherchons maintenant comment signifier à Ari qu'il est grand temps pour lui de cesser de m'empoisonner la vie.

— Voilà précisément ce que j'espérais t'entendre dire, répondit-il avec un sourire épanoui.

Le jeudi matin, Dina appela Nouri, qui arriva dix minutes plus tard devant l'hôtel. Elle lui donna l'adresse de la banque.

— Et je ne voudrais pas être suivie, précisa-t-elle, se sentant ridicule.

Le jeune homme approuva, comme si c'était tout naturel, et emprunta un circuit compliqué. Finalement, il lui déclara avec assurance qu'aucune voiture suspecte n'était apparue dans son rétroviseur.

La banque lui délivra la somme en billets de cent dollars, liasse assez volumineuse qu'elle fourra au fond de son sac. Le caissier lui proposa de convertir la somme en chèques de voyage et s'étonna de son refus. Elle ne pouvait pas lui dire que, si Constantine devait embaucher des pirates, ceux-ci renâcleraient à coup sûr devant des morceaux de papier à l'emblème d'American Express.

Sa présence n'étant manifestement pas la bienvenue à la maison, elle ne comptait s'y présenter qu'au début de l'après-midi et n'avait donc plus rien à faire de la matinée. Si elle avait été en vacances, elle aurait tué le temps en achetant des souvenirs pour Sarah et Emmeline. Compte tenu des circonstances, elle n'était pas d'humeur à s'encombrer de quoi que ce soit lui rappelant la Jordanie, mais elle se rabattit quand même sur ce passe-temps. Nouri l'emmena dans des boutiques offrant, jura-t-il, les meilleures affaires d'Amman. Finalement, rien ne lui plut. Tout lui paraissait trop clinquant, trop cher ou trop volumineux pour tenir dans ses bagages. Elle acheta quand même quelques écharpes en tissus locaux, moins par goût que pour ne pas décevoir Nouri.

Comme il lui restait encore du temps, Nouri l'emmena déjeuner, en insistant pour payer, dans un petit restaurant de quartier inconnu des touristes et où la cuisine était authentique et délicieuse. Il connaissait tout le monde, les clients comme les patrons, à qui il présenta Dina comme son « amie américaine ». Le fait qu'elle parle quelques mots d'arabe fit immédiatement d'elle une vedette, ce qui cadrait mal avec l'obsession de Constantine pour la sécurité mais lui causa autant de plaisir qu'à un enfant libéré d'une maison de correction. Entre l'atmosphère hostile de la maison de Karim et la claustrophobie de sa chambre d'hôtel, elle s'était sentie devenir folle.

Tout en bavardant tant bien que mal avec les uns et les autres entre deux tasses de thé sucré, elle se demanda si Constantine essayait de l'appeler d'Aqaba. Non, pensa-t-elle, il ne prendrait sûrement pas le risque de révéler sa présence sur le lieu de… de quoi, au juste ? D'un enlèvement ? D'un détournement de bateau ? D'un sauvetage, décida-t-elle en fin de compte – même si la police qualifierait différemment l'opération. Mais peut-être n'était-il déjà plus à Aqaba, peut-être se trouvait-il sur la route du retour. S'arrêterait-il en chemin pour l'appeler ? Sans doute pas non plus. Il se méfiait des téléphones cellulaires : celui qu'il lui avait fourni ne semblait pas à l'abri d'une écoute. Il ne s'en servirait donc qu'en cas d'urgence.

Ces précautions lui avaient paru logiques, elle les jugeait maintenant paranoïaques et inutilement contraignantes, mais elle ne pouvait plus les éviter. Elle imaginait le téléphone de sa chambre d'hôtel qui sonnait, le voyant rouge qui clignotait. Impatiente de vérifier son pressentiment, elle parvint à prendre congé des sympathiques Jordaniens dans un échange de marques d'estime mutuelles et de compliments fleuris.

De retour à l'hôtel, gênée que Nouri lui ait offert le déjeuner, elle lui donna un trop gros pourboire – et vit immédiatement son regard se durcir. Comprenant qu'elle blessait ainsi son orgueil masculin, elle s'empressa d'expliquer qu'elle lui payait sa course à l'avance puisqu'il reviendrait la chercher dans deux heures. Le sourire reparut sur les lèvres du jeune homme, qui lui rendit quand même l'argent.

— Quand je vous conduis, vous payez à l'arrivée, dit-il courtoisement mais fermement.

Une fois dans sa chambre, Dina constata que le voyant rouge était éteint. Le téléphone resta muet les deux heures suivantes. Dépitée, elle se reprocha de ne pas être allée à la maison plus tôt. C'était sa dernière journée avec ses enfants – peut-être jusqu'au début de la semaine suivante, à New York. Ou alors jusqu'à quand ? Des années plus tard peut-être…

Pour la millième fois, elle s'en voulut de s'être laissé enfermer dans une position aussi absurde. Pour la millième fois, elle se rappela que c'était Karim, pas elle, qui avait déserté le domicile conjugal et pris la fuite avec les jumeaux comme un voleur. Pourquoi ? Était-ce uniquement à cause de Jordy ? Les tirades de Karim sur les « valeurs morales » et les « fondements d'une solide éducation » ne servaient-elles qu'à masquer ses propres déficiences ? Y avait-il déjà une autre femme dans sa vie – ou l'espoir d'en trouver une ? Elle n'en avait pourtant discerné aucun signe. Si c'était le cas, Soraya lui en aurait-elle parlé ou, au moins, glissé une allusion ? Lorsqu'elle imaginait Karim avec une autre, elle n'éprouvait pas de jalousie mais une fureur aveugle à l'idée que cette « autre » essayerait d'adopter ses enfants.

Il faisait déjà chaud quand elle était sortie du restaurant, il ferait encore plus chaud dans une heure. Elle aurait voulu passer une robe légère, mais mieux valait s'en abstenir. Si Maha était là, elle lui décocherait un de ses regards méprisants signifiant « femme dépravée ».

Et que voulait dire « Nous dînerons ensemble, rien que nous quatre » ? Karim croyait-il sérieusement à une touchante petite scène d'intimité familiale digne d'un roman à l'eau de rose ? Dina en aurait ri si la perspective de ce dîner ne lui causait un réel malaise. Fasse le ciel, pensa-t-elle, qu'il ne se croie pas obligé d'en faire une soirée romantique, avec des bougies ou autres inepties !

Elle se rafraîchit, enfila une blouse à manches courtes de lin vert assorti à sa jupe et ses chaussures les plus confortables. Nouri l'attendait devant l'hôtel, la visière de sa casquette à l'envers, comme la mode s'en était déjà répandue dans la jeunesse du Moyen-Orient. Il conduisit cette fois avec nonchalance, sans cesser de bavarder, sans prendre de chemins détournés, de ruelles ni de virages brusques. Sans même lancer un coup d'œil dans son rétroviseur.

— Nous ne sommes pas suivis ? s'étonna Dina.

— On va chez eux ! fit-il en riant. Pourquoi ils nous suivraient ?

Elle aurait dû y penser. Mais comment Nouri savait-il qu'ils allaient « chez eux » ? Le Major lui avait-il indiqué que toutes les précautions qu'ils devaient prendre avaient un rapport avec les enfants ?

— Tiens, dit-il en s'arrêtant devant la maison, ils ont bougé.

— Qui ? s'inquiéta Dina.

— Les deux types d'hier. Ils sont maintenant un peu plus loin dans la rue. Ne regardez pas.

Elle avait déjà regardé. La voiture était garée à une centaine de mètres, les deux silhouettes à peine distinctes derrière le pare-brise.

— Vous avez de bons yeux, Nouri.

— Toujours. À quelle heure je viens vous reprendre ?

— Je ne sais pas encore.

— Quand vous voudrez, dit-il en montrant son téléphone portable. Vous m'appelez, j'arrive.

Soraya, manifestement chargée par la famille de la corvée de recevoir l'« intruse », ouvrit la porte avec un air à la fois soulagé et embarrassé. Ferait-elle partie, elle aussi, du dîner intime ? se demanda Dina.

— Je suis contente que tu arrives, soupira sa belle-sœur.

— Pourquoi ? Un problème ?

— Non, pas vraiment. Mais Suzanne et Ali n'arrêtent pas de se chamailler.

— À quel propos ?

— Je n'en sais trop rien. La chaleur, peut-être. L'énervement d'aller sur le bateau. Ou plutôt ton départ, ajouta-t-elle en hésitant.

Arborant une mine morose, Suzanne était assise à la table de la cuisine, en train de lire un livre – le dernier Harry Potter, remarqua Dina. En voyant sa mère, son sourire apparut comme si on avait manœuvré un interrupteur et elle se jeta dans les bras de Dina, qui l'embrassa avec passion.

— Ma chérie ! Où est ton frère ?

L'air maussade revint aussi vite qu'il avait disparu.

— J'en sais rien.

Par la fenêtre, Dina vit Ali dans le jardin. Il était seul, vautré sur un banc, désœuvré, la mine aussi chagrine que celle de sa sœur. Dina tapa sur la vitre. Ali réagit d'une manière radicalement différente. Il fronça les sourcils avec une évidente contrariété, se leva de mauvaise grâce et se dirigea vers la maison en traînant les pieds.

— Alors, mon chéri, qu'est-ce qui ne va pas ? s'enquit Dina après l'avoir embrassé.

— Rien.

— Il paraît que tu te disputes avec ta sœur. Pourquoi ?

— Pour rien, répondirent-ils ensemble.

Leur désaccord ne concernait à l'évidence personne d'autre qu'eux. Dina se sentit plus étonnée que peinée de faire partie du monde extérieur des jumeaux. Peut-être plus proche d'eux que les autres, elle restait quand même exclue du cercle étroit les englobant.

— Eh bien, raconte-moi ce qui s'est passé depuis hier.

Il ne s'était apparemment rien passé, rien du moins qui vaille d'être rapporté à quiconque, y compris à leur mère.

Dina leur raconta donc sa matinée en se donnant le rôle amusant et ridicule d'une touriste marchandant maladroitement avec les boutiquiers. Suzanne rit de bon cœur, Ali resta sur son quant-à-soi mais s'y intéressa suffisamment pour suggérer quelques conseils.

— Il faut prendre l'air furieux ou désespéré quand ils donnent le prix d'un objet. Tante Soraya sait très bien s'y prendre.

— C'est vrai, Soraya ? Montre-moi comment tu fais.

Soraya accepta de bonne grâce. Ali joua le rôle du marchand, Suzanne lui corrigea ses quelques erreurs, si bien que la glace fut enfin rompue. Le reste de l'après-midi s'écoula dans la bonne humeur. À un moment, Hassan se joignit à eux et raconta une de ses histoires de chasse avec le vieux roi, ce qui n'intéressait guère les femmes mais passionnait Ali. Dina l'aurait volontiers embrassé de se conduire simplement comme un grand-père.

Maha ne se montra pas, mais Fatma si. Affectant d'ignorer la présence de Dina, elle entreprit de mettre la table pour le dîner. Soraya y participa en partageant son attention entre les tâches ménagères et la conversation. Les cousins arrivèrent à leur tour, doublant le niveau du bruit et des bavardages.

Le crépuscule assombrissait le jardin lorsque Karim revint. Souriant et d'humeur enjouée, il embrassa les jumeaux, ses neveux, couvrit Dina et Soraya de compliments et rangea avec cérémonie dans le congélateur les sorbets qu'il avait apportés pour le dessert. Le dîner, bien entendu, réunit toute la famille — comment Dina avait-elle pu croire une seconde à la fable d'un repas en petit comité dans une maison pareille ? —, à l'exception notable de Maha, qui se disait « souffrante », et de Samir, « obligé de travailler tard ». L'atmosphère était si chaleureuse que personne n'aurait pu se douter de la réalité tapie sous les rires et les propos amicaux des convives.

Cette façade idyllique commença à se fissurer avec la petite allocution de Hassan. Il n'exprimait rien de plus que sa joie de revoir Dina et son espoir qu'elle ne tarderait plus à rejoindre sa famille, mais Dina en fut interloquée. Son beau-père était-il vraiment ignorant à ce point ? Personne, pas même son épouse acariâtre, ne lui aurait-il laissé entrevoir la vérité ? Ou ses souhaits n'étaient-ils qu'une simple démonstration de courtoisie et d'hospitalité orientale ? Pourtant, elle voyait Soraya, Karim et même les jeunes cousins hocher gravement la tête comme si les paroles de Hassan reflétaient leurs plus chers désirs et devaient se réaliser dans un avenir imminent. Seule Suzanne ne participait pas à ce touchant consensus. Le regard dans le vague, l'air buté, elle paraissait si malheureuse que Dina se pencha vers elle :

— Tu ne te sens pas bien, ma chérie ?

Karim, qui l'avait remarqué lui aussi, intervint à son tour :

— Je sais que ta maman te manque déjà, ma princesse, mais elle reviendra bientôt. Et demain, nous partons pour Aqaba, tu t'amuseras bien sur le bateau.

C'est alors que le scandale éclata. Suzanne tapa du poing sur la table, si fort que les assiettes et les couverts tressautèrent.

— Non ! Je veux pas aller à Aqaba ! Je veux pas aller sur un bateau ! Je veux rentrer à la maison !

Son cri de révolte se termina par un gémissement et un flot de larmes. Un instant, tout le monde resta figé de stupeur. Dans ce pays, les enfants ne parlaient pas sur ce ton aux adultes, encore moins à leurs parents. Les cousins étaient pétrifiés. Sans doute n'avaient-ils jamais été témoins d'un tel éclat, surtout de la part d'une fille. Karim rougissait de colère et de honte.

— Suzanne, va dans ta chambre ! Immédiatement !

— Non ! protesta Dina, furieuse. Tu l'as entendue ! Vous l'avez tous entendue !

— C'est ta faute ! gronda Karim. Dieu sait ce que tu lui as mis dans la tête !

— Je ne lui ai rien mis dans la tête ! Je ne lui ai pas dit que tu les as emmenés, Ali et elle, comme un voleur, sans m'en avoir parlé ! Je n'ai pas dit...

— Tais-toi, Dina ! Tais-toi ! Tu n'es qu'une invitée, ici !

— Moi, une invitée ? Je suis sa mère !

— Une mère ne parle pas sur ce ton devant ses enfants ! Tu n'es qu'une...

— Assez ! intervint Hassan avec force. Cela suffit ! Nous ne nous conduisons pas de cette manière à table !

Bien qu'il eût dardé sur son fils un regard étincelant de colère, Dina se sentit elle-même un enfant rappelé à l'ordre par le patriarche, dont nul n'aurait osé discuter l'autorité.

— Nous devons manger en paix, déclara-t-il.

Puis, pour donner l'exemple, il retourna son attention vers son assiette. Mais les autres avaient perdu l'appétit. Karim avala une ou deux bouchées en signe de soumission. Les cousins en firent autant. Suzanne gardait les mains sur ses genoux. Ali piquait des morceaux d'aubergine avec sa fourchette sans les porter à sa bouche.

Dina fulminait. Le voile des faux-semblants s'était déchiré un instant, cet instant lui avait fait du bien, mais elle se forçait à garder le silence. Plus que deux jours, se disait-elle, et tout cela ne serait qu'un mauvais souvenir. Elle ne devait pas aller trop loin, au risque d'amener Karim à décommander son excursion.

— Et maintenant, annonça Soraya en s'efforçant de sauver la situation, goûtons les délicieux sorbets !

Sa tentative fut accueillie par le silence des adultes et les murmures embarrassés des enfants. Hassan s'était déjà levé, signifiant que le repas était terminé. Karim suivit son père et quitta la pièce sans mot dire, les cousins s'esquivèrent en silence avec Ali, ce qui surprit Dina. Soraya commença machinalement à débarrasser la table. Dina l'aida, Suzanne en fit autant.

Un instant plus tard, Dina posa sa pile d'assiettes et prit sa fille dans ses bras.

— Tout va bien, ma chérie. Tu reviendras bientôt à la maison, je te le promets.

— Je sais, maman, répondit-elle en réussissant à esquisser un sourire. Mais quand ? Papa ne veut rien me dire, tu le connais.

— Oui, je le connais, répéta-t-elle alors qu'elle ne le connaissait plus.

Karim revint à ce moment-là. Ou bien l'orage était passé, ou bien il faisait un effort pour se dominer ; en tout cas, son regard ne trahissait plus la rage qui y brillait peu auparavant.

— Je regrette sincèrement cette scène, Dina. J'aurais voulu que les choses se passent autrement.

— Nous sommes dans une situation... pénible, soupira-t-elle.

— Écoute, il se fait tard, les enfants vont bientôt aller se coucher. Ils auront demain une journée fatigante...

— Non, papa, pas tout de suite ! implora Suzanne.

— Je n'ai pas dit que tu devais aller au lit, ma chérie, simplement prépare-toi. Ta mère et moi devons nous parler. Ensuite, elle ira t'embrasser.

— Vas-y, Suzy, murmura Dina. Ce ne sera pas long.

Suzanne poussa un grognement, mais elle obéit.

— Et appelle ton frère ! lança Karim avant qu'elle quitte la pièce. Veux-tu que nous allions au jardin ? enchaîna-t-il en se tournant de nouveau vers Dina. Il fait très bon, ce soir.

— Si tu veux.

La nuit était belle et douce, en effet. La lune brillait au-dessus des arbres. Dina prit conscience qu'elle n'était presque jamais sortie le soir depuis son arrivée, et cette pensée lui rendit plus choquante l'irréalité de la situation. Comment avait-elle pu se retrouver ici ? Comment pouvait elle marcher dans ce jardin avec un homme qui était encore officiellement son mari ? Attendre de faire des adieux, peut-être définitifs, à ses enfants en se demandant ce qu'un autre homme, quelque part dans cette même nuit et cette même ville, était en train de préparer pour les lui rendre ?

— Qu'es-tu venue faire au juste ? demanda Karim à brûle-pourpoint.

Elle refréna un frisson apeuré. Lisait-il dans ses pensées ?

— Je ne comprends pas. Je suis venue voir mes enfants. Nos enfants.

— Ne mens pas, Dina. Tu es venue les reprendre.

— De quoi parles-tu, à la fin ?

— Tu sais très bien de quoi je parle.

— Ton imagination devient folle.

— N'insulte pas mon intelligence, je te prie. Je sais ce que je sais.

— Quoi ? Tu crois vraiment que je vais empoigner les enfants par la main et courir jusqu'à la frontière ?

— Quelque chose de ce genre, en tout cas.

Niez tout, lui avait recommandé Constantine.

— C'est toi qui parles d'insulter l'intelligence de quelqu'un, Karim ? Réfléchis, si tu en es capable ! Si je préparais « quelque chose de ce genre », dit-elle avec sarcasme, crois-tu que je serais assez bête pour te l'avouer ? Alors, à quoi bon te donner la peine de me soumettre à cet interrogatoire ? Et même si telles étaient mes intentions, n'as-tu pas fait exactement la même chose ?

— Non, ce n'est pas exactement la même chose ! protesta-t-il. Je ne l'aurais pas fait sans de bonnes raisons !

— Personne ne t'y a forcé !

C'était absurde, malsain et, plus encore, inutile. Mais elle ne pouvait ni ne voulait reculer.

— Tu en sais plus que moi sur ce sujet, Dina...

Il s'interrompit, reprit sa respiration et poursuivit, d'un ton sincèrement peiné :

— En sommes-nous vraiment arrivés là, Dina ? Nous battre comme deux hyènes par une nuit aussi belle ! Je ne l'ai fait que pour le bien des enfants. Ali, surtout.

Elle ne répondit pas. Relancer la discussion n'aurait servi à rien. Le silence dura jusqu'à ce que Karim le rompe à nouveau.

— J'ai réfléchi. Si je t'offrais un compromis ? Si tu emmenais Suzanne avec toi à New York ?

Dina n'en crut pas ses oreilles.

— Et laisser Ali ici ?

— Il vaudrait mieux pour lui qu'il reste avec moi et que Suzanne aille avec toi. Pour un certain temps, du moins.

Était-ce une ruse, un piège ?

— Tu voudrais séparer des jumeaux ? Conclure une sorte de marché avec moi : voilà ta part, je garde la mienne ?

— Ce n'est pas ainsi que je le vois. J'essaie de trouver une solution satisfaisante pour nous tous. Tu devrais y réfléchir toi aussi, poursuivit-il d'un ton plus dur. Quelles que soient tes idées pour les reprendre tous les deux, elles ne marcheront pas. Je ne te laisserai pas faire et ce pays est le mien.

— Ne me menace pas, Karim ! Tu me jettes tout cela à la figure, d'un seul coup…

— Cela te paraît trop subit, je sais, l'interrompit-il d'un ton radouci. Écoute, cette visite s'est mal passée. Nous faire la guerre ne mène à rien. Je ne veux pas être comme tous ces gens qui empoisonnent l'esprit de leurs enfants avec leur haine de l'autre, avec des accusations inutiles. Je ne te hais pas, Dina, et j'espère que tu ne me hais pas non plus. Je te faciliterai tes visites à Ali. Nous pourrions même nous rencontrer au Liban, dans la famille de ton père. Mais tu devras me promettre qu'il ne s'agira que de visites, sans arrière-pensées.

Une promesse serait un aveu de culpabilité. Dina préféra ne pas relever ces derniers mots.

— Es-tu sérieux, Karim ? Tu veux que j'emmène Suzanne ?

— Oui, je suis sérieux, soupira-t-il. Elle ne se plaît pas ici. Au début, je croyais que tout irait bien, elle paraissait s'adapter. Mais tu lui manques, Dina. Tu l'as constaté toi-même.

— Et Ali ?

— Il n'a pas de problème, lui, il est heureux ici. Tu peux d'ailleurs le lui demander. À mon avis, c'est la raison pour laquelle Suzanne et lui se disputent. Plus souvent encore depuis ton arrivée.

C'était donc la vraie cause de leurs chamailleries. Quelle tristesse…

— Le veux-tu, Dina ? Veux-tu remmener Suzanne avec toi ?

Bien sûr qu'elle le voulait ! Mais ce n'était pas si simple. Qu'est-ce que la séparation ferait à des jumeaux aussi unis ? Comment Karim osait-il lui proposer de se rendre complice d'un pareil traumatisme ? Avant tout, elle espérait les reprendre tous les deux d'ici à quelques jours. Elle devait donc gagner du temps.

— Je ne peux pas me décider aussi subitement, en deux minutes. Il faut que je réfléchisse.

— Tu dois partir samedi, je sais. Peut-être pourrais-tu retarder ton départ de quelques jours. Sinon, je veux être fixé au plus vite. J'ai promis aux enfants ce week-end en bateau, je ne voudrais pas devoir le décommander. Peux-tu me donner ta réponse demain matin ?

— Me laisses-tu le choix ? Il ne faut surtout pas bouleverser pour si peu tes projets de promenade, dit-elle avec un ricanement amer.

— Ne le prends pas comme cela, Dina.

— Que feras-tu si j'accepte ? Tu emmèneras quand même Ali sur le bateau ?

— Je ne sais pas. Il ne voudra peut-être pas y aller seul avec moi. Dans ce cas, j'emmènerai Samir et son fils. Nous passerions le week-end entre hommes. Pour tenter d'oublier nos peines, nos soucis.

De quelles peines, de quels soucis souffrait Karim ? se demanda-t-elle. Sûrement pas de son absence, en tout cas.

— Je vais leur dire bonsoir, décida-t-elle. Je te ferai part de ma décision demain matin, d'une manière ou d'une autre.

— Merci.

Une fois dans la maison, elle appela Nouri avant de gagner la chambre de Suzanne.

— Je dois m'en aller, ma chérie, dit-elle en la serrant sur son cœur. Je t'aime, tu sais.

— Je t'aime aussi, maman.

— Écoute, je parlais sérieusement quand je te promettais de retourner bientôt à la maison. Mais supposons, simple supposition, que tu partes seule avec moi et qu'Ali reste ici ? Pour quelque temps du moins. Tu voudrais encore revenir à New York ?

Suzanne la dévisagea pensivement avant de répondre :

— Oui.

Ali était déjà presque endormi quand Dina entra dans sa chambre. Elle le réveilla en l'embrassant.

— Bonne nuit, maman, murmura-t-il d'une voix ensommeillée.

— Ali, voudrais-tu rentrer à New York ?

— Pourquoi ?

— Peu importe pourquoi. Dis-moi simplement, le voudrais-tu ?

— Oui, bien sûr. Un de ces jours, ajouta-t-il, agacé.

— Pas bientôt ?

— Non... Je veux dire, tu me manques quand tu n'es pas ici. Mais j'aime bien aussi être avec papa.

Dina ne s'en étonna pas. Il avait l'âge où un garçon a besoin d'admirer son père, un père qui lui montrait des avions de chasse, qui l'emmenait en mer faire de la voile. Rien d'étonnant, donc. Mais cette réponse lui brisa le cœur.

— Bonne nuit, mon chéri. Dors bien.

51

Dans le taxi de Nouri, Dina avait l'esprit en ébullition. Ce que Karim lui offrait n'était pas une sorte de jugement de Salomon, mais un vulgaire marché. Un « compromis », à prendre ou à laisser. Son cœur de mère ne pouvait pas se résigner à séparer les jumeaux. Même temporairement. Même si une voix intérieure lui répétait : « Au moins, tu auras repris ta fille. » Que penser de ces visites à Ali au Liban ? Qui sait ce qui pourrait arriver dans de telles circonstances ? Elle pourrait faire à Karim toutes les promesses du monde, elle ne se sentirait jamais tenue de les honorer. Et il restait encore la promenade en bateau – et le plan de sauvetage. Que faire, que décider ?

Elle ne prêtait aucune attention aux propos de Nouri.

— Vous êtes d'accord ?

— D'accord sur quoi ?

— De rencontrer votre ami chez moi ?

— Quel ami ?

— John, je sais juste son nom.

— Chez vous ?

— Oui, à mon appartement. Il vous attend.

— Bien sûr ! Allons-y.

Nouri habitait un petit immeuble qui réussissait à avoir l'air à la fois récent et délabré. L'ascenseur étant en panne – « ça arrive trop souvent », s'excusa Nouri –, ils montèrent les cinq étages à pied. Sur le palier, Nouri frappa à une porte sur un rythme manifestement convenu. John Constantine ouvrit, plus bronzé que jamais – le soleil devait être brûlant à Aqaba. Par le col ouvert de sa chemise kaki apparaissait une cicatrice que Dina n'avait pas remarquée auparavant. Il avait, pensa-t-elle, l'allure d'un pirate de cinéma.

— Je ne savais pas que Nouri et vous vous connaissiez, dit-elle.

— Depuis peu.

— Par le Major ?

— Oui.

— Qui est le Major ? Devrais-je ne pas le demander ?

— Le Major est le Major.

Elle comprit qu'il valait mieux ne pas insister, peut-être parce que la présence de Nouri imposait de la discrétion. Pourtant, à sa surprise, Constantine reprit la parole :

— Nous avons travaillé ensemble pendant la guerre du Golfe. Nous étions tous les deux dans la même branche, les services de renseignement militaires. Sans appartenir à la même armée, nous avions les mêmes intérêts à ce moment-là. En tout cas, nous nous entendions bien, nous faisions du bon travail en équipe. Et puis, un jour, il s'est trouvé dans une situation délicate dont je l'ai aidé à se sortir.

— Au combat ?

— Non, beaucoup plus dangereux.

Dina comprit qu'il ne voulait pas entrer dans les détails.

— Donc, il vous doit une faveur ? hasarda-t-elle quand même.

— Il le voit peut-être ainsi. Moi, non. Nous étions l'un et l'autre dans les problèmes jusqu'au cou… Tout le monde l'appelait le Major, reprit-il après une pause, mais il n'était encore que capitaine. Il devait sans doute ce sobriquet à son comportement. Il avait une allure d'officier supérieur depuis son premier jour au camp d'entraînement.

L'appartement de Nouri était exigu mais étonnamment moderne et bien tenu. Il prépara du café pour ses hôtes avant de s'excuser :

— Vous voulez sans doute vous parler. J'ai justement à faire une course que j'avais oubliée. Je vous laisse. À tout à l'heure.

Ils s'assirent dans le petit salon devant une table basse.

— Alors ? dirent-ils en même temps après le départ de Nouri.

— Commencez, proposa Constantine.

— Karim m'offre d'emmener Suzanne. Il est d'accord pour me rendre Suzanne, mais il garde Ali.

— Et vous êtes d'accord ? demanda-t-il en fronçant les sourcils.

— Certainement pas ! s'écria-t-elle. Mais je ne sais pas quoi faire. Aidez-moi à me décider.

Il lui prit la main, la serra avec douceur.

— Je ne peux pas prendre cette décision à votre place, vous le savez. Je peux juste essayer de vous obtenir ce que vous désirez.

Dina acquiesça d'un signe de tête.

— À vous, maintenant. Qu'alliez-vous me dire ?

— De mon point de vue, l'opération de sauvetage a de bonnes chances de réussite. Eilat, en Israël, est juste en face. Il ne s'agit que de quelques milles, trois fois rien pour une vedette rapide.

Il s'interrompit, but une gorgée de café.

— Il y a plusieurs manières de procéder, reprit-il. L'une consiste à saboter le bateau de Karim. Pas le couler, non, mais, par exemple, embarquer la veille au soir au port de plaisance, trafiquer le gouvernail pour qu'il tombe en panne à quelques milles au large. Cela ne pose pas de problème, le bateau n'est pas le *Queen Mary*. On pourrait aussi trafiquer la radio. J'ai un type sous la main pour ce genre de travail, un vrai pro. Il est plongeur professionnel.

285

En ce moment, il est dans le Golfe, mais il peut être à pied d'œuvre en quelques heures.

Dina ne faisant toujours aucun commentaire, il poursuivit :

— Donc, le bateau se trouve en panne au large et, comme le hasard fait bien les choses, arrivent deux types serviables – mon ami et moi – qui offrent de le prendre en remorque. Nous embarquons les enfants et, sans attendre les autres, filons sur Eilat. Il nous faudra quelqu'un à terre pour traiter avec les autorités locales, les Israéliens n'ayant pas la réputation d'aimer voir des bateaux non identifiés arriver dans leurs eaux territoriales. David Kallas pourrait sans doute nous aider à ce point de vue. Il est juif et il a des contacts sur place.

— Et moi, où serai-je pendant ce temps ? demanda enfin Dina.

— Dans l'avion en route pour New York. Si vous acceptez le marché de Karim, vous aurez Suzanne avec vous. Il faut que tout paraisse normal, au cas où Karim se méfierait encore.

— Et l'autre méthode ? Vous disiez qu'il y en avait plusieurs.

— Elle consisterait à embarquer mon type avant le départ. Ils coucheront à bord s'ils veulent partir le samedi matin, je suppose ?

— Peut-être. S'ils partent...

— Si ?

— Je vous en parlerai dans une minute.

— Bien. Donc, s'ils couchent à bord, mon type joue les hommes-grenouilles et embarque discrètement avant l'aube. Il se cache si c'est possible, sinon il prend le contrôle du bateau.

— Ce qui signifie ?

— Cela signifie qu'il menace de faire usage de la force. Cette méthode est plus sûre, car nous n'aurons pas à saboter le gouvernail ni à craindre un coup de mauvais temps ou un imprévu quelconque.

Dina garda le silence un long moment.

— Croyez-vous que l'une ou l'autre méthode puisse réussir ?

— Sur le papier, répondit-il après une légère hésitation, c'est un jeu d'enfant.

— Mais cela ne se jouera pas sur le papier et vous n'avez pas l'air emballé.

Constantine se leva, alla devant la fenêtre, se passa la main dans les cheveux en méditant sa réponse. Il n'est pas comme Einhorn, qui ne pensait qu'à gagner de l'argent, songea Dina en l'observant. Il prend vraiment cette affaire à cœur, il se soucie des enfants, de moi aussi. Pour lui, ce n'est pas une simple affaire comme tant d'autres.

— Je n'aime pas les effractions, je vous l'ai déjà dit, répondit-il enfin. Je n'ai jamais pris d'assaut un bateau, mais c'est à peu près pareil que d'entrer de force dans une maison. Sauf que si quelque chose tourne mal en pleine mer, cela peut tourner vraiment très mal. Et il reste beaucoup de facteurs inconnus. Trop.

— Lesquels, par exemple ?

— Y aura-t-il des armes à bord ? Quelqu'un serait-il prêt à s'en servir ? Et d'autres questions encore.

Cette fois, le silence dura plus longtemps.

— Ne le faites pas, souffla enfin Dina.

Constantine se retourna, la dévisagea.

— Ne faites pas quoi ? La deuxième méthode ?

— Non. Ne faites rien. Laissons tomber.

Il revint à pas lents, se rassit près d'elle.

— C'est vous le patron, fit-il simplement.

— Je vais partir avec Suzanne, John.

— Ma foi... au moins, ce sera un résultat.

— Cette décision, je viens juste de la prendre, quand vous avez dit que d'une manière ou d'une autre il faudrait faire usage de la force. Je le savais depuis le début, mais j'ai pris pleinement conscience de ce que cela impliquait.

— Le risque est faible, mais il existe. À votre place, j'aurais sans doute décidé comme vous, approuva-t-il.

— Autre chose. Je n'y avais pas réellement réfléchi avant ces deux derniers jours, mais si nous enlevons les jumeaux par la force, nous les couperons définitivement de leur père, qui ne viendra plus les voir après un coup pareil. Donc en évitant la force, en acceptant le compromis, ils ne perdront pas tout contact avec lui et nous pourrons toujours relancer notre projet en cas de besoin.

— C'est exact. Ainsi, vous êtes sûre ?

Elle leva les yeux, lut dans son regard un réel souci.

— Oui, répondit-elle. Je m'en voudrai sans doute à mort chaque fois que j'y repenserai. Mais si nous réalisions l'opération et que quelqu'un était blessé, ou seulement égratigné, je ne pourrais plus me regarder dans la glace.

Constantine hocha la tête, sourit.

— D'accord. La paix vaut toujours mieux que la guerre. Pour moi, du moins.

— J'ai peur de vous avoir déçu.

— Non, pas du tout. Je voulais juste vous rendre ce que vous étiez venue chercher, Suzanne et Ali. Mais vous repartirez avec Suzanne et nous trouverons un autre moyen de récupérer Ali.

Les coups codés retentirent à la porte et Nouri entra.

— Tout va bien ? demanda-t-il. J'ai encore pas mal de choses à faire, si vous voulez.

— Tout va bien, répondit Constantine. La dernière chose que je vous demanderai, si vous le voulez bien, c'est de nous conduire à l'hôtel Hyatt. Je voudrais offrir un verre à ma cliente.

— Est-ce prudent ? s'inquiéta Dina, effarée de cette entorse à ses propres règles de sécurité.

— Pourquoi pas ? Nous sommes deux touristes américains qui se sont rencontrés par hasard à Amman. Depuis deux minutes, nous n'avons plus rien à nous reprocher et aucune loi au monde ne nous interdit de boire un verre ensemble.

— Vous avez raison. Mais je voudrais d'abord appeler Karim. Puisque ma décision est prise, je veux sortir ma fille de cette maison et de ce pays le plus tôt possible.

— Servez-vous de mon téléphone, offrit Nouri.

Karim répondit à la deuxième sonnerie.

— Ma réponse est oui, annonça Dina. Tu avais raison. Je passerai prendre Suzanne demain matin.

Elle s'attendait presque qu'il revienne sur sa parole, qu'il cherche un prétexte, mais il parut soulagé.

— C'est la meilleure chose à faire, Dina. Tu verras.

— Vas-tu quand même à Aqaba demain ?

— Je ne sais pas encore. Je n'ai pas décidé.

— Dans tous les cas, je te demande de veiller à ce que je n'aie pas de problèmes avec Maha ou Fatma.

— J'y veillerai.

— Donc, tout est réglé.

Il y eut une pause, pendant laquelle Dina l'entendit pousser un vrai soupir de soulagement.

— Oui. Écoute, Dina, il faut que tu saches… j'aurais préféré que tout se passe autrement. Mieux. Mais…

— Je sais, moi aussi, l'interrompit-elle. Si je ne te vois pas demain matin, Karim, au revoir.

— Au revoir, Dina.

Sur quoi, elle raccrocha. Sa grande aventure, ses plans de sauvetage, l'espoir de repartir avec ses deux enfants, tout se terminait sur le déclic dérisoire d'un téléphone qu'on raccroche.

— Allons boire ce verre, dit-elle à Constantine.

Il la prit par la taille, l'entraîna vers la porte. Elle ressentit une fois encore la merveilleuse impression de chaleur et de force dont il l'enveloppait – et peut-être aussi le début d'un autre sentiment, qu'elle n'avait éprouvé avec personne d'autre. Sauf avec Karim, les premiers temps.

52

Lorsque Dina arriva chez ses beaux-parents, Maha était invisible. Karim avait donc fait le nécessaire. Ils étaient seuls tous les quatre au salon, la famille qu'ils formaient naguère encore. Karim, ou peut-être Soraya, qui ne se montrait pas elle non plus, avait habillé Suzanne d'une jolie robe d'été jaune. Souriante, pleine de gaieté et d'énergie, la fillette contenait mal son impatience de se lancer dans une grande aventure avec sa maman. Elle ne comprend pas, elle ne peut pas comprendre la réalité de ce qui se joue, pensa Dina avec un pincement de cœur. Que Dieu nous vienne en aide quand elle en prendra conscience... Sérieux comme une grande personne, Ali était assis à côté de son père dont il tenait la main, comme s'il cherchait à se rassurer.

— Veux-tu que je sorte quelques instants pendant que tu dis au revoir... pendant que tu parles à Ali ? s'enquit Karim.

Dina regarda son fils, trop sérieux pour son âge. Non, elle ne voulait pas aggraver son chagrin en le privant du soutien de son père. Elle le prit dans ses bras, l'embrassa.

— Je t'aime, mon chéri. Tu me manqueras beaucoup, tu sais.

— Pourquoi tu t'en vas, alors ? demanda-t-il en se dégageant. Et pourquoi tu emmènes Suzanne ?

Comment répondre à une telle question ? Karim et elle avaient déjà tenté de lui expliquer le compromis auquel ils étaient parvenus, mais Ali était resté sourd à leurs raisons. Il refusait de comprendre la raison pour laquelle il devait être séparé de sa sœur jumelle. Et il posait une fois de plus la même question : pourquoi ?

— Parce que ton papa et moi l'avons décidé, mon chéri, soupira enfin Dina. Je te reverrai bientôt, je te le promets. Et tu reverras aussi Suzanne.

Il résista quand elle voulut l'embrasser de nouveau. Mon pauvre chéri, se dit-elle, comment peut-il comprendre ? Il sait seulement qu'il souffre…

La gaieté de Suzanne s'estompait à vue d'œil. Son regard se posait tour à tour sur son frère et sur son père. Quand Karim lui tendit les bras, elle s'y précipita.

— Ma princesse, murmura-t-il tendrement, tu en as de la chance. Tu vas monter dans un bel avion, tu regarderas un film comme quand nous sommes venus et tu seras bientôt de retour à New York.

Suzanne se débattit dans les bras de son père pour observer Ali. Toujours raide et solennel, il luttait si visiblement contre les larmes que Suzanne se mit à pleurer pour deux. Karim eut beau lui promettre qu'elle reverrait bientôt son frère, elle ne l'écoutait plus.

Dina refusa l'offre de Karim de les conduire à l'aéroport. Craignant qu'il revienne sur sa promesse et essaie de reprendre Suzanne, elle avait avancé son retour d'un jour et ne cessa de regarder derrière elle pendant tout le trajet pour s'assurer qu'aucune voiture ne suivait le taxi.

Le voyage en avion fut encore plus pénible. Suzanne n'arrêtait pas de raconter celui qu'elle avait fait avec son père, pendant lequel elle parlait et jouait avec son frère, chaque phrase ou presque étant interrompue par des crises de larmes. C'était impossible, se disait Dina. Elle avait pris la décision d'annuler l'opération d'enlèvement en mer à cause des risques, mais comment vivre avec le désespoir de sa fille – sans parler du sien ? Qu'Ali lui soit arraché était déjà douloureux, mais l'abandonner était cent fois pire. Il fallait qu'elle trouve une solution. John l'aiderait peut-être. Oui, John pourrait l'aider.

Elles arrivèrent à New York en milieu d'après-midi. Dina remarqua aussitôt que le ménage avait été fait dans la maison et qu'il y avait des vases de fleurs fraîches dans l'entrée et la cuisine. Que Dieu bénisse mes amies, songea-t-elle. Pourtant, si tout paraissait beau et propre, une sorte de malaise régnait, comme si la maison elle-même souffrait de l'éclatement de la famille qu'elle avait abritée.

Suzanne était fatiguée et de mauvaise humeur. Dina monta la coucher en essuyant de nouveaux flots de larmes et de nouvelles rafales de questions sur Ali. Que faisait-il en ce moment ? Était-il en train de jouer sans elle ? Est-ce que papa le bordait dans son lit ? Dina lui répondait avec patience. Ne pouvant éprouver l'intensité des émotions de sa fille, elle devait néanmoins s'efforcer de la consoler.

Après que l'enfant se fut endormie, Dina descendit voir le courrier et écouter le répondeur. Le voyant clignotait furieusement. Dina sourit en pressant le bouton : ses amies avaient dû lui laisser des messages de bienvenue. Ce fut la voix vibrante de rage de Karim qui résonna dans le haut-parleur : « Dina, sale garce menteuse et sournoise ! J'ai été loyal avec toi, mais tu t'en moquais, n'est-ce pas ? Quand je t'ai entendue dire à Ali que tu le reverrais bientôt, j'aurais dû immédiatement y mettre le holà ! Mais je ne t'aurais pas crue capable de me l'enlever en cachette. Tu t'en repentiras, Dina ! Je le reprendrai, tu peux y compter ! »

Un autre message, puis d'autres encore suivirent sur le même ton. La voix de Karim tremblait de peur et de colère, comme la sienne avait tremblé quand elle s'était aperçue de la disparition des jumeaux. Mais de quoi parlait-il ? Que signifiaient ses imprécations au sujet d'Ali ? La stupeur fit rapidement place à l'angoisse. Si Karim croyait qu'elle avait emmené Ali, c'est donc qu'Ali avait disparu !

D'un doigt peu assuré, elle composa le numéro de ses beaux-parents. Karim répondit.

— Tu peux être fière de toi ! commença-t-il. Berner l'imbécile qui t'a fait confiance...

— Arrête, Karim ! Je n'ai pas emmené Ali !

— Tu mens ! Il...

— Stop, Karim ! Je te jure sur la tête de Suzanne que je n'ai pas emmené Ali ! Il a disparu ?

Il y eut un silence.

— Je croyais... j'étais sûr que tu l'avais emmené.

— Je reviens immédiatement. Je confie Suzanne à mes parents et je reviens le chercher.

— Non, reste avec Suzy. Tu ne peux rien faire d'utile ici. Je préviens la police et je le chercherai moi-même avec Samir.

L'affreuse pensée lui traversa un instant l'esprit que Constantine avait réalisé l'opération malgré leur décision et enlevé Ali en saisissant une opportunité à la dernière minute. Non, se reprit-elle, John l'aurait sûrement prévenue. Il aurait su que tout le monde le chercherait et qu'elle serait folle d'inquiétude. Elle pensa au Major, à Nouri. Elle allait contacter Constantine le plus vite possible, lui demander qu'il se mette en rapport avec eux. Ils pourraient peut-être participer aux recherches.

Après que Karim lui eut promis de l'appeler dès qu'il aurait des nouvelles, Dina accepta de rester à New York. Ses amies arrivèrent une heure plus tard. Elles s'attendaient à voir une femme sinon rayonnante de joie, du moins contente d'avoir repris sa fille.

Sa mine lugubre les bouleversa.

— Qu'est-ce qui ne va pas ? s'enquit Sarah.

Elle leur expliqua. Un long silence s'ensuivit.

— Que pouvons-nous faire ? demanda enfin Emmeline.

— Prier, répondit Dina.

53

Des heures durant, Karim et Samir avaient sillonné les rues, Samir au volant, Karim scrutant désespérément autour de lui. Chaque fois qu'il voyait un jeune garçon ou un groupe d'enfants, son espoir renaissait, mais la centième déception finit par éteindre en lui les dernières flammes de l'espérance. « Il ne s'est quand même pas volatilisé », répétait Samir, en écho à son frère. C'était plus une prière qu'un diagnostic de la situation.

Partant de la maison, ils avaient agrandi peu à peu le cercle des recherches. Ils interrogeaient les gens, montraient une photo d'Ali. Mais plus le temps passait et plus ils quittaient la relative tranquillité des quartiers résidentiels pour les secteurs plus peuplés, plus cette tactique se révéla impraticable. Ils ne s'arrêtaient plus que de loin en loin afin de questionner un marchand ambulant ou un boutiquier susceptibles d'avoir observé la foule depuis un certain temps, ce qui ne les avançait pas davantage. Il y avait à Amman des milliers de jeunes garçons ressemblant à Ali et portant des vêtements occidentaux. Tout le monde en avait vu un, sinon plusieurs.

— Crois-tu que les gens parlent anglais ici ? demanda Karim en traversant un quartier visiblement pauvre.

— Bien sûr, répondit Samir. Certains, du moins. Ceux qui travaillent dans les hôtels ou les sites touristiques.

Depuis le matin, son angoisse se nourrissait du fait que son fils ne connaissait que quelques mots d'arabe. Il avait toujours cru qu'on trouvait à Amman beaucoup de gens parlant plus ou moins l'anglais. En fait, ils ne constituaient qu'une minorité.

À un moment, Samir s'arrêta devant un petit café.

— Veux-tu manger quelque chose ?

— Non, mais je veux bien du café.

Il profita de la halte pour appeler la maison. Hassan répondit.

— Rien de neuf ? lui demanda Karim.

— Non. Sa photo passera à la télévision au journal de ce soir. J'ai appelé deux ou trois de mes relations.

La conversation s'en tint là. Ils étaient convenus de ne pas bloquer trop longtemps la ligne téléphonique, au cas où quelqu'un donnerait des nouvelles ou un indice.

La famille entière participait aux recherches. Soraya et Maha se servaient de leurs téléphones portables pour se renseigner auprès des voisins, des pâtisseries, des cafés, de tous les endroits où un petit garçon fatigué et affamé pourrait chercher refuge. Des hôpitaux, aussi. Une demi-douzaine de cousins sillonnaient les rues, comme Karim et Samir, et se croisaient parfois. Les deux gardes du corps avaient été réengagés avec plusieurs de leurs collègues. Convaincre Hassan de rester à la maison afin de monter la garde auprès du téléphone n'avait pas été facile. Karim y était parvenu en le nommant responsable du « poste de commandement ».

Bien entendu, la police était en alerte. Karim s'était directement adressé aux plus hautes autorités. Avec un tel déploiement de forces, il n'y en avait sûrement plus pour longtemps. Les uns ou les autres retrouveraient Ali d'une heure, non, d'une minute à l'autre...

Samir revint à la voiture avec deux tasses de café.

— Il ne s'est quand même pas volatilisé, dit à nouveau Karim en prenant la sienne.

Et pourtant, c'était exactement ce qui semblait s'être produit.

Y a-t-il des pédophiles en Jordanie ? Aurait-on enlevé son bébé pour demander une rançon ? Serait-ce une vengeance d'un ennemi de la famille de Karim ? L'idée que son petit garçon souffrait de la peur ou de mauvais traitements était insoutenable à Dina. Plus elle y pensait, plus elle se sentait devenir folle d'inquiétude.

Emmeline et Sarah faisaient de leur mieux pour la rassurer. On retrouverait vite Ali, il ne lui arriverait rien de mal, Karim mettrait à contribution toutes ses ressources, toutes ses relations. Mais ces paroles de consolation ne lui apportaient aucun réconfort.

— Je n'aurais jamais dû le faire, balbutia-t-elle entre deux sanglots. Je n'aurais jamais dû accepter de séparer les jumeaux. J'ai eu tort de laisser Ali là-bas sans sa sœur. C'était une erreur, une grave erreur.

— Allons, mon chou, comment aurais-tu pu refuser de reprendre Suzanne quand Karim te l'a proposé ? dit Emmeline. S'il y a faute, c'est la sienne, pas la tienne.

Dina secoua la tête. Rejeter le blâme sur Karim ne la réconfortait en rien. Il devait être fou d'inquiétude, lui aussi. Personne ne pouvait partager ni atténuer sa souffrance, qui cesserait uniquement quand Ali serait retrouvé.

Elle ne pouvait rien faire qu'attendre, sa vie suspendue au passage des heures et des minutes. Mon Dieu, priait-elle, faites qu'il ne lui arrive rien de mal. Je ferai n'importe quoi s'il est sain et sauf. J'irai même jusqu'à laisser les jumeaux à leur père, si telle est Votre volonté.

À des milliers de kilomètres de là, Karim entra dans la chambre de son fils, plongée dans l'obscurité. Il toucha son oreiller, la console de jeux qu'il aimait tant, son pyjama.

Il aurait cent fois, mille fois mieux valu que Dina l'emmène lui aussi. Au moins, il serait en sûreté. Était-ce le châtiment mérité pour ce qu'il avait fait ? Comment aurait-il pu prévoir que les choses tourneraient de cette manière ? Il avait d'abord cru sauver ainsi une partie de la famille qu'il avait fondée avec espoir. Sa décision avait coûté cher, certes, mais pas seulement à Dina, car il avait dû, lui, abandonner la femme qu'il avait passionnément aimée et pour qui il éprouvait encore de la tendresse. Il n'avait voulu que le bien des enfants et voilà comment cela se terminait ! Sa fille chérie partie, son fils bien-aimé... non, il ne voulait même pas y penser.

Samir entra derrière lui, posa une main sur son épaule.

— Tu as besoin de repos, mon frère. Dors une heure ou deux, nous recommencerons après.

Karim acquiesça, mais il ne pourrait dormir qu'une fois Ali retrouvé. Il allait s'étendre là, sur le lit de son fils, pour se sentir plus proche de lui. Et dans un moment, Samir et lui sortiraient de nouveau se joindre à l'armée de braves gens lancés à la recherche de son enfant.

55

Il était deux heures du matin lorsque Samir parvint enfin à persuader Karim d'abandonner les recherches jusqu'au lendemain.

— Il est à l'abri quelque part, mon frère. Nous ne le trouverons pas en roulant ainsi.

Karim protesta pour la forme. Samir avait raison, il n'y avait presque plus personne dans les rues, encore moins des enfants.

— Quelqu'un l'a sûrement recueilli, reprit Samir avec une conviction qui ne montait pas jusqu'à son regard. Nous le retrouverons demain matin, *inch Allah !*

Oui, si Dieu le veut, se répéta Karim. Il ne voyait pourtant pas la main de Dieu dans la disparition d'Ali. Et s'il espérait qu'une personne charitable avait peut-être recueilli un enfant perdu, il ne pouvait chasser de son esprit des suppositions plus sombres. Ali n'avait qu'à prononcer quelques mots pour être identifié comme étranger, pire, comme américain – et de nombreux Jordaniens ne portaient pas les Américains dans leur cœur. Il pouvait aussi s'agir d'un kidnapping. La police ne semblait guère y croire : aucune demande de rançon n'avait été formulée. Mais il était encore trop tôt pour avancer une hypothèse. En tout cas, tourner en rond dans les rues désertes ne les avançait à rien, et Samir, à en juger par ses traits tirés, était aussi fatigué que lui.

— D'accord, rentrons. Nous aurons plus de chance demain matin.

Samir approuva d'un signe de tête et fit demi-tour au premier carrefour.

Maha était couchée, mais Soraya attendait leur retour avec du café frais et un repas. Hassan était assoupi dans son fauteuil à côté du téléphone. Un policier somnolent surveillait le matériel d'écoute installé en cas de demande de rançon. Samir et le policier mangèrent un peu ; Karim n'avait pas d'appétit. Il réveilla son père pour lui relater leurs recherches infructueuses. Le vieil homme était trop las pour faire mieux que hocher la tête et murmurer, comme Samir : « Nous le retrouverons demain, *inch Allah.* » Sur quoi il alla se coucher. Samir et Soraya en firent bientôt autant, après avoir donné à Karim une accolade et quelques mots d'encouragement.

Karim resta un moment avec le policier. L'homme le bombarda de propos rassurants tout droit sortis d'un manuel d'instruction avant de conclure :

— Allez prendre du repos, monsieur. Soyez tranquille, je vous réveillerai s'il arrive quoi que ce soit.

Avant de se coucher, Karim appela Dina, en s'efforçant de minimiser l'échec de leurs recherches. Ali avait dû partir se promener et s'était perdu. La ville entière était aux aguets, il serait retrouvé d'une minute à l'autre.

— Karim, ce n'est qu'un tout petit garçon et il a disparu depuis des heures ! gémit Dina. Je reviens. J'attrape le premier vol.

— Non, Dina, je t'en prie. Nous le retrouverons bien avant ton arrivée. Et tu ne pourras rien faire de plus que nous, je t'assure. Il vaut mieux que tu prennes soin de Suzanne.

— Enfin, Karim, comment est-ce arrivé ? Il a juste… disparu ?

— Cela peut te sembler bizarre, mais les petits garçons font souvent des fugues, répondit Karim, qui savait qu'elle aussi avait besoin de réconfort. Dans une ville inconnue, il est facile de se perdre, cela m'est arrivé une fois, à Aqaba. J'étais perdu pendant des heures. Quand on m'a retrouvé, mon père ne savait pas s'il devait m'embrasser ou me fouetter – il a d'ailleurs fait les deux. Ne t'inquiète pas, Dina, Amman n'est pas New York. Il ne lui arrivera rien, je te le promets. Nous le retrouverons bientôt.

Tout en prononçant ces paroles, Karim réalisait qu'elles étaient vides de sens. Comment pouvait il affirmer cela ? Il n'avait aucune idée de ce que vivait son fils.

Après le départ de ses amies, Dina se mit à tourner en rond dans la cuisine. Elle allait devenir folle si elle ne faisait rien. Il fallait qu'elle se donne au moins l'illusion de se rendre utile. D'ailleurs, Karim lui disait-il toute la vérité, comme si elle n'était pas déjà assez dramatique ? Au moins, quand il avait enlevé les jumeaux, elle savait qu'ils étaient en sûreté. Mais maintenant, ne pouvant qu'attendre des nouvelles, bonnes ou mauvaises, elle était écrasée par le désespoir de l'impuissance.

Elle appela le bureau de Constantine, l'appartement, le portable, et tomba les trois fois sur la messagerie en lui demandant de la rappeler de toute urgence. Elle ignorait où il était. Serait-il encore en Jordanie ? Aurait-il réussi à reprendre Ali ? Non, impossible. Alors, pour l'amour de Dieu, où était son fils ?

— Qu'est-ce qu'il y a, maman ? demanda Suzanne, qui s'était réveillée de sa sieste.

— Rien, ma chérie, rien. J'ai juste des coups de téléphone à donner. Pourquoi ne vas-tu pas regarder une cassette pendant que je te prépare un sandwich ?

Suzanne lança à sa mère un regard soupçonneux. L'heure normale du coucher était passée depuis longtemps et on lui offrait une cassette et un sandwich ? Elle accepta toutefois sans discuter.

Lorsque Dina entendit le son du dessin animé préféré de Suzanne, elle se décida à faire la seule chose qui lui vint à l'esprit : elle composa l'indicatif international de la Jordanie et le numéro de téléphone appris par cœur au supermarché. Il faisait nuit, à Amman. Un long moment s'écoula, puis on décrocha à l'autre bout.

— Allô ? fit une voix ensommeillée.

— Alia ?

— Vous avez fait un faux numéro.

Dina avait reconnu la voix.

— Attendez ! Ne raccrochez pas, je vous en prie ! Je suis la femme que vous avez rencontrée au supermarché.

— Non, vous vous trompez.

— Je vous en supplie ! Pardonnez-moi d'appeler aussi tard, mais mon fils Ali a disparu à Amman. Pouvez-vous demander au... à l'homme avec qui vous travaillez s'il peut nous aider à le retrouver ?

Il y eut un silence.

— Je ne sais rien de ce que vous dites.

— Parlez-lui, je vous en prie. Demandez-lui son aide.

— Oui. Au revoir.

Alia avait déjà raccroché. Dina n'osa pas la rappeler.

Elle reposait le combiné quand elle vit Suzanne près de la porte, qui la scrutait avec inquiétude.

— Qu'est-ce qui est arrivé à Ali, maman ?

Dina s'assit, la prit sur ses genoux et tenta de lui expliquer le plus calmement possible qu'Ali s'était perdu dans la rue et que son papa le recherchait.

Karim était épuisé comme il ne l'avait jamais été, mais le sommeil refusait de venir l'apaiser. Des images d'Ali perdu dans la nuit, maltraité, torturé peut-être, le hantaient avec le sentiment qui l'avait tourmenté toute la journée : tout était sa faute. La volonté de Dieu n'y était pour rien. C'était lui, Karim, qui avait décidé, imposé sa volonté. Pas directement, bien sûr, mais quand il avait déclenché le processus en arrachant les enfants à leur foyer pour les amener ici. Et, surtout, en les séparant. Par égoïsme. Par orgueil. Qu'il ait cru agir pour le bien des enfants était sans valeur. En bonne logique, seul le résultat comptait, pas l'intention. Et le résultat apportait la preuve qu'il avait eu tort. Son aveuglement, sa folie, son fils les payait peut-être de sa vie, pensa-t-il sans pouvoir retenir un sanglot.

Les premières lueurs de l'aube pointaient à l'horizon lorsqu'il ferma enfin les yeux et sombra dans un mauvais sommeil peuplé de cauchemars. Mais bien avant de s'assoupir, il avait fait le serment que si Ali était retrouvé sain et sauf, il le ramènerait à New York pour le réunir à sa sœur et à sa mère. Toute autre solution serait une nouvelle erreur aggravant celles qu'il avait déjà commises.

À Amman, le Major dormait profondément lorsque le téléphone sonna. Ce n'était pas un téléphone ordinaire, mais une ligne si spéciale, si secrète que le numéro ne figurait nulle part dans les fichiers des télécommunications.

Il écouta Alia, raccrocha et réfléchit.

Il avait vu à la télévision l'avis de recherche concernant Ali Ahmad et supposé que Constantine était pour quelque chose dans cette disparition. Dans ce cas, ce serait bientôt éclairci. Sinon, si le garçon avait simplement fait une fugue, il serait vite retrouvé. La police et la famille Ahmad disposaient des ressources nécessaires pour régler les problèmes de ce genre. Pourtant, Dina Ahmad lui avait laissé une forte impression. Bien qu'il n'aimât guère les Américains en général – John Constantine constituait une des rares exceptions –, la situation de Dina l'avait assez ému pour qu'il continue de s'y intéresser.

Il y avait en Jordanie nombre de personnes, de tous les milieux sociaux, qui évitaient dans la mesure du possible d'avoir affaire à la police. Néanmoins, certains individus doués d'un bon sens de l'observation et détenteurs d'informations diverses traitaient régulièrement avec le Major. En trois ou quatre coups de téléphone, il pouvait informer ce réseau de l'importance de retrouver un petit Américain perdu. Si les rapports signalaient que le petit garçon avait été vu en compagnie d'un homme grand et fort de type vaguement méditerranéen, l'information s'arrêterait là. Mais s'il avait été vu seul, un dénouement heureux serait à coup sûr prévisible. Quant aux autres hypothèses, le Major ne voulut pas perdre son temps à les envisager.

Il tendit le bras et décrocha son téléphone.

Il était plus de dix heures du matin lorsque Karim se réveilla et constata, horrifié, qu'il était le dernier de la famille à se lever. Deux ou trois cousins discutaient avec Samir et Hassan en buvant du café. Un autre policier avait pris la relève de l'écoute téléphonique. Leurs regards lui signifièrent qu'il n'y avait pas de nouvelles.

Il s'assit avec les autres pour préparer les activités de la journée. Les gardes du corps patrouillaient déjà les rues et collaient des affichettes avec la photo d'Ali et la promesse d'une forte récompense pour toute information permettant de retrouver sa trace. Samir étala un plan de la ville afin d'examiner les quartiers ayant échappé aux rondes précédentes. Ils allaient donc les explorer et repasser si nécessaire par tous les autres endroits où Ali aurait pu chercher refuge.

De temps en temps, le téléphone sonnait, Hassan répondait. Il n'avait pas besoin de répéter la conversation, son attitude signifiait assez clairement qu'il s'agissait une fois de plus d'une fausse piste ou d'un message de sympathie. Soraya expliqua qu'elle avait organisé une chaîne de recherche par téléphone avec les femmes de son organisation caritative. Karim s'abstint de lui faire observer que le nombre de ces communications ne tarderait pas à prendre une telle ampleur qu'il risquait de paralyser le réseau téléphonique d'Amman, sans parler des messages redondants et des fausses pistes. Il ne voulait pas décourager sa belle-sœur, qui, comme les autres, avait besoin de se sentir utile dans une situation où, en réalité, ils avaient conscience de leur impuissance et de la vanité de leurs efforts.

Lorsque le téléphone sonna encore une fois, Hassan décrocha avec un grognement exaspéré et personne n'y prêta attention. Il leur fallut donc un moment avant de se rendre compte que son ton était différent et qu'il se redressait sur son siège.

— Oui, lui-même... Le colonel qui ?... Oui, bien sûr. Bonjour, mon colonel... Vous en êtes certain ? Dieu soit loué !

Pendant que Karim se hâtait de le rejoindre, les autres poussèrent des cris de joie. Karim prit le combiné et entendit un homme se présenter comme un colonel des services de renseignement de l'armée jordanienne. Un instant, il se demanda ce que l'armée avait à voir avec la disparition de son fils, mais les paroles du colonel dissipèrent tous ses doutes :

303

— Il est avec nous. Il va très bien. Un peu fatigué, c'est tout.

Karim dut s'appuyer au dossier du fauteuil de son père pour ne pas défaillir de joie et de soulagement.

— Où est-il ?

— Il sera bientôt chez vous. Voulez-vous lui parler ?

— Oui, bien sûr !

Une seconde plus tard, la voix d'Ali résonna dans l'écouteur :

— Papa, c'est moi. Je... je me suis perdu.

— Tu vas bien ?

— Oui, je vais bien. Mais je meurs de faim.

— Tu n'auras plus faim quand tu seras de retour ici, je te le garantis. Ou alors, ajouta-t-il en se rappelant sa propre fugue d'enfant à Aqaba, nous te laisserons avoir faim un bon moment pour que tu réfléchisses à l'inquiétude que tu nous as causée à tous.

— Je ne recommencerai plus, papa, je te le promets.

Le colonel reprit alors l'appareil :

— Un ouvrier a trouvé votre fils hier au début de la soirée, et sa femme et lui l'ont recueilli pour la nuit. Nous lui parlerons, bien entendu, mais je pense qu'ils n'ont rien à se reprocher. À mon avis, cet homme s'est simplement soucié de voir un petit garçon seul dans les rues à cette heure-là et a voulu lui donner un abri.

— Dieu soit loué ! Merci, mon colonel. Merci infiniment.

— De rien. Nous serons bientôt chez vous.

— Un instant, s'il vous plaît ! Avez-vous le nom de cet homme ?

— Naturellement.

— Vous avez dit que c'était un ouvrier. Il ne doit donc pas être très riche.

— Il est pauvre comme le sable du désert. Il n'a pas de télévision, sinon il aurait su qui il avait accueilli sous son toit. Nous l'avons retrouvé grâce à un de ses voisins.

— Si vous voulez bien me donner son nom et son adresse, il ne sera plus aussi pauvre à partir d'aujourd'hui.

— Eh bien, il y aura au moins deux familles heureuses à Amman.

Les joues ruisselantes de larmes, Karim raccrocha et se laissa étreindre par tous les membres de sa famille.

Toute idée de punition s'effaça au retour d'Ali. Maha repoussa Soraya et Fatma pour le nourrir elle-même. Elle l'entraîna à la cuisine, sortit des placards toutes les « horreurs occidentales » qu'elle exécrait, depuis les céréales jusqu'aux sodas. Mais Ali les refusa et insista pour manger sa cuisine à elle. Elle prépara prestement une assiette de *kefta*, qu'elle le regarda dévorer jusqu'à la dernière miette.

Dehors, Karim raccompagnait le colonel à sa voiture. Il l'avait déjà croisé à des réceptions officielles et le connaissait au moins de réputation, comme toute la bonne société jordanienne.

— Je ne voudrais pas vous paraître indiscret, mon colonel, mais je ne peux m'empêcher de me demander comment vos services sont intervenus dans les recherches de mon garçon.

Le colonel, que beaucoup appelaient toujours le Major, lui adressa un sourire bienveillant – sourire que ses ennemis et ses adversaires n'avaient jamais l'occasion de voir. Il ne s'était pas attendu à trouver Karim sympathique, et pourtant c'était le cas. L'homme n'avait que les défauts communs à la plus grande partie de l'espèce humaine, et son amour pour son fils était trop sincère pour ne pas le toucher.

— Ah ? Je ne vous l'ai pas dit ? J'ai vu votre avis de recherche à la télévision hier soir. Alors, j'ai pensé que mettre quelques-uns de nos hommes sur l'affaire ne pourrait pas nuire, voilà tout.

305

— En tout cas, je vous en suis profondément reconnaissant.

— Ne vous méprenez pas, monsieur Ahmad. La police est tout à fait qualifiée et je suis persuadé qu'elle aurait retrouvé Ali si nous n'avions pas été un tout petit peu plus rapides.

— Peut-être. Mais merci encore.

Arrivé devant sa voiture, le colonel hésita un instant.

— J'espère que vous ne m'en voudrez pas, monsieur Ahmad, car cela ne me regarde pas : quand nous avons retrouvé votre fils, il a demandé si nous le ramenions chez lui. Je lui ai dit oui, mais il a précisé : « Chez moi, à New York. » Savez-vous ce qu'il voulait dire ?

Karim ne répondit pas. Dans la joie du retour d'Ali, il avait oublié ses bonnes résolutions de l'aube. Et maintenant cet homme brave et honorable réveillait sa conscience et lui rappelait son serment...

Sentant qu'il ne pouvait insister, le colonel lui tendit la main.

— C'est un honneur pour moi d'avoir fait votre connaissance et d'avoir pu rendre service à votre famille. Que Dieu vous garde, vous et les vôtres.

— Que Dieu vous garde, mon colonel.

Karim suivit des yeux la voiture qui s'éloignait et regagna la maison. Il savait ce qu'il devait faire.

56

Ali était à la fois trop fatigué pour rester éveillé et trop désorienté pour s'endormir. Au lieu d'être puni comme il s'y attendait, il avait été étouffé sous les baisers et les embrassades, gavé jusqu'à éclater et, pour finir, bordé dans son lit par toute la famille. Il n'y comprenait rien, pas plus qu'il ne comprenait pourquoi il était privé de sa sœur. Personne ici ne paraissant croire que c'était mal d'avoir laissé partir Suzanne, il avait décidé de la retrouver. Ce qu'il avait dit à maman ne comptait pas. Si, à certains moments, il trouvait sa sœur jumelle insupportable, il ne supportait pas davantage de rester seul ici sans elle.

Son père lui avait promis une promenade en bateau, mais sans Suzanne cette promenade ne serait pas amusante du tout. Alors il avait pensé à l'aéroport. C'était sûrement là qu'elle était partie avec maman prendre l'avion pour rentrer à la maison. Dans les aéroports, il fallait montrer des billets, bien sûr, mais il y avait toujours des billets quand on en avait besoin.

Il s'était levé et habillé sans bruit. À la cuisine, il avait fourré dans les poches de son blouson une poignée de bonbons et deux *pitas* qui restaient du dîner. Il aurait voulu laisser un mot mais n'avait pas trouvé de quoi écrire. Alors, faute de mieux, il avait sucé un bonbon, s'était enduit le doigt du jus fondu et avait écrit AU REVOIR MERCI en rouge poisseux sur la porte du réfrigérateur.

Ensuite, il était sorti et avait refermé la porte d'entrée en faisant attention de ne pas la claquer. La voiture avec les deux hommes n'était pas là, pour une fois. La rue était si sombre et silencieuse qu'il y avait presque de quoi avoir peur. Il avait une vague idée de la direction par où se rendre à l'aéroport ; dans son souvenir, il semblait assez proche. De toute façon, il finirait bien par le retrouver. Et Ali avait commencé à marcher.

Il marchait encore des heures après avoir fini les dernières miettes de *pita* et sucé le dernier bonbon. Il avait faim, il était fatigué – et complètement perdu. Il était pourtant sûr que l'aéroport était facile à retrouver, mais il se rendait compte maintenant qu'il n'avait pas pris la bonne direction. L'aéroport était grand, s'il continuait à marcher il finirait bien par le voir. Bientôt, cependant, il avait bel et bien perdu tout sens de l'orientation. Il ne se rappelait même plus d'où il venait. C'est alors que d'autres garçons, plus grands, s'étaient mis à le harceler. En découvrant qu'il ne savait pas parler, ils l'avaient bousculé, battu et avaient arraché son blouson avant qu'il ait pu s'enfuir. Il avait un peu saigné du nez ; heureusement le saignement s'était vite arrêté.

Maman lui avait toujours recommandé de ne pas s'adresser à des inconnus, mais il avait quand même demandé deux ou trois fois où était l'aéroport. Les passants comprenaient le mot, seulement Ali ne comprenait rien à leurs réponses. Il avait pensé leur dire le nom de son père et de son grand-père, tout le monde connaissait sûrement Hassan Ahmad. S'il l'avait fait, il aurait été obligé de rentrer à la maison, il aurait été puni et, de toute façon, Suzanne n'y était pas. Il avait donc continué à marcher jusqu'à ce qu'il ne puisse plus poser un pied devant l'autre. Alors, il s'était assis en s'adossant au mur d'une maison. Le mur était encore chaud, mais le soleil s'était couché, il ferait bientôt froid. Et Ali avait commencé à pleurer.

Deux hommes s'étaient arrêtés devant lui. L'un d'eux lui avait parlé dans un langage qu'Ali ne comprenait pas. Il avait essayé de répondre qu'il était perdu, seulement l'homme ne comprenait rien lui non plus. L'homme s'était tourné vers son ami, qui à son tour avait voulu demander à Ali ce qu'il avait. Toujours sans résultat. Le premier homme lui avait alors fait signe de se lever et, comme Ali n'obéissait pas assez vite, il l'avait empoigné par le bras.

S'il ne devait pas parler à des inconnus, il avait encore moins le droit de les suivre, mais l'homme le tenait solidement et l'enfant était trop fatigué pour partir en courant. Au bout d'un moment, ils avaient tourné dans une rue étroite. Un petit groupe de gens qui causaient sur le trottoir avait salué l'homme et ils avaient commencé à parler tous ensemble, de lui visiblement. Plusieurs essayaient de lui poser des questions, auxquelles il était bien entendu incapable de répondre.

Ils s'étaient remis en marche tous les trois. À un coin de rue, les deux hommes s'étaient séparés et, pendant que l'autre s'éloignait dans la rue transversale, le premier avait emmené Ali jusqu'à une maison où il lui avait fait monter un escalier jusqu'à une petite pièce si sombre qu'il avait eu du mal à accommoder sa vision. Ali avait finalement pu distinguer d'autres enfants, deux garçons un peu plus âgés que lui et une fille plus jeune. Il y avait aussi une femme, occupée à cuisiner. Cette maison était donc celle de l'homme, et la femme était la mère de ses enfants. La maison semblait à peine plus grande qu'une des salles de bains de son grand-père. Dans un coin, une radio jouait de la musique arabe ; il n'y avait pas de télévision.

La femme lui avait servi du pain, des fèves et de l'huile d'olive. Ali avait mangé de bon appétit et bu de l'eau comme un chameau assoiffé. L'un des deux garçons lui disait des mots incompréhensibles et, pour finir, lui avait demandé : *Inglich ?* ou quelque chose d'approchant. *English*, avait répondu Ali. La conversation n'était pas allée plus loin.

En guise de lit se trouvait un vieux tapis usé déroulé par terre. Ali s'y était couché à côté des deux garçons. Il était endormi avant même d'avoir posé sa tête.

Quand il s'était réveillé, l'unique fenêtre laissait passer le jour. Il souffrait de la faim mais, plus encore, de se sentir seul, perdu, abandonné. Sa mère, sa sœur, son père, tous ceux qui l'aimaient et le choyaient lui manquaient si douloureusement qu'il s'était remis à pleurer, même si son père lui avait souvent répété qu'un homme doit être brave.

Ali était encore honteux d'avoir pleuré. Mais ce qui s'était passé ensuite l'en avait consolé. Il avait entendu du bruit dans la rue, des cris, des appels. L'homme qui l'avait recueilli s'était précipité à la fenêtre et puis il y avait eu plein de monde derrière la porte. Ali avait reconnu un des hommes du petit groupe qui était dans la rue la veille au soir. Un autre, plus âgé, avec une grosse moustache grise et mieux habillé que tous les autres, paraissait être le chef. Il parlait aux gens, qui l'écoutaient avec respect. Après, tout était allé très vite. L'homme important avait pris Ali en charge, l'avait fait monter dans une voiture. Et voilà comment il s'était retrouvé à la maison. Mais Suzanne n'y était toujours pas.

Alors, Ali eut beau se répéter qu'un homme doit être brave, il fondit de nouveau en larmes.

57

Deux jours plus tard, tenant son fils par la main, Karim arriva devant la porte de la maison qui avait été la sienne pendant vingt ans. Avait-il raison de faire cela ? se demanda-t-il pour la centième fois. Il se l'était promis, mais son serment engageait-il Ali ? Qu'allait devenir son fils dans cette ville de sauvages, où des enfants à peine plus âgés que lui en tuaient d'autres pour une paire de baskets à la mode ou pour une chaîne en or ? L'argent le protégerait peut-être de certains dangers, mais sa personnalité ? Devrait-il avoir honte de son nom, de son héritage culturel ? Devrait-il se fondre dans le chaudron du mélange américain qui broyait les âmes sous prétexte de les unifier ? S'il continuait à se poser de telles questions, pensa-t-il, il perdrait la raison. Alors, avec un profond soupir, il sonna, tel un étranger en visite.

Dina ouvrit et poussa un cri de joie à la vue de son fils, qu'elle prit dans ses bras et couvrit de baisers. Karim interrompit leurs effusions en se raclant la gorge. Dina leva les yeux.

— Merci, Karim.

Il se borna à un hochement de tête. Répondre « De rien » aurait été au-dessus de ses forces. Son fils, son espoir dans l'avenir, il n'aurait pas voulu le rendre. Pourtant, c'était sans doute la solution la plus juste – pour un temps, du moins.

Dina se demanda si elle devait l'inviter à entrer. Elle décida de n'en rien faire afin de ne pas lui laisser croire qu'il avait encore des droits sur leur maison. Ils restèrent donc debout dans le vestibule, aussi mal à l'aise l'un que l'autre.

— Je ne savais pas à quelle heure vous arriveriez, dit-elle enfin, alors j'ai emmené Suzanne à l'école comme d'habitude.

— Oui, bien sûr, opina Karim. Dans ce cas, je m'en vais.

Dina gardait le silence, aussi se pencha-t-il une dernière fois pour prendre Ali dans ses bras. La gorge nouée par des larmes qu'il contrôlait à grand-peine, il ne voulait pas prolonger l'épreuve de la séparation ni, surtout, craquer devant Dina.

— Conduis-toi bien, murmura-t-il en embrassant son fils, et écris-moi. Je t'appellerai toutes les semaines et je te reverrai bientôt, ajouta-t-il sans savoir quand il pourrait tenir cette promesse.

Lorsque Suzanne revint de l'école, les retrouvailles des jumeaux donnèrent lieu à des explosions de liesse.

— Tu me manquais, tu sais, dit-elle en lui montrant le portrait qu'elle avait fait de lui et accroché au-dessus de son lit. Je voulais que tu reviennes à la maison.

— Moi aussi je voulais revenir, répondit Ali, qui n'était pas prêt à avouer à sa sœur à quel point elle lui avait manqué. Je ne voulais pas laisser papa, mais...

— Je sais. Moi aussi.

Deux heures plus tard, pendant qu'elle préparait le dîner, Dina entendit le bruit familier de leurs chamailleries et esquissa un sourire de soulagement. C'est normal, pensa-t-elle. Un jour peut-être, tout reviendra à la normale – quelle que soit la vraie signification de ce mot.

58

Dina serra si fort son fils aîné sur sa poitrine qu'il protesta :

— Arrête, maman, tu m'étrangles !

— Je suis si heureuse que tu reviennes, mon Jordy ! Si heureuse, répéta-t-elle en le lâchant à regret.

— Moi aussi, maman.

Quand il franchit la porte, elle essaya de soulever sa valise, qui lui parut bourrée de briques.

— Laisse, voyons ! Je m'en charge.

Et il la souleva en effet sans effort apparent. Il avait l'air plus fort, et pas seulement sur le plan physique.

Ils étaient à peine dans le vestibule que les jumeaux dévalèrent l'escalier. Quand elle leur avait annoncé le retour de Jordy à la maison, Dina les avait avertis de ne pas lui répéter ce qu'ils avaient pu entendre sur son compte chez leurs grands-parents. Malgré tout, elle retenait sa respiration en assistant aux retrouvailles.

Suzanne se précipita dans les bras de son grand frère et le couvrit de baisers qu'il lui rendit avec fougue.

— C'est vrai que tu vas rester avec nous, maintenant ? demanda-t-elle après qu'il l'eut reposée par terre.

— Oui. Tu devras me supporter jusqu'à ce que j'aille à la fac.

— Chic, alors ! s'écria-t-elle en battant des mains.

Elle se tourna vers Ali, pensant qu'il partagerait sa joie. Mais Ali restait au pied de l'escalier et dévisageait son frère d'un œil à la fois sévère et perplexe. Cherche-t-il à voir s'il est « anormal » ? se demanda Dina, le cœur serré. Elle croisa le regard de Jordy, essayant de lui faire comprendre qu'il ne devait pas se sentir blessé par cette dernière manifestation du rejet paternel. Jordy lui adressa un sourire teinté de tristesse, ébouriffa la tête de son petit frère et lui dit un mot gentil qui resta sans réponse, avant de suivre sa mère à la cuisine.

— Je suis désolée, dit-elle quand les jumeaux furent remontés dans leurs chambres. Je ne...

— C'est pas grave, maman. Je me doute du lavage de cerveau qu'ils ont dû subir quand ils étaient avec... avec lui.

— Je ne crois pas, mon chéri. Ton père a commis un acte révoltant en enlevant les jumeaux, mais je ne le crois pas capable de les avoir endoctrinés. Peut-être a-t-il parlé de toi à son frère ou à son père et Ali aura surpris ses paroles.

— Ouais, bien sûr, fit Jordy avec un ricanement amer.

— Écoute, Jordy, ton père a cent pour cent tort à ton sujet, mais c'est son problème à lui seul. Si tu veux être juste, même si tu n'as aucune raison de l'être, considère plutôt que c'est lui la victime d'un lavage de cerveau par toute l'éducation qu'il a reçue.

Le regard du jeune homme se durcit.

— Pourquoi prends-tu sa défense, maman ? Voudrais-tu te réconcilier avec lui, après ce qu'il t'a fait ?

— Non, Jordy, pour rien au monde ! Je tiens juste à ce que tu comprennes certaines choses. Pour ton bien, pas pour le sien.

— Bon, d'accord. Mais si tu le veux bien, j'aimerais autant qu'on n'en parle pas maintenant.

— Bien sûr, mon chéri. Tu es fatigué et tu dois avoir

faim. Je vais te préparer quelque chose de bon. Tout ce qui te fera plaisir, n'importe quoi, choisis.

En prévision du retour de son fils, elle avait rempli le frigo et se savait prête à faire face à ses demandes les plus saugrenues.

— Eh bien… pourquoi pas des œufs brouillés avec des saucisses ? Et des toasts. Plein de toasts.

— C'est tout ? s'étonna-t-elle.

— Oui. À l'école, les œufs ne sont pas fameux. Pas comme les tiens.

— D'accord, va pour les œufs brouillés.

Dina s'empressa de les cuire comme il les aimait, avec du fromage à la crème pour les rendre onctueux. Elle avait acheté les saucisses la veille chez son boucher, qui les préparait lui-même, et le pain des toasts venait d'une boulangerie réputée de l'East Village.

Elle posa l'assiette devant lui et le regarda manger comme s'il n'avait rien avalé depuis des semaines. En l'observant, elle pensa une fois de plus qu'il avait changé depuis un an, mais sans être capable de définir exactement cette différence.

— Qu'est-ce qu'il y a ? demanda Jordy. Pourquoi tu m'examines ?

— Je ne t'examine pas, je… je te dévore des yeux. Je suis si heureuse que tu sois là. Tous mes poussins sont revenus sous mon aile.

Jordy ne répondit pas.

— Dis-moi, reprit-elle, quand ton père t'a mis en pension, croyais-tu que je le voulais moi aussi ?

Il réfléchit un long moment avant de répondre :

— Je n'en étais pas sûr. Je savais que c'était l'idée de papa, il l'avait exprimée assez clairement, mais avec toi, c'était… différent. Tu me disais que tu m'aimais, que tu ne pouvais pas t'y opposer, etc. Mais tu ne m'as jamais demandé ce que je ressentais d'être envoyé en exil, de quitter les amis. Alors, je me suis dit… bof !

314

Dina lui prit la main, les larmes aux yeux.

— Je suis désolée, mon chéri. Pardonne-moi. J'ai eu tort de ne pas lutter davantage pour l'en empêcher. J'aurais dû...

— Laisse tomber, maman. C'est fini.

— Non, je ne laisserai pas tomber ! Quand on a eu tort, on ne doit pas l'oublier. On doit essayer de réparer.

— Mais non, tout va bien maintenant, je te jure. C'est peut-être bien que je me sois éloigné un moment parce que je repartais de zéro, sans rien à prouver. Et puis, poursuivit-il après avoir marqué une pause, il y avait un conseiller, un type très bien. Avec lui, je pouvais vraiment parler, tu sais. Il m'a beaucoup aidé.

Dina ressentit comme le sien le désarroi de son fils, sa solitude, son besoin de se confier à quelqu'un – sans trouver pour l'écouter personne d'autre qu'un étranger.

— Je suis heureuse qu'il en soit sorti un bien, mon chéri, parvint-elle à dire sans pleurer à nouveau. Si tu te sentais à l'aise là-bas, aurais-tu voulu y rester ?

— Ça serait plus facile pour toi si j'y retournais ? répliqua-t-il avec une dureté qui frappa Dina au cœur.

— Pas du tout, voyons ! Pas du tout ! Où as-tu été chercher une idée pareille ?

Un instant, il parut ne pas vouloir répondre.

— Eh bien, si tu me demandes ce que je veux, répondit-il enfin, c'est seulement ce que je t'ai déjà dit. Je veux revenir à la maison et finir mes études ici. Si cela convient à tout le monde, bien sûr.

Dina sentit son cœur saigner encore une fois.

— Jordy, mon chéri, si j'ai dit ou fait la moindre chose te faisant croire que cela ne me convient pas, j'en suis profondément désolée et je te supplie de me pardonner.

— O.K., fit-il sèchement.

Dina se rendit compte que les blessures de son fils avaient besoin d'autre chose que d'un simple sparadrap. Quant à Suzanne et Ali, ils avaient besoin d'elle comme jamais. Il faudrait du temps, beaucoup de temps pour que la famille retrouve sa cohésion.

C'est à cet instant qu'elle décida de continuer à travailler chez elle. Et si ses affaires devaient souffrir pendant que sa famille prenait le chemin de la guérison, tant pis pour les affaires.

59

Emmeline et Sarah voulaient donner une petite fête pour célébrer le retour des enfants de Dina au bercail, mais Dina avait refusé. Par superstition, peut-être, elle considérait sa famille comme trop fraîchement reconstituée et d'une manière trop traumatisante pour justifier une célébration. Plus tard, dans quelques semaines ou quelques mois, quand tout serait redevenu normal. En attendant, elle se contenta d'inviter ses deux fidèles amies à dîner.

Le menu était simple, steak grillé, asperges, salade, un bon vin rouge et un gâteau au chocolat confectionné de ses mains. Pendant qu'elles prenaient le café après que les enfants se furent retirés, elle raconta en détail à ses amies l'histoire de la disparition d'Ali et de son sauvetage, dont elle ne leur avait donné jusqu'alors que les faits essentiels. Emmeline et Sarah l'écoutèrent dans un silence inhabituel. Elles avaient vécu l'épisode à côté de Dina, en témoins de ses tourments.

Tout en parlant, Dina regardait ses amies : l'amitié de trois femmes aussi différentes, chacune unique mais s'enrichissant mutuellement de leur affection et de leur fidélité, formait une merveilleuse mosaïque.

— Karim a enfin bien agi, commenta Sarah quand Dina

eut terminé. Il a compris que la place des jumeaux est avec toi.

Dina acquiesça d'un signe. Les jumeaux devaient être avec elle, bien sûr. Pourtant, elle imaginait sans peine ce que Karim devait éprouver de tristesse et de solitude. Malgré la détresse qu'il lui avait infligée, elle n'avait jamais douté de la sincérité de son amour pour Suzanne et Ali. Ne voulant pas s'attrister davantage, elle se força à sourire et demanda à Emmeline :

— Et maintenant, raconte-moi ce qui t'est arrivé, je ne suis plus dans la course. Rien de mal, j'espère ? ajouta-t-elle en la voyant hésiter.

— Non, mon chou, rien de mal. La seule nouvelle, c'est la réapparition de Gabriel LeBlanc pendant ton absence.

Emmeline avait répondu d'un ton désinvolte, comme si c'était sans importance, mais son expression reflétait autre chose. Un certain plaisir, peut-être ? Un espoir ?

— Pour une nouvelle, c'est une nouvelle ! Qu'en dit Sean, si ce n'est pas indiscret ?

— Sean ne figure plus dans le tableau.

Son expression, cette fois, signifiait « Bon débarras ». Étrange, pensa Dina. Sean avait fait partie de la vie d'Emmeline pendant plusieurs années sans apparemment y laisser d'impression durable.

— Et que pense Michael du retour de son père ?

— Il est plus sensé que moi sur la question, admit Emmeline en souriant. Il a dit « On verra » et il est sorti avec lui deux ou trois fois. Michael ne fait jamais qu'un pas à la fois.

— C'est un sage, approuva Dina. Et toi, Sarah ? Quoi de neuf ?

— Eh bien, tu sais que David et moi sortons un peu ensemble... commença-t-elle avec un sourire énigmatique.

— Un peu ? l'interrompit Emmeline en s'esclaffant. Ne l'écoute pas, Dina, elle vit une histoire d'amour ! Une vraie histoire d'amour torride !

— C'est merveilleux, Sarah ! s'exclama Dina. Tu l'as bien mérité.

— Si seulement tout le monde pensait comme toi.

— Que veux-tu dire ? Ari t'empoisonne encore la vie en te refusant un *get* ?

— Il n'en est plus question ! intervint Emmeline en éclatant de rire. Dis-lui, Sarah.

Le sourire reparut sur les lèvres de Sarah.

— Eh bien, David a demandé à un de ses cousins de se renseigner sur les activités d'Ari en Israël. Il se trouve que mon cher ex a une fiancée là-bas, et la pauvre femme est persuadée que le seul obstacle entre elle et le mariage n'est autre que moi-même.

— Toi ? demanda Dina, stupéfaite.

— Selon les dires d'Ari, je suis une névropathe qui ne veut pas lâcher son précieux mari et refuse le divorce pour l'empêcher d'épouser la vraie femme de sa vie.

Cette fois, Dina et Emmeline éclatèrent de rire à l'unisson.

— Elle est trop bonne, celle-là ! fit Dina entre deux gloussements. Mais comment ?...

— Laisse-moi finir. Non seulement cette malheureuse est amoureuse d'Ari, mais elle a des relations bien placées dans tous les milieux, c'est-à-dire exactement le genre de femme dont Ari a toujours rêvé. Pourquoi veut-elle l'épouser, pourquoi lui n'y tient-il pas vraiment, je n'en ai aucune idée. Quoi qu'il en soit, quand le cousin de David a découvert le pot aux roses, il a contacté Ari et lui a demandé de m'accorder enfin un *get*. Bien entendu, Ari a refusé, très poliment car le cousin en question est rabbin. Alors ce saint homme a informé Ari que nous étions au courant de ses manigances et que sa chère fiancée serait sans doute intéressée d'apprendre qu'il est libéré depuis longtemps de son épouse abusive et parfaitement libre de se remarier.

— C'est merveilleux, Sarah ! s'écria Dina en applaudissant. Donc ? Ari a cédé ?

— Pour céder, il a cédé, répondit Sarah avec une évidente satisfaction. Nous allons procéder à la formalité du *get* dans à peine deux heures. Après avoir lanterné des années, je serai enfin libre dans deux heures !

— Comment ça se passe au juste ? voulut savoir Emmeline. Est-ce qu'Ari dira trois fois « Je divorce de toi », comme les musulmans ?

— Non, c'est un peu plus formel. Nous nous présenterons tous les deux chez le rabbin, nous déclarerons que nous sommes conscients de nos actes et décidons de nous séparer de notre plein gré, sans pressions coercitives de part et d'autre.

Emmeline pouffa de nouveau.

— Je n'ai pas exercé de pressions coercitives, protesta Sarah, tout au plus efficaces. Bref, après avoir entendu nos déclarations, le rabbin rédigera le document, le fera contresigner par des témoins, Ari me le soumettra – et voilà ! Nous serons divorcés pour de bon.

— C'est tout ? s'étonna Emmeline.

— Pas tout à fait, il y a quelques formalités. Le rabbin nous remet à chacun un certificat attestant que le *get* a été prononcé dans les règles, accepté par les deux parties et que nous sommes tous les deux libres de nous remarier selon les lois divines et les rites du judaïsme.

— J'en suis ravie pour toi, dit Dina. Mais alors, qui n'est pas du même avis ?

— Son monstre de fille, expliqua Emmeline, les yeux au ciel. La petite mademoiselle Rachel n'était pas contente que sa mère fréquente David, et maintenant elle est furieuse au sujet de ce fameux *get*.

— Ma fille n'est pas un monstre, la rabroua Sarah.

— Je plaisantais, mon chou. Excuse-moi.

Si Sarah n'admettait aucune critique de sa fille de la part de tout autre qu'elle-même, elle reconnaissait cependant que Rachel n'avait pas seulement été furieuse pour l'affaire du *get*, elle avait fondu en larmes : « Je le savais ! J'étais sûre que tu voulais te débarrasser de papa pour épouser ton petit ami ! » Sarah avait eu beau lui rappeler qu'elle demandait le *get* depuis des années et qu'il n'était pas question de remariage, pour le moment du moins, Rachel était restée intraitable : « Tu veux sans doute te débarrasser de moi aussi, n'est-ce pas ? Mais ne t'imagine pas que tu pourras m'expédier chez papa, car il ne veut pas de moi lui non plus ! Pourquoi vous m'avez faite, alors, si vous ne vouliez pas d'enfant ? » La suite s'était noyée dans un torrent de larmes.

Sarah en était restée sans voix. Quand, comment avait-elle donné à sa fille l'impression que ses parents n'avaient pas voulu d'elle ? Elle avait souvent perdu patience, bien sûr, elle avait souvent eu envie de la gifler. Mais si elle la perdait, elle n'y survivrait pas.

À la fin de cette scène dramatique, elle avait pris Rachel dans ses bras en essayant de la consoler et de la rassurer. « J'ai toujours voulu de toi, ma chérie. Je t'aime et je tiens à toi plus qu'à ma propre vie. Cette querelle sera bientôt oubliée, et moi je serai toujours ta mère, que cela te plaise ou non. Nous trouverons ensemble le moyen de te guérir de ce qui te fait mal en ce moment. »

Rachel n'avait rien répondu.

En se remémorant ces paroles, Sarah poussa un gros soupir. Promettre – et tenir sa promesse – n'est pas toujours facile.

60

Quand le téléphone sonna le samedi suivant à six heures du matin, Dina pensa par réflexe aux appels matinaux de Karim et, l'espace d'un terrible instant, oublia que ses enfants étaient désormais tous avec elle. Mais la voix était celle de sa mère :

— Viens le plus vite possible, ma chérie. Avec les enfants.

— Papa ? demanda-t-elle dans un murmure qui ressemblait à un sanglot.

— Oui.

Dina s'habilla en hâte et réveilla les enfants : « Votre bon-papa ne va pas bien », leur dit-elle. Pour une fois, les jumeaux ne posèrent pas de questions et Jordy serra simplement très fort la main de sa mère.

Les rues étaient presque désertes à cette heure-là et le trajet en taxi s'effectua rapidement. Lorsque Charlotte ouvrit la porte, Dina vit que sa mère n'avait pas dormi de la nuit. Les yeux rouges, les traits tirés, elle paraissait avoir vieilli de plusieurs années. Pendant les longs mois de la maladie de son mari, elle avait courageusement lutté pour maintenir leur vie quotidienne le plus possible inchangée, pour ne pas laisser la maladie détruire leurs nuits et leurs jours. Dina se rendait compte de quel prix elle payait ces efforts.

— Il demande à te voir, lui apprit Charlotte. Vas-y tout de suite, je préparerai aux enfants quelque chose à manger pendant ce temps.

Une seule lampe de chevet jetait une douce lumière sur les traits de Joseph. Il paraissait serein et détendu, mieux en tout cas qu'il ne l'avait été depuis longtemps. Cette apparente amélioration était sans doute due aux drogues qu'un goutte-à-goutte instillait dans ses veines. Pourtant, quand il ouvrit les yeux et posa son regard sur sa fille, son sourire refit de lui l'homme joyeux et plein de vigueur qu'elle avait toujours connu.

— Papa, dit-elle en mettant dans ce mot toute la tendresse et l'amour qu'elle lui portait.

— Dina, mon cœur, je suis content que tu sois venue.

Incapable d'admettre que leur dialogue était un adieu, elle ne put que garder le silence.

— J'ai fait un rêve la nuit dernière, reprit-il. J'étais à l'aéroport et j'étais heureux, si heureux. J'attendais un vol pour Beyrouth, vois-tu, et j'imaginais déjà mon arrivée. Ma mère et mon père m'accueillaient, si contents de me revoir. J'imaginais tout, Dina, l'air frais descendu de la montagne, la maison de mes parents… je pouvais même goûter le repas préparé pour célébrer mon retour. Et puis, quand j'ai entendu appeler les passagers de mon vol, je me suis rendu compte que je ne pouvais pas encore partir car j'avais oublié de vous dire adieu, à toi et aux enfants.

Il regarda Dina avec attention et posa doucement une main sur son bras, comme s'il cherchait à lui faire accepter la signification de son rêve. Dina se mordit les lèvres sans pouvoir retenir les larmes qui coulaient sur ses joues.

— Je devais te dire quelque chose d'important avant de partir, reprit-il. Sache que tu as toujours été pour ta mère et moi une source de joie et de fierté. Nous n'aurions jamais pu rêver d'avoir une meilleure enfant que toi.

— Merci papa, parvint-elle à balbutier malgré ses larmes. Tu as toujours été le meilleur père du monde. Toutes mes amies étaient jalouses que j'aie un père aussi… sensationnel.

Le compliment le fit sourire.

— Nous aurions encore tant de choses à nous dire. Seulement, pour un homme arrivant à la fin de sa vie, tout aurait déjà dû être dit.

Dina garda encore une fois le silence. L'idée que son père atteignait cette fin lui était insoutenable.

— Tes enfants, Dina, ils sont tous ici ?

— Oui, papa. Tous les trois.

— Demande-leur de venir, veux-tu ? Je voudrais les voir.

Dina resta à son chevet quelques instants de plus. Elle ne pouvait se résoudre à lui dire adieu, pas même au revoir. Finalement, elle embrassa son père sur les deux joues en murmurant « Je t'aime ».

Le sourire reparut sur les lèvres de Joseph.

— Que Dieu te garde, ma chérie.

Pendant que les enfants étaient avec leur grand-père, Dina s'assit en face de sa mère à la cuisine en buvant avec reconnaissance le café fort et parfumé que Charlotte avait préparé.

— Il le savait, fit Charlotte en s'essuyant les yeux. Nous avions beau lui mentir, il savait que tu avais de graves ennuis.

— Il n'a pas cru à mon histoire, alors ?

— Il ne me l'a pas avoué, mais il avait compris qu'il y avait anguille sous roche, j'en suis sûre. À mon avis, il s'est forcé à tenir jusqu'à ce que tu aies retrouvé tes enfants. Quand tu les as amenés l'autre jour, il m'a dit : « Maintenant, je peux me reposer. »

Les enfants revinrent à la cuisine quelques instants plus tard, la mine grave et solennelle.

— C'est vrai que bon-papa va mourir ? demanda Suzanne.

À la place de Dina, hors d'état de répondre, ce fut Charlotte qui prit la fillette dans ses bras.

— Oui, ma chérie. Bon-papa est très malade, il ne le sera bientôt plus. Mais il restera toujours avec vous, mes enfants. Vous n'oublierez pas combien il vous aimait, c'est pourquoi il continuera à vivre dans votre cœur…

Les sanglots l'interrompirent. Dina se leva, alla prendre

sa mère et sa fille dans ses bras. Puis elle tendit la main aux deux garçons et les serra à leur tour sur sa poitrine.

Joseph Hilmi s'éteignit quelques heures plus tard, moins d'une semaine après le retour d'Ali.

L'article nécrologique du *New York Times* rappela la carrière de l'homme d'affaires éminent, de l'infatigable travailleur pour la cause de la paix, de l'époux, du père et du grand-père exemplaire. Les amies de Dina vinrent passer la nuit chez elle à tour de rôle pour ne pas la laisser seule, comme elles l'avaient fait pendant l'absence des enfants.

À la vive surprise de Sarah, Rachel offrit son aide pour s'occuper des jumeaux et tenir compagnie à Jordy.

— Merci, ma chérie, accepta Sarah en dissimulant son étonnement. C'est très gentil de ta part.

L'expression butée de sa fille s'était-elle alors adoucie un instant, ou était-ce le fruit de l'imagination de Sarah ? En tout cas. elle en garda précieusement le souvenir pour les moments difficiles qui ne manqueraient pas de revenir entre elles un jour ou l'autre.

Dina se demanda si elle devait avertir Karim de la mort de son père ou attendre l'occasion d'un de ses appels aux jumeaux. Elle décida en fin de compte de lui en parler. Jusqu'à la fin, Karim avait toujours voué une sincère affection à son beau-père.

— Puis-je faire quelque chose ? s'enquit-il quand Dina lui eut annoncé la nouvelle.

— Je ne crois pas, mais je t'en remercie. Ou plutôt si. Tu pourrais parler aux jumeaux.

-— Volontiers. Et toi, Dina, tu vas bien ? Je sais combien tu aimais ton père.

Oui, il le savait très bien. Des années, il avait partagé sa vie, son passé. À part sa mère, personne sans doute ne la connaissait mieux que lui...

— Ça ira, répondit-elle. C'est dur en ce moment, mais ça ira.

— Je sais. Je sais, répéta-t-il.

Karim parla longuement aux jumeaux. Dina entendit des pleurs et des reniflements entrecouper la conversation, mais Suzanne et Ali lui semblèrent plus calmes après avoir raccroché. Ils ont besoin de lui, songea-t-elle. Ils auront encore longtemps besoin de lui dans leur vie, même si ce n'est plus mon cas.

Les obsèques de Joseph Hilmi furent simples, comme il le souhaitait. La cérémonie eut lieu à Saint-Joseph, l'église de la Sixième Avenue qui était sa paroisse et celle de Charlotte depuis un demi-siècle. Le petit édifice était bondé de voisins, d'amis, de relations d'affaires et d'anciens collègues du Département d'État. Charlotte craignant de ne pouvoir parler sans fondre en larmes, Dina prononça l'éloge funèbre. Elle avait préparé une grande page de notes, mais au moment de prendre la parole les mots lui parurent secs et impersonnels, ne reflétant en rien la personnalité chaleureuse de l'homme qu'elle avait connu et aimé. Elle improvisa donc en rappelant l'amour de son père pour sa famille et ses deux pays, celui qu'il avait adopté et celui qu'il avait laissé derrière lui. « Avant de rendre le dernier soupir, conclut-elle, mon père avait rêvé de Beyrouth, il était réuni à ses parents morts depuis de longues années. Je prie Dieu maintenant que son rêve se réalise, qu'il trouve auprès d'eux le repos éternel et puisse revoir d'en haut les lieux qu'il n'avait jamais cessé d'aimer depuis sa jeunesse. » Dans toute l'église, des sanglots étouffés accompagnèrent ses derniers mots.

Le *mezze*, que Charlotte servit à l'appartement pour les nombreux amis, avait été préparé par un traiteur libanais de Brooklyn et comprenait tous les plats préférés de

Joseph. Emmeline et Sarah ne quittaient pas Dina, prêtes à intervenir si elle avait besoin de leur soutien. Jordy gardait un œil vigilant sur les jumeaux et veillait à ce qu'ils mangent convenablement. Plus d'une fois, Dina s'aperçut que Rachel et Jordy semblaient inséparables.

Dina n'avait ni faim ni soif. Quand elle remarqua l'absence de sa mère, elle la chercha d'abord à la cuisine, puis la trouva dans la chambre de ses parents. Elle regardait par la fenêtre.

— Oh, Dina ! Qu'allons-nous faire sans lui ?

— Je me posais la même question, maman.

— Je sens encore sa présence. Si je continue à la sentir, je supporterai peut-être mieux son départ. Je ne voulais pas qu'il me quitte, vois-tu, même quand il souffrait. Pourtant, le dernier jour, je lui ai dit : « Tu as tant fait pour nous, Joseph, tu peux désormais partir quand tu voudras. » Alors, il m'a souri et m'a remerciée. Oui, Dina, il m'a remerciée de lui avoir permis de nous laisser.

Et la mère et la fille, en larmes, s'étreignirent. Elles devaient l'une et l'autre faire leur deuil, chacune de son côté. Dina, de l'homme qui l'avait élevée dans la sécurité et le bien-être et, surtout, lui avait toujours fait sentir qu'elle était aimée. Et Charlotte, de celui qui avait partagé sa vie un demi-siècle durant.

Dina s'était décidée à requérir l'assistance psychologique d'une thérapeute, le Dr Hollister. Elle les recevait tous ensemble une fois par semaine et Dina seule avec Jordy ou séparément, lorsque l'un ou l'autre en éprouvait le besoin. Les jumeaux lui parlaient de leur tristesse et de leur désarroi, Jordy de son sentiment de solitude.

— Il faudra du temps aux jumeaux pour retrouver leur équilibre, annonça la psychologue à Dina au cours d'une séance. Ils ont subi deux pertes douloureuses, leur vie est altérée, mais ils ne comprennent pas pourquoi. Prenez soin d'approuver leur amour pour leur père, c'est essentiel quand une famille se brise.

— Je ne dirai certainement pas du mal de lui en leur présence, si c'est ce que vous sous-entendez, répliqua Dina, piquée au vif. Si Karim et moi divorçons, il restera toujours leur père, c'est évident.

— Je voulais juste dire, madame Ahmad, qu'ils savent, malgré leur jeune âge, qu'il y a eu un conflit entre leurs parents. Ils entendent beaucoup parler de divorce à l'école et comprennent qu'ils en subiront eux aussi les conséquences.

— Qu'est-ce que je fais de travers, à votre avis ?

— Je n'ai pas dit que vous vous conduisiez mal. Je vous conseille simplement d'agir en sorte qu'ils puissent exprimer leurs sentiments et de ne pas considérer leurs propos comme des critiques personnelles. S'ils vous disent, par exemple, qu'ils haïssent le divorce, répondez-leur que c'est tout à fait normal : personne ne l'aime. Veillez à leur faire comprendre qu'il est naturel de regretter l'absence de leur père et de souhaiter sa présence auprès d'eux. Selon vous, c'était un bon père. Pourquoi ne leur manquerait-il pas ?

Dina acquiesça d'un signe de tête.

— Et ne vous découragez pas, poursuivit la psychologue. Quand les enfants feront une scène, et ils en feront, croyez-moi, gardez à l'esprit que cela fait partie du processus. Ils ont besoin de se plaindre d'avoir perdu ce qu'ils avaient de plus précieux, une famille intacte.

— Essayez-vous de m'expliquer que le divorce sera pour eux un handicap permanent ?

— Non, je n'ai jamais souscrit à la théorie de certains de mes collègues selon laquelle les enfants du divorce sont irrémédiablement blessés. Le divorce est un fait qu'on pourrait qualifier de banal dans trop de familles. C'est ce qui se passe pendant et après le divorce qui est essentiel. J'estime qu'il est tout à fait possible de reconstruire une cellule familiale solidaire et aimante. Si vous vous concentrez sur cet objectif, je suis persuadée que vous l'atteindrez.

Oui, pensa Dina en quittant le cabinet du médecin. C'est bien mon objectif et j'ai la ferme intention de l'atteindre.

61

Noël à New York : neige et grésil, froid mordant, touristes frigorifiés jurant que s'ils avaient su, ils seraient restés à Dallas ou à Omaha. De leur côté, les New-Yorkais préparaient les festivités chez eux ou leur départ vers des maisons de campagne où elles se dérouleraient au calme.

Pendant vingt ans, Dina avait passé les fêtes de fin d'année avec Karim. Bien que ce soit *ses* fêtes à elle et non celles de son mari, il avait toujours respecté son désir d'offrir aux enfants un Noël traditionnel. Son absence fit prendre conscience à Dina à quel point elle s'était habituée à leur routine. Au long de ces vingt années, elle avait peu à peu établi une sorte de calendrier qui enchaînait réunions de famille et d'amis, concerts de musique de circonstance au Met, un long week-end en Nouvelle-Angleterre dans une pittoresque vieille auberge de campagne où ils avaient leurs habitudes. Tout, jusqu'aux menus et aux boissons, se conformait à ce schéma directeur.

Elle se découvrait maintenant une liberté déconcertante, mais plutôt agréable. Ses anciennes relations, essentiellement des amis ou collègues de Karim, ayant disparu de son horizon, elle convia ses propres invités à réveillonner. Il était important, pensait-elle, de rendre les fêtes différentes de ce qu'elles avaient été avec Karim, mais aussi joyeuses que possible.

La liste des convives était réduite : Sarah et David, Emmeline et Gabriel, qui avait repris dans sa vie une place encore mal définie, deux ou trois autres couples, sa collaboratrice Eileen, une poignée de célibataires des deux sexes. Et John Constantine, qui occupait désormais une place régulière, quoique encore plus mal définie, dans la vie de Dina. Il arriva bon dernier, ce qui la fit sourire car, à l'évidence, il ne se souciait guère de la ponctualité quand il n'était pas « en mission ». Il avait revêtu pour la circonstance un complet sombre et une cravate, tenue inhabituelle témoignant d'un effort qu'elle apprécia.

Les bras chargés de cadeaux, il emplit la porte de sa large carrure.

— Joyeux Noël, Dina. Je suis heureux de vous revoir.

— Moi aussi, John, répondit-elle avec sincérité.

— Voilà pour Suzanne, commença-t-il en lui tendant les paquets. Pour Ali. Pour Jordan. Et celui-ci pour vous.

Les cadeaux des enfants avaient été emballés par des mains professionnelles, mais le sien était visiblement l'œuvre d'un amateur.

— Je l'ai fait moi-même, confirma Constantine.

— Je m'en suis doutée, dit-elle en riant. Laissez-moi mettre cela sous le sapin et allez dire bonsoir à tout le monde. Les enfants sont je ne sais où, Emmeline est à la cuisine et je n'ai aucune idée de ce que fait Sarah.

Elle disposait encore les cadeaux au pied de l'arbre quand John la rejoignit.

— Ai-je bien entendu ce que m'a dit Emmeline ? Elle fait frire la dinde ?

— Une vieille recette de Louisiane. Rassurez-vous, c'est délicieux. Celui-ci est pour vous, dit-elle en lui montrant un paquet oblong.

Faute d'une meilleure idée, elle lui avait acheté un whisky de quinze ans d'âge, de sa marque préférée.

— D'après sa forme, je crois deviner.

— De la part d'un enquêteur professionnel comme vous, John, je n'en attendais pas moins.

— Merci, fit-il avec un sourire en coin. Allons-nous déballer les cadeaux ce soir ?

— Non, nous le faisons toujours le matin de Noël. Vous pouvez quand même ouvrir le vôtre si vous voulez, mais vous trouverez quelque chose de similaire dans la cave à liqueurs.

Il ne parut pas pressé de s'abreuver et regarda autour de lui, les décorations de la pièce, le sapin de Noël, Dina elle-même.

— Tout est très joli, Dina. Je n'avais pas fêté Noël comme cela depuis des années. J'ai de la chance.

Et moi, pensa-t-elle, j'ai de la chance d'avoir ma famille, mes amis, un vrai Noël.

— Je suis contente que tout vous plaise. J'ai encore des remords, poursuivit-elle en hésitant, d'avoir dû décommander notre dîner rituel de ce mois-ci.

— Ce n'est pas grave. Nous pourrions nous rattraper au Nouvel An. Réveillon, champagne, décompte des secondes à minuit. En revanche, je ne vous promets pas de vous faire danser, vous seriez mieux traitée par un ours. D'accord ?

— Je ne sais pas, John. Je dormirai sans doute déjà à poings fermés avant dix heures du soir.

En réalité, elle ne savait pas si elle était prête à passer la nuit du Nouvel An seule avec John Constantine. Même au milieu de la foule.

— Je vous passerai quand même un coup de fil d'ici là, pour voir si vous avez changé d'avis. De toute façon, ajouta-t-il, je n'avais pas d'autres projets.

Sarah apparut à ce moment-là en annonçant le dîner. Elle n'aurait pas pu mieux tomber, pensa Dina, soulagée

Dernier arrivé, John Constantine fut aussi le dernier à partir. Il s'attarda un instant sur le pas de la porte, sa bouteille de whisky au creux du bras. Ce fut le seul moment où Dina et lui se retrouvèrent en tête à tête depuis leur brève conversation au pied du sapin.

— J'ai passé une merveilleuse soirée, Dina.

— Moi aussi, John. Je suis heureuse que vous ayez pu venir.

— N'oubliez pas mon idée du Nouvel An.

— Je crois que ce serait un peu... trop tôt.

— Peut-être.

Ils gardèrent le silence, face à face.

— Je voudrais vous dire quelque chose, j'aurais déjà dû vous le dire il y a longtemps, John, murmura-t-elle enfin.

— Quoi donc ?

— Merci. Merci pour tout.

— Allons donc ! Vous m'avez déjà remercié. Vous m'avez même payé alors que je n'ai rien fait.

— Non, justement. Rien ne serait arrivé sans vous. Je n'aurais pas repris Suzanne ni retrouvé Ali. Ni fini par le reprendre, lui aussi. Il faut que vous sachiez combien je vous suis reconnaissante.

Visiblement gêné de cette manifestation de gratitude, il esquissa un geste évasif.

— Non, Dina. C'est vous, vous seule qui avez provoqué le dénouement de la situation. Vous n'avez pas conscience de votre valeur. Allons, il faut que j'y aille, poursuivit-il en relevant le col de son pardessus. J'espère que votre cadeau vous plaira, sourit-il malicieusement. On prétend qu'il ne faut jamais offrir un chapeau à une femme, mais je crois connaître vos goûts.

— Un chapeau ?

— Bonne nuit, Dina. Joyeux Noël.

Il lui effleura les lèvres d'un baiser, lui lança un dernier sourire et s'éloigna dans la nuit.

Une heure plus tard, une fois les enfants couchés, Dina s'assit au salon avec un dernier verre de vin avant d'éteindre les lumières. Un chapeau ? Quelle idée avait pu lui passer par la tête ? se demanda-t-elle, intriguée. Le paquet mal emballé était devant elle, sous l'arbre. Elle n'allait quand même pas passer la moitié de la nuit à se demander ce qu'il contenait ! Elle l'ouvrit.

C'était une casquette de base-ball de l'équipe des Mets.

Un billet manuscrit l'accompagnait : *N'en faites pas cadeau à un chauffeur de taxi d'Amman, cette fois-ci. Joyeux Noël.*

Sous le clignotement multicolore des guirlandes du sapin, Dina pouffa de rire.

Le lendemain, Dina subit par téléphone un interrogatoire en règle de Sarah et d'Emmeline et refusa d'admettre que John était le « nouvel homme de sa vie ».

— Vous n'y êtes pas du tout ! protesta-t-elle sans conviction.

Si elle ne se sentait pas prête à accorder à un homme une place dans sa vie, elle ne pouvait nier que John l'attirait. Ses sentiments devraient pourtant attendre que sa famille se relève de ses traumatismes.

Elle consacrait le plus possible de son temps à Suzanne et à Ali, comme si le fait d'avoir cru les perdre les lui rendait plus chers encore. Après leurs aventures jordaniennes, ils avaient paru régresser de plusieurs années : mauvais rêves, problèmes à l'école, terreurs irraisonnées chaque fois que Dina devait les confier à quelqu'un pendant ses absences, même les plus courtes. La psychothérapeute affirmait que c'était normal, ils devaient apprendre à se rassurer que leur mère leur reviendrait toujours. Dina y parviendrait non pas simplement par des paroles, mais aussi par sa présence auprès d'eux. Il faudrait du temps pour leur redonner un sentiment de sécurité. De même, dans ses rapports avec Jordy, elle ne pouvait se contenter de lui répéter qu'elle regrettait de lui avoir donné l'impression de le trahir. Elle devrait lui prouver de mille et une manières combien elle l'aimait et l'acceptait tel qu'il était.

Quand elle avait annoncé à Suzanne et à Ali que son

père et elle ne seraient bientôt plus mariés, ils avaient accueilli la nouvelle avec calme et résignation. Ils l'avaient sûrement déjà envisagé, soit en paroles, soit par les communications extrasensorielles propres aux jumeaux.

La procédure progressait d'ailleurs rapidement. Avec réticence, car il n'aimait pas se charger du divorce de ses amis, David Kallas avait accepté de représenter Dina. Il agissait aussi méthodiquement qu'elle s'y attendait et elle se savait en bonnes mains. Karim ne soulevait aucune contestation et, compte tenu des circonstances, il paraissait acquis que Dina obtiendrait la garde exclusive des enfants.

Les arrangements financiers ne posaient pas de problèmes. Par l'intermédiaire de son avocat, Karim proposait une pension alimentaire dont Dina considérait le montant comme plus qu'honorable. David lui assurait qu'elle pourrait obtenir davantage, mais Dina ne voulait ni punir Karim ni le pousser à engager la bataille. Elle avait donc dit à David d'accepter la proposition si toutes les autres dispositions se révélaient satisfaisantes. Ces dispositions concernaient essentiellement les droits de visite de Karim aux jumeaux. Il demandait, d'une part, à les voir lors de ses passages à New York et, d'autre part, à pouvoir les emmener deux semaines par an avec lui en Jordanie. Compte tenu de la conduite de Karim, David estimait cette dernière clause inacceptable, ce que Dina approuva. Dans deux ou trois ans peut-être, elle reconsidérerait sa position, mais il n'en était pas question pour le moment. Restait donc à régler ses visites à New York.

— Nous pouvons obtenir des visites contrôlées, avait dit David. Personnellement, c'est ce que je recommanderais.

Dina connaissait sa position, elle l'avait d'ailleurs approuvée au début. À la réflexion, toutefois, cette solution lui déplaisait de plus en plus. L'idée que Suzanne et Ali ne puissent voir leur père qu'en présence d'un garde-chiourme, tel un criminel en liberté surveillée, lui paraissait choquante. Son intuition lui soufflait aussi que Karim ne répéterait sans doute pas ses erreurs. Mais elle devait prendre sans tarder sur ce point la décision finale que David attendait.

À cette préoccupation s'ajoutait le cas de Jordy. Les jumeaux lui avaient redonné leur affection admirative et il se comportait envers eux en grand frère indulgent et protecteur. Mais il sortait souvent le soir jusqu'à des heures indues. Parfois il allait voir Rachel. Selon Sarah, ils regardaient des cassettes et dévoraient des pizzas en parlant interminablement. Parfois il retrouvait d'autres amis ou, peut-être, un ami en particulier. Dina avait beaucoup de mal à lui en parler. Il répondait à ses questions par un silence buté ou par des explications trop faciles pour être vraies, et il se fâchait si elle insistait. Dina se demandait comment elle réagirait si elle apprenait qu'il passait ces soirées-là avec une femme.

Elle se résolut à prendre conseil auprès de John Constantine.

— Vous êtes chez vous, lui avait-il répondu. C'est donc vous qui déterminez les règles. Tant qu'il vivra chez vous, il devra observer ces règles.

Ce n'était pourtant pas aussi simple. Jordy n'était plus un enfant. Il aurait bientôt l'âge de la majorité légale et ne s'en laissait déjà plus conter. Accepterait-il de se plier à des règles qu'elle lui imposerait ? Quand il quitterait la maison pour l'université, déciderait-il de ne plus y revenir ? Et quel effet aurait sa désertion sur les jumeaux ?

Elle tournait et retournait ces questions dans sa tête un matin quand le téléphone sonna. C'était Karim.

Ils échangeaient quelques mots lorsqu'il téléphonait aux jumeaux. Ils se parlaient froidement, sans cordialité mais sans colère, leurs frayeurs mutuelles pendant la fugue d'Ali leur faisant paraître désormais futiles reproches et récriminations.

— J'ai essayé de t'appeler à la boutique, commença-t-il, mais on m'a répondu que tu étais à la maison.

Il avait toujours qualifié Mosaïc de « boutique », comme si Dina était une simple fleuriste.

— Je travaille surtout ici en ce moment. J'étais en train de vérifier les règlements et les factures. Qu'est-ce qui ne va pas ?

— Rien.

— Pourquoi m'appelles-tu, alors ?

— Je suis à New York.

Elle digéra la nouvelle en silence.

— Je voulais t'en avertir, reprit Karim, et te demander si je pouvais passer te voir. Je compte rester quelques jours.

— Passer me voir ? répéta Dina, stupéfaite.

— Les enfants aussi. Te parler.

— Les jumeaux ne sont pas là en ce moment.

— Eh bien, un peu plus tard. Je serai là plusieurs jours. Où sont-ils ?

— En classe.

Elle s'en voulut de son mensonge automatique. Il savait pertinemment que c'était un jour de congé, mais sa question l'avait prise de court. De toute façon, il n'avait pas besoin de savoir où étaient Suzanne et Ali.

— Tu es ici pour affaires ? demanda-t-elle.

— Oui. J'aurai dorénavant l'occasion de revenir plus souvent. C'est un des sujets dont je voudrais te parler. À quelle heure puis-je venir ? Quand les jumeaux seront là ?

— Ce ne serait pas une bonne idée.

— Pourquoi ? demanda-t-il avec un évident étonnement. Enfin, Dina, tu n'as quand même pas l'intention de m'interdire de voir mes... nos enfants ?

— Mon avocat m'a avisée qu'il ne peut pas y avoir de visites avant que les modalités n'en soient officiellement réglées.

Là encore elle mentait, mais au moins le prétexte sonnait juste.

Elle s'attendit à une explosion de fureur. Ce fut un soupir résigné qu'elle perçut dans l'écouteur.

— Bon, puisque c'est comme cela... Les avocats, Seigneur !

— Je le regrette, Karim.

Elle s'étonna de l'avoir dit sincèrement. Bien sûr, elle ne voulait pas lui interdire de voir les enfants. Mais elle ne voulait pas non plus prendre le risque, même minime, de le tenter de faire une nouvelle folie. Pas encore, du moins.

— Puis-je alors te voir seule ? Préfères-tu que nous nous retrouvions quelque part ?

Elle réfléchit rapidement. Devait-elle d'abord consulter David ?

— D'accord, viens ici, répondit-elle.

— Je peux venir tout de suite, si cela te convient.

— Non, j'ai un rendez-vous avec un client dans une demi-heure. Disons, à deux heures cet après-midi ?

D'ici là, elle ferait le nécessaire pour éloigner les enfants. Jordy et Rachel pourraient les emmener au cinéma, par exemple. Ou patiner au Rockefeller Center.

— D'accord, deux heures. À tout à l'heure.

Et il raccrocha.

Karim avait toujours été d'une ponctualité scrupuleuse, qualité rare chez un Oriental. Il sonna à la porte à quatorze heures précises.

— Bonjour, Dina.

— Bonjour, Karim. Entre, ajouta-t-elle après une courte pause.

Il paraissait en forme et avait perdu quelques kilos — le petit ventre de la quarantaine qui commençait à se manifester malgré un programme d'exercices rigoureux. En pratiquait-il davantage ou devait-il cette amélioration à la présence d'une autre femme dans sa vie ? Dina n'allait sûrement pas lui poser la question.

— Tu es plus belle que jamais, Dina.

Il était sincère. Elle n'était plus la jeune fille qu'il avait épousée sur un coup de foudre. Elle était une femme, apparemment épanouie.

— Merci.

— Alors, les enfants vont en classe pendant leurs jours de congé ?

— Oui, ils suivent des cours d'art au musée.

C'était vrai – bien qu'il n'y en eût pas ce jour-là.

— Et toi, tu travailles maintenant à la maison ?

— Beaucoup, oui. Mais je dois me rendre au bureau de temps en temps et j'ai des rendez-vous extérieurs, comme ce matin.

— Il s'est bien passé ?

— Très bien. J'ai la commande.

— Félicitations.

Le silence retomba. Karim avait l'étrange sensation de revivre le passé dans l'instant présent. Quelque chose dans l'aspect ou le comportement de Dina lui rappelait sa première impression : elle lui avait alors paru inaccessible, ce qui l'avait à la fois piqué au vif et fait rire de sa prétention à la désirer plus encore. Ressentait-il le même désir en la revoyant ? Oui, dut-il admettre. Mais c'était désormais impossible. Il l'avait perdue à jamais, elle était redevenue inaccessible. Elle devait même le mépriser...

— Je t'ai dit tout à l'heure que je devrais peut-être revenir assez souvent à New York. J'en ai maintenant la certitude. La lutte contre le terrorisme, la politique américaine, fit-il avec un geste vague, tout cela influence les ventes et l'entretien des avions militaires. Je serai souvent entre ici et Washington. Alors, je cherche un appartement.

— Que veux-tu dire par « souvent » ?

— Difficile à préciser pour le moment. Au moins une fois par mois, une semaine ou dix jours à chaque fois. Quand nous aurons réglé les détails pour les enfants – car nous les réglerons, j'espère –, je me sentirai mieux dans un logement permanent, où je pourrai les recevoir lors de mes visites.

— Ce sera plus pratique, en effet.

Dina avait la curieuse impression que leur rencontre se déroulait sur deux plans à la fois. Sur l'un, ils étaient des parents en instance de divorce qui parlaient de leurs enfants. Sur l'autre, Karim posait sur elle le même regard que pendant leur dernière conversation dans le jardin d'Amman. Le premier niveau lui plaisait. L'autre la laissait de glace.

— Bon. Nous sommes donc d'accord ?

— Oui, bien sûr.

Karim sentait ses sentiments échapper à son contrôle. Il avait commis une énorme erreur, même s'il avait cru agir pour le mieux. Mais la situation avait évolué de manière radicalement différente de ce qu'il en attendait.

— Je me demandais, Dina, si nous pouvions nous revoir de temps en temps, pas seulement quand je viendrai pour les enfants. Je ne veux pas dire... tu comprends...

Il perdait pied. Il dut s'interrompre, tenter de se ressaisir.

— Enfin, reprit-il, juste dîner ensemble ou boire un verre. Parler. Tout n'est peut-être pas...

Il avait failli lâcher « désespéré entre nous » et s'était retenu d'extrême justesse. Elle l'écoutait en silence. Glaciale. Inaccessible.

— Bref, il y a eu tant de changements... Maintenant, tu travailles à la maison comme...

Il se rattrapa une fois de plus, mais Dina avait entendu « comme je te l'ai si longtemps demandé » aussi clairement que s'il l'avait prononcé. Elle se voyait à une croisée des chemins. Sa réponse allait engager sa vie pour les années à venir dans une direction qu'elle ne pouvait pas prévoir.

— Non, Karim, dit-elle simplement.

Il la fixa. Il la connaissait trop bien pour ne pas

comprendre qu'il l'avait définitivement perdu. Un long silence suivit.

— Bon, eh bien, il faut que je m'en aille, fit-il en se levant. Je voulais seulement te mettre au courant de... de mes projets.

— Merci de l'avoir fait, Karim.

— Je te ferai savoir quand j'aurai trouvé l'appartement. L'adresse, le numéro de téléphone. Tout ça, quoi.

— Très bien. Je dirai tout à l'heure aux enfants que tu es venu et que tu les reverras bientôt.

— Oui, Dina. Merci. Je...

On entendit alors le bruit de la porte d'entrée qui claquait. Ils reconnurent tous deux le son des pas avant d'entendre la voix :

— Salut, maman ! C'est moi.

Jordan.

Une seconde plus tard, il entra. Son expression de stupeur s'effaça presque aussitôt.

— Ah ! laissa-t-il échapper.

Karim regarda fixement ce fils qu'il n'avait pas revu depuis près de neuf mois. Il avait grandi, forci, il était même plus grand que lui. Un beau jeune homme robuste et plein de vigueur. Comment croire que ?... Karim se força à chasser cette pensée de son esprit. Il savait qu'il avait eu moralement raison. Mais était-ce si important d'avoir raison ? En ce moment, Jordan arborait la même expression que sa mère. Froide. Inaccessible. Et pourtant, il ressemblait tellement à son père. Tout le monde le disait depuis longtemps et Karim se rendait maintenant compte à quel point c'était vrai, comme s'il revoyait une photo de lui au même âge.

— Ton père est simplement passé..., commença Dina.

— Oui, enchaîna Karim, je passais lui apprendre que je serai plus souvent à New York. Je... je sais que..

Il était hors d'état de formuler ses pensées. Il avait déjà

tant perdu qu'il ne voulait, il ne pouvait plus perdre davantage, même s'il était sans doute déjà trop tard.

— Écoute, Jordy, reprit-il, les choses... beaucoup de choses ne se sont pas passées comme il aurait fallu entre nous. Un jour peut-être, si nous pouvions... si toi et moi...

Karim sentait les larmes lui piquer les yeux. Où étaient les mots pour exprimer à son fils ce qu'il éprouvait ? Alors, il déglutit avec peine et lui tendit la main.

Jordy regarda Karim au fond des yeux. D'homme à homme. Puis il se redressa, tendit la main à son tour et prit celle de son père, qu'il serra avec force. En homme solide, sûr de lui.

Merci mon Dieu ! pensa Karim. Merci de me rendre mon fils.

Remerciements

À Lillian Africano, dont le dévouement exceptionnel a permis à ce livre de voir le jour, je dois une immense gratitude. Merci Lillian de votre inestimable concours. Travailler avec vous est toujours une joie.

À mes filles, Samiha, Naela, Farida et Hana. Mon cœur vous est à jamais lié. Vous avez été mon inspiration et ma force, vous m'avez rendue capable d'écrire un autre livre.

À la mémoire de ma mère bien-aimée, pour l'amour et la confiance qu'elle a su me donner.

À ma famille, pour son affection, son soutien et sa foi en moi, sans lesquels je ne pourrais pas continuer à écrire.

Aux merveilleux amis qui m'ont encouragée, écoutée, stimulée de bout en bout quand je doutais ou perdais courage. Je vous aime tous !

Un très grand merci, enfin, à Liv Blumer, la meilleure des agents, sans qui rien n'aurait été possible.

Composition et mise en pages : FACOMPO, Lisieux

Achevé d'imprimer sur les presses de

BUSSIÈRE
GROUPE CPI

à Saint-Amand-Montrond (Cher)
en juin 2006
pour les Éditions Belfond

N° d'édition : 4068. — N° d'impression : 062265/1.
Dépôt légal : juin 2006.
Suite du 1ᵉʳ tirage

Imprimé en France